er
ur

Super ET

Dello stesso autore nel catalogo Einaudi

Il sangue e il potere
Le ultime diciotto ore di Gesú

Corrado Augias
Il lato oscuro del cuore

Einaudi

© 2014 e 2015 Giulio Einaudi editore s.p.a., Torino

Le vicende e i personaggi di questo romanzo sono di fantasia,
frutto della libera elaborazione dell'Autore. Ogni riferimento a persone esistenti
e a fatti realmente accaduti è puramente casuale.

Prima edizione «Supercoralli»

www.einaudi.it

ISBN 978-88-06-22729-6

Il lato oscuro del cuore

Non sono buone le mie notti. Hai una medicina contro i sogni?

HUGO VON HOFMANNSTHAL

Se ne stava sulla porta, appoggiato con indolenza allo stipite, come se fosse venuto per fare uno scherzo.

«Ha detto Franco che devi stare attenta», si strinse le labbra tra le dita, a mo' di lucchetto, ridacchiando.

Non disse altro, restava lí senza andare né avanti né indietro, con l'insolenza di chi si trova dalla parte del piú forte, sa di avere tempo e di non dover temere nulla. Wanda fece per chiudere la porta ma l'uomo la fermò poggiando con decisione la mano sul battente.

«Sta' ferma, che fai? Ha detto che vuole la risposta».

Lo fissò, incerta. Che voleva dire «risposta» in quelle condizioni? Era lei a essere indagata dalla procura, degli altri nessuno sapeva niente, nemmeno di ciò che era veramente successo quella notte davanti al poligono.

L'uomo doveva essere sui trent'anni, uno di quei bellocci con le guance già un po' pesanti, scure di barba, un alone di brillantina, di lavanda dozzinale, lo stomaco sporgente, il segno del benessere. La guardava irridente, fissando la scollatura della vestaglia che nel movimento brusco s'era leggermente aperta scoprendo l'inizio del seno. Con un gesto istintivo Wanda riaccostò i lembi. Lui diventò aggressivo, le afferrò il polso e la costrinse a riaprire.

«Lascia perdere, – disse. – Che ti metti a fare, la vergine?»

Intanto aveva infilato la mano sotto la vestaglia afferrandole un capezzolo. Lo stringeva forte, lei sentí la fitta di dolore risalire fino alla base del cranio, insieme a un moto di ribellione, il sangue che arrivava al viso. Non poteva fare niente, né rientrare in casa dove l'uomo l'avrebbe seguita – ed era peggio –, né gridare, perché non voleva che i vicini sentissero. Era bloccata sulla porta con quello che le torceva il capezzolo e la voglia di piangere.

«Ma che vuoi, te ne vuoi andare figlio di puttana?»

«La risposta, – fece l'altro di rimando, senza raccogliere. – Devo portare la risposta, lo sai com'è fatto Franco».

Wanda non capiva: non c'era stata nessuna domanda. Lasciò perdere la vestaglia, rinunciò ad accostare la porta, voleva solo che lui sparisse. Udí dei passi sul pianerottolo del piano di sopra. Ignazio era morto da poche settimane, ufficialmente lei era una vedova, tutto il resto non contava niente, né per i vicini né per i giornali. Sapeva una sola cosa: se voleva che quello se ne andasse doveva umiliarsi a chiedere.

«Quale risposta?» domandò sottovoce.

Il tipo sorrise soddisfatto, aveva colto il cedimento.

«Che devi stare attenta a quello che fai e non una parola. Devi sparire. Ripeti».

«Sparire come? Dove vado?»

«Dove cazzo ti pare, sparisci».

«Ma non posso muovermi, il giudice ha detto…»

«De-vo spa-ri-re, fammelo sentire bello chiaro».

«Va bene, vado via… devo sparire».

Il tipo ritirò la mano e le dette una specie di carezza sul viso; poi estrasse dal taschino un piccolo registratore e riavvolse il nastro. Riudí la voce di lei, netta su un leggero fruscio di fondo, che ripeteva: *Va bene, vado via… devo sparire*.

«Brava, adesso ricordatelo», sussurrò agitando il registratore. Fece ciao ciao con la mano e s'avviò.

Wanda avrebbe voluto sbattere la porta ma si trattenne: il gesto di rabbia, il tonfo, avrebbero solo confermato la sua impotenza. Accostò piano, si diresse verso il salotto, aveva una forte nausea ma accese lo stesso una sigaretta. Un gesto meccanico, il gusto del fumo però accresceva il fastidio. La schiacciò subito in una tazzina. Adesso erano le lacrime che salivano a pungerle le palpebre. Le lasciò scorrere. Prima che quello arrivasse sapeva solo di essersi cacciata in un orribile guaio. Ignazio, ucciso in quel modo, e soprattutto tutto ciò che le era caduto addosso dopo, erano state cose da cancellare ogni dolore, se mai lo avesse provato. Adesso che il tipo era venuto a minacciarla aveva davvero paura, forse per la prima volta sentiva che ormai non era possibile tornare indietro, rimettere le cose com'erano prima che tutto cominciasse. Non sapeva nemmeno lei come fosse arrivata fino a quel punto. Accese un'altra sigaretta aspirando con rabbia: quella di prima, dentro la tazzina, continuava a esalare un acre filo di fumo che la fece tossire. Seguitavano a correre, involontarie, le sue inutili lacrime per la vita che avrebbe potuto avere, per la tranquillità perduta, per l'equivoco con il quale il matrimonio era cominciato, per gli errori che aveva commesso, per le pene che l'aspettavano, per le minacce, per il seno che le doleva. Ogni mattina, col primo caffè, si ripeteva che era stato solo un brutto sogno... Quando si dissipava lo stordimento del sonnifero si rendeva conto che era tutto vero.

Piangeva in silenzio sul divano, mezza nuda, i capelli che le scendevano sul viso, dimentica di sé, con la sigaretta che macchiava le dita, chiedendosi se avrebbe avuto il coraggio di ricostruire la catena degli avvenimenti. Sparire come? In procura l'avevano diffidata dal lasciare la città. In ogni caso non sapeva dove andare, l'appartamento era tutto ciò che aveva, i soldi per nascondersi da qualche altra parte non c'erano. Non un'amica, la sola persona con cui poteva parlarne era quell'avvocato che aveva conosciuto. Si occupava della morte di Ignazio, forse poteva aiutarla, sembrava una persona per bene. Però avrebbe dovuto scoprire molte carte, e Franco non scherzava. L'avvocato le aveva ispirato fiducia: di mezz'età, gentile, uno dei pochi che non l'avesse trattata da puttana. Talmente per bene che era incerta se avrebbe davvero capito in quale pasticcio s'era cacciata.

Gli altri, li conosceva, non le avrebbero risparmiato nulla.

2.

«È opinione comune che la psicoterapia sia stata fondata da Sigmund Freud. Allo stesso modo si ritiene che abbia incontrato le tradizioni spirituali dell'Oriente attraverso Carl Gustav Jung. La realtà storica è molto piú complessa, oggi cominceremo a conoscerla. Intanto tenete a mente questo: come del resto ha fatto notare lo stesso Freud, la psicoterapia non è un metodo di cura moderno. Essa è antica forse quanto l'uomo, o almeno quanto il momento in cui l'uomo ha iniziato a sviluppare la particolare attitudine ad ascoltare e a cercare di capire i pensieri di se stesso e dell'altro.
Una delle prime forme di terapia spirituale è quella di Evagrio Pontico, un monaco cristiano che sotto la direzione del grande mistico Macario l'Egiziano trascorse sedici anni nel deserto. Per Evagrio gli esseri umani sono stati creati puri; ma questo stato di grazia originale viene inquinato nel corso della vita dalle passioni o malattie dell'anima. Il primo passo della *pràxis* consiste quindi nel riconoscere che la propria anima è "malata", che è stata cioè colpita da una passione, parola che viene da *pàthos*, tensione estrema, anomalia, dolore. La cosa dovrebbe farci riflettere; in termini piú moderni noi la chiamiamo psicopatologia. Anche lí vediamo ricomparire *pàthos*. È però vero che negli ultimi cento anni, in particolare negli ultimi cinquanta, le tecniche psicoterapeutiche a disposizione del clinico si sono moltiplicate fino a comprendere, attualmente, alcune centinaia di modelli...»

Le lezioni del professor Modiano erano sempre cosí affollate che bisognava arrivare un bel po' di tempo prima per
riuscire a trovare posto in aula. Clara s'era chiesta spesso la
ragione di tanta popolarità in una materia tutto sommato
secondaria, con caratteri piú di tipo storico – o addirittura
letterario – che non tecnico. Ancora adesso, parecchi anni
dopo la laurea, ricordava con quale partecipazione le avesse seguite. Parlandone un giorno con Corrado era arrivata
a confessare un suo timore: forse era andata troppo in là,
aveva finito per trascurare gli aspetti scientifici a vantaggio di quelli letterari.

«Mi pare che un criterio sovrano non ci sia, è una questione di equilibri», aveva risposto Corrado senza sbilanciarsi.

Adesso doveva semplicemente prendere un autobus che
non arrivava mai in una serata di tiepida pioggia sottile,
ci sarebbe stata ressa per salire e a casa avrebbero protestato perché era arrivata tardi ancora una volta. Un'altra
giornata senza combinare niente, su e giú per la città, sale
d'attesa, uffici, gente distratta, qualche proposta equivoca
con la voglia che ogni tanto le prendeva di dire «sí, vedia-
moci certo, perché no», un sorriso disinvolto di giovane
donna che sa stare al mondo.

Scese dall'autobus: la fermata era proprio davanti alle
vetrine scintillanti di un negozio dove si vendeva di tutto, articoli da regalo, soprammobili, cartoleria e sigarette.
Invece quella sera era tutto spento, le serrande abbassate,
qualche capannello sul marciapiedi. Clara si fermò ad ascoltare. C'era stata una rapina, erano entrati in tre o quattro,
stavano già scappando quando qualcuno aveva sparato, era
arrivata l'ambulanza. Un tale mostrava con tono pieno di
competenza le gocce di sangue sul marciapiedi.

Anche a casa non si parlava d'altro. «Hai visto dove
siamo arrivati», chiese quasi piangendo nonna Assuntina
agitando le mani, con indosso la sua eterna vestaglia logora.

«Dicono che erano stranieri, pure alle cartolerie s'attaccano».

Luciano salutò distrattamente la figlia. «Io le vedo subito le cose, questa non è una normale rapina, è un'azione di tipo militare, chissà che ci devono fare con quei soldi». Era sceso a guardare appena s'erano sentiti i colpi. Dev'essere per questo, pensò Clara, che è vestito di tutto punto.

«Hai trovato lavoro, finalmente?» chiese Assuntina.

La minestra era buona, la pasta cotta al punto giusto, i sapori delle verdure intensi.

«Le solite cose nonna, "lasci il curriculum, le faremo sapere, il momento non è favorevole, però il mese prossimo" eccetera...»

Non disse nulla sul tale che le aveva chiesto di parlarne con piú calma, magari a cena. Elegante, al polso un bell'orologio, niente fede al dito: mani abbronzate da tennista, aveva pensato. Si chiese se faceva cosí con tutte.

Luciano s'era alzato da tavola, giocava col telecomando per vedere se su qualche canale si parlava della rapina.

«Ormai queste notizie non le danno nemmeno piú, – sembrava sconsolato piú per lo spettacolo mancato che per la negligenza dei cronisti. – L'ho detto subito che non era una rapina qualunque, il commissario m'ha dato ragione, hanno sparato coi revolver, non volevano lasciare tracce».

Quando arrivò Luigi, fu come una ventata. Sedette di schianto e cominciò a mangiare la minestra direttamente dalla zuppiera. «Avete sentito della rapina?» Mangiava e parlava, anche lui un po' eccitato. Luigi gestiva un bar insieme a Roberto, un amico d'infanzia. «I bar però non li attaccano, non vale la pena, ci stanno quattro soldi. Nemmeno la cassiera abbiamo... Non sapete quanto costa una cassiera».

«La dovreste mettere invece, attirano i clienti».

Si girò verso Clara, aveva cinque anni di meno ma si comportava come se fosse lui il fratello maggiore.

«Hai trovato qualcosa?»

Non valeva la pena di rispondere, era una domanda
buttata lí. Lo sapevano tutti che mandare un curriculum
e fare interviste serviva solo a far passare il tempo fingendo di cercare lavoro.

Quando vide che tutti avevano mangiato la minestra
Assuntina andò a dormire. Dopo tanti anni in città, quasi
una vita intera, conservava le vecchie abitudini contadi-
ne. Anche Luciano dopo un po' s'alzò dal divano per ritirarsi, deluso che nessuno parlasse della rapina. «Vedrai
che domani ne scriveranno i giornali», lo consolò Clara.

Luigi fece il gesto gentile di portare la zuppiera fino al
lavello e s'avviò alla porta. «Non fare tardi», disse Luciano
sulla soglia, parole anche quelle buttate lí tanto per dire.

Clara doveva riprendere la ricerca che aveva provvi-
soriamente intitolato *La scoperta dell'inconscio*. Non sarebbe servita a molto ma era una delle poche cose che
potesse tentare, nell'attesa. Veramente c'era anche il bar
di Luigi. Sarebbe potuta essere lei la cassiera, quella che
avrebbe attirato piú clienti: piuttosto esile di fianchi ma
con un seno sul quale lo sguardo degli uomini indugia-
va volentieri. Col tempo sarebbe diventata matronale,
un gran sedere debordante, un bel sorriso per i clienti
piú assidui, la camicetta con un paio di bottoni slacciati.
S'immaginò seduta dietro una di quelle vecchie casse che
parevano d'argento, con la manovella che apre il cassetto
con un tintinnio allegro.

Dopo una giornata piena di fatiche e frustrazioni, non
aveva nessuna voglia di mettersi a lavorare. Era rimasta
sola in cucina, forse tanto valeva rigovernare. Invece restò
seduta, guardando pigramente in giro.

Una vecchia foto di Assuntina sulla credenza: una
bambina coperta da un vestituccio di cotone, un dito in
bocca e i piedi nudi sulla terra brulla, che guardava arrabbiata l'obiettivo. In famiglia dicevano che si era fat-

ta ritrarre scalza per capriccio, lei giurava che le scarpe proprio non le aveva.

Quelli che le stavano intorno erano tutti morti, genitori e fratelli, chi in guerra chi di malattia. Morto certamente anche l'asino entrato di forza nell'inquadratura, che fissava il fotografo con un'aria piú amichevole di quella della nonna, le orecchie alte, i denti forti in quello che pareva un rassegnato sorriso.

Delle tre bimbette presenti nel ritratto, solo Assunta guardava verso l'obiettivo; le sue due sorelle sembravano rapite da qualcosa fuori del quadro. Parevano destinate a una vita qualunque in quella campagna del Mezzogiorno dove era rimasto tutto fermo da chissà quanto. Invece anche lí, dove nessuno le aspettava, sarebbero arrivate le sorprese. Giuliana, la piú grande e la piú bella, aveva sposato un soldato americano ed era andata laggiú. Ma di quello che le era successo s'era sempre parlato a mezza bocca, lasciando intendere che era meglio sorvolare.

Assuntina tutto sommato era stata la piú fortunata: suo figlio Luciano l'aveva presa in casa e le aveva attrezzato lo stanzino come una vera camera da letto, anche se lei l'aveva tappezzata con immaginette sacre e qualche lumino, sicché piú che una stanza pareva già la sua tomba.

Tutta una vita s'era consumata tra quella bimba a piedi nudi accanto all'asino e la vecchina che si chiudeva in camera a biascicare il rosario con cadenza sempre uguale fino a precipitare su un frettoloso «ame», quasi la «n» le costasse fatica.

Quando finalmente aprí il quaderno degli appunti, Clara riprese il lavoro dalla lezione del professor Modiano sul sadismo che aveva trascritta dalla registrazione.

«Il termine sadismo deriva dal nome del famoso, potrei dire famigerato, scrittore francese Donatien-Alphonse-François: conte, o marchese, de Sade (1740-1814), au-

tore di saggi, drammi, ma soprattutto di romanzi nei
quali l'erotismo si fonda su atti di crudeltà. Possiamo
citare tra gli altri *Justine ovvero le disgrazie della virtú*,
Juliette ovvero le prosperità del vizio, *Le 120 giornate di
Sodoma ovvero la scuola del libertinaggio*. Nel suo "romanzo filosofico" *Aline e Valcour* (1795) l'autore dà
una spiegazione tecnico-narrativa al suo gusto per l'o-
sceno crudele: "Sfortunatamente devo descrivere due
libertini; aspéttati perciò particolari osceni, e scusami
se non li taccio. Ignoro l'arte di dipingere senza colori;
quando il vizio si trova alla portata del mio pennello, lo
traccio con tutte le sue tinte, tanto meglio se rivoltanti;
offrirle con tratto gentile è farlo amare".
Rovescio del sadismo è il masochismo, che prende
anch'esso nome da uno scrittore, Leopold von Sacher-
Masoch (1836-95) il quale associa la voluttà non all'in-
fliggere bensí al patire una sofferenza.
I due neologismi vennero criticati. Per esempio da Al-
bert von Schrenck-Notzing (1862-1929), medico e psichiatra tedesco appassionato di fenomeni paranormali.
Propose in sostituzione il termine "algolagnia", dalle
radici greche *algos*, dolore – pensate per esempio a "nostalgia": dolore del ritorno – e *lagneia*, voluttà. Con un
solo termine avrebbe compreso entrambi i fenomeni.
Rimasero però i due distinti termini, coniati e introdotti
nel linguaggio clinico da un altro illustre psichiatra tedesco poi naturalizzato austriaco: Richard von Krafft-
Ebing (1840-1902). Freud riprese le denominazioni del
Krafft-Ebing, le fece proprie, anche se il termine è da
lui utilizzato talvolta per indicare la fusione di sessualità e violenza, talora per l'esercizio della sola violenza
senza implicazioni sessuali. In ogni caso le consegnò a
una diffusione tale da farle diventare, come ormai accade da tempo, di uso corrente, spesso banalizzate nelle metafore.
Krafft-Ebing è stato il primo a riconoscere l'importanza

del binomio libidine-crudeltà dandogli una trattazione sistematica. Il fenomeno però non è nuovo. L'esperienza clinica, le cronache giudiziarie, la stessa storia delle religioni ci danno cosí numerosi esempi di queste deviazioni da poter affermare che la connessione psicologica tra libido e sete di sangue sia una costante. Numerose le danze rituali accompagnate da sacrifici umani e concluse con un'orgia; usuale il saccheggio d'una città accompagnato da uccisioni e atti di sfrenata libidine; frequenti le fantasie puberali accompagnate da atti di violenza sul partner; copiosa la trattazione di casi clinici nella bibliografia tedesca ma anche italiana con Lombroso e Mantegazza».

Era straordinaria la tensione che il professore riusciva a creare ripercorrendo la storia di quelle deviazioni, facendo notare come non fosse sempre facile individuare il confine tra una manifestazione di accettabile aggressività nell'atto amoroso e una vera e propria patologia.

«Nella penetrazione, anche la piú partecipata, c'è sempre una componente aggressiva. Fin qui però siamo nella norma, come dimostra anche il comportamento amoroso nel mondo animale. I due rapporti Kinsey hanno reso evidente (a cavallo degli anni Cinquanta) come molte persone considerate normali godono per una qualche forma di sofferenza nel rapporto sessuale. Norman Breslow, e Andreas Spengler alla fine degli anni Settanta, hanno dimostrato con un'ampia casistica che molte ricerche fatte in precedenza erano falsate da ignoranza e pregiudizi nei confronti di pratiche sessuali a lungo giudicate patologiche mentre dovrebbero essere considerate anormali ma innocue.

La stessa mitologia offre numerosi esempi di libidine e crudeltà. La mitica regina di Lidia, Onfale, umilia Ercole, suo spasimante, costringendolo addirittura a vestirsi da donna prima di concedersi e generare con lui alcuni figli; i compagni di Ulisse trasformati in maiali godono della loro condizione pur di avere la visione della ninfa Circe; Giovenale riferisce che durante i Lupercali le donne si lasciavano flagellare per diventare feconde; Apuleio ne *L'asino d'oro* racconta come i Coribanti nel culto di Cibele, presi da furore dionisiaco, si mordessero a sangue l'uno con l'altro; secondo la leggenda il grande Aristotele si faceva cavalcare dalla moglie Fillide con tanto di sella e briglie, tipica figurazione masochistica ripresa anche nel film *L'angelo azzurro* dal romanzo di Heinrich Mann. Tralascio gli innumerevoli esempi che vengono dalla pedagogia di stampo anglosassone, dalle leggende nere come quella di Gilles de Rais, compagno d'armi di Giovanna d'Arco, passato alla storia per aver stuprato e ucciso centinaia di bambini. Eccetera. La casistica ci interessa, piú ancora ci interessano le motivazioni. La mia idea è che l'elemento essenziale di questi stati patologici non sia tanto il dolore, inflitto o subito, quanto l'assoggettamento di un'altra persona. Il dolore è lo strumento, il vero fine della crudeltà è il dominio. Se accettate questo punto di vista, è chiaro che dobbiamo considerare non solo la crudeltà fisica ma anche quella psicologica».

«Continueremo alla prossima puntata», concludeva spesso scherzosamente il professore, tra gli applausi.

3.

Corrado aveva avuto la rara fortuna di raggiungere un equilibrio tra l'attività che svolgeva per guadagnarsi da vivere e gli entusiasmi della prima gioventú. Giustamente lo considerava un privilegio, però sentiva anche la responsabilità morale della sua condizione. Nella veste di ricercatore nel campo della filologia classica, cercava di far notare ai suoi studenti le possibili linee di collegamento tra eventi e testi antichi e gli equivalenti, non di rado angosciosi, della contemporaneità. «Non pretendo di mettere la filologia al passo coi tempi, – aveva detto un giorno a Clara, – mi limito a far notare le coincidenze, cerco d'inserire ciò che già esiste, magari da secoli, nel panorama visibile».

Secondo Clara anche l'allenamento a scrutare con lealtà il passato contribuiva a mantenere lo sguardo di lui vivace e allegro, compresa una scintilla d'ingenuità quando ascoltava. Tutto sommato Corrado dava l'impressione di essere divertito dalla vita, e comunque non disposto a dare un peso eccessivo alle difficoltà. Un giorno Clara s'era destata dal sonno dell'adolescenza e aveva scoperto che non sapeva quasi nulla del mondo. Incontrarlo le aveva giovato, alcune cose che vagavano incerte nella sua coscienza avevano cominciato a trovare un posto. Stavano bene insieme, si scambiavano di continuo informazioni, stati d'animo, slanci affettuosi, a volte anche malumori, trovando sempre molte cose da dirsi a costo di diventare un po' pedanti. C'era un solo limite: la fiamma della passione che a detta di molti dovrebbe segnare i veri grandi amori non era

mai divampata. Certe volte Clara aveva provato a immaginare che cosa avrebbe voluto dire svegliarsi insieme ogni
mattina, affrontare i primi incerti passi di ogni giornata,
fare l'elenco delle spese a fine serata. Aveva concluso che
era preferibile restare amanti, ritrovarsi solo nei momenti in cui si aveva davvero voglia di condividere qualcosa,
letto compreso.

Quel giorno avevano deciso di mangiare insieme nel
breve intervallo di cui Corrado disponeva tra la lezione
del mattino e un seminario nel primo pomeriggio.

«L'altra sera c'è stata una rapina sotto casa mia», esordí
Clara.

«Ho visto un titolo sul giornale ma non ho letto l'articolo. Se avessi saputo…»

«L'articolo non aggiunge quasi niente, l'essenziale è
già nel titolo».

«Manca la narrazione».

Lei accennò un gesto come per dire «sciocchezze». Detestava la prosa paraletteraria di quei cronisti che vogliono
darsi un tono da scrittori, salvo scadere nelle metafore piú
trite: *pesante come un macigno, la bianca coltre, la punta
dell'iceberg, una visione mozzafiato, un silenzio assordante…*
Clara aveva in serbo una novità:

«Ho fatto domanda all'istituto di Psicologia dell'Università di Atlanta, Georgia».

«Potresti incontrare Rossella O'Hara, da quelle parti».

Le apparve tra gli occhi una piccola ruga di contrarietà.
«Battuta modesta», lo rimproverò.

«Hai ragione, mi punirei da solo quando scivolo cosí».

Lei continuò: «Ho preparato un progetto che parte da
un'osservazione di Lurija… Sai di chi parlo? Aleksandr
Romanovič, il neuropsicologo…»

Corrado rispose con un cenno vago del capo.

«M'interessa un aspetto marginale del suo lavoro che

è centrato sui processi funzionali integrati di diverse aree cerebrali. Lurija dice che in psicologia l'aspetto scientifico e quello romanzesco s'incontrano, che in ogni caso clinico si può vedere un punto d'intersezione dove il fatto, cioè il sintomo, incontra la fiaba... Parla addirittura di "scienza romantica", sostiene che il metodo migliore per una scienza come questa sia raccontare una storia, la storia di un uomo, di una vita».

Clara s'appassionava nel tentativo d'illustrare l'idea con la quale s'era candidata a quella borsa di studio. Corrado la fissava pieno d'ammirazione; sapeva vedere la soglia dove un'idea anche buona, ma effimera, si trasforma in un vero, solido progetto sul quale lavorare.

«Se stabilisci questo parallelo, – osservò, – potresti forse farlo funzionare anche in senso inverso... Voglio dire, partire da un romanzo per misurarne l'aspetto clinico. Dostoevskij, per esempio».

«È quel che credo. Dostoevskij certo, ma io penso piuttosto a Edgar Allan Poe. Decenni prima che Freud iscrivesse la follia all'interno di un paradigma scientifico, Poe aveva fatto della narrativa gotica uno strumento per raccontare l'inconscio, un mondo d'incubi e di fantasmi». Quanto di piú lontano da quella giornata, tiepida nonostante si fosse in autunno, rallegrata da un cielo di un azzurro anche troppo rassicurante, in una città che dell'accogliente tepore era addirittura la culla. La facoltà non era lontana, Clara si offrí di accompagnarlo.

«A casa abbiamo una foto di mia nonna Assunta da piccola, in campagna. Ha addosso una vestina di cotone, è scalza. Qualcuno dice che era stato un suo capriccio, lei giura che da bambina delle vere scarpe non le ha mai avute. Sembra incredibile...»

«Abbiamo fatto enormi progressi da quel punto di vista. Guardati intorno», e indicò la gente benvestita che si affrettava a rientrare al lavoro, le auto nuove che sfrecciavano sulla strada.

«Progressi o miglioramenti? – replicò Clara. – La parola "progresso" è cosí impegnativa che non si sa mai bene che cosa voglia dire».

Di tanto in tanto s'imbarcavano in discussioni praticamente inutili dove si spaccava il capello in sedici o in trentadue, come diceva Corrado. Forse perché facendo cosí avevano l'impressione di sfuggire alla piattezza della cronaca per aiutarsi un po' a vicenda. O forse solo in quei momenti riuscivano a trovare un baricentro condiviso in quel loro strano rapporto. Comunque la domanda di Clara aveva una sua ragione, ne avevano già discusso parecchio, scoprendosi di opinioni opposte. Lei sosteneva che il benessere improvviso, dopo secoli di miseria, aveva rovinato gli italiani trasformandoli in famelici consumatori. Per Corrado invece il carattere collettivo sostanzialmente non era cambiato: il benessere aveva solo reso visibile ciò che, allo stato latente, c'era sempre stato. Gli italiani del passato, secondo lui, non erano migliori degli attuali, erano solo piú poveri, meno visibili. Il carattere di un popolo, aggiungeva citando Benedetto Croce, è la sua storia, tutta la sua storia:

«La nostra storia, Clara, è sempre stata cosí piccola, non di rado avvilente. Abbiamo saltato troppi passaggi, perso troppe occasioni per crescere… Ci è mancata una grande dinastia capace di unificare il Paese. Quando è arrivata una mediocre dinastia periferica come i Savoia, un genio come Cavour non è bastato».

«Abbiamo anche dovuto scontare il peso della Controriforma», osservò lei.

«Certo la Chiesa ci ha messo del suo, ma nemmeno la Chiesa basta da sola a spiegare il resto… Siamo un popolo che nonostante sia stato dominato da chiunque abbia voluto farlo, non è mai riuscito a sviluppare il senso della tragedia».

Per rafforzare il concetto, Corrado citò ciò che era accaduto durante il recente sequestro dell'*Achille Lauro*: il

comportamento vile dell'equipaggio, i passeggeri abbando-
nati, alcune cabine depredate da chi avrebbe dovuto pro-
teggerle, l'assassinio a freddo del passeggero handicappato
Leon Klinghoffer... Tutti elementi di una tragedia, finita
anche quella in farsa: quattro terroristi avevano tenuto da
soli in ostaggio un'intera nave.

«Per carità di patria non se n'è parlato abbastanza, ma
i fatti restano spaventosi».

Si fermarono davanti all'ingresso della facoltà, già pieno di studenti che tornavano dalla mensa. Alcuni di loro
erano accesi in volto, si muovevano eccitati, apparivano
buffi e presuntuosi, scambiavano le loro fantasie per idee
di autentico valore. C'erano stati dei tafferugli, persone
avevano protestato sventolando cartelli, soffiando a tutta
forza dentro i fischietti con suoni così striduli da tapparsi
le orecchie. Eventi ai quali pochi facevano ormai caso in
un Paese perennemente inquieto che dava l'impressione
di non saper bene quale strada scegliere.

«Che fai adesso?» domandò Corrado.

«Vado a casa a lavorare. E tu, dopo la lezione?»

«Ho un seminario piuttosto impegnativo. Devo cercare
ogni volta di sedurli. Sono pronto ad affrontare qualsiasi tipo di disordine, ma non quello intellettuale. Mi piacerebbe che diventassero degli adulti capaci di possedere
davvero le proprie convinzioni invece di essere posseduti
da altri, o anche solo dalle proprie abitudini o peggio dalle passioni. Poi stasera arriva mio padre, lo porterò a cena
da qualche parte».

Si sfiorarono con un bacio, col pensiero già altrove.

4.

Clara aprí il quaderno degli appunti sul famoso caso di Dora, uno dei peggiori smacchi di Freud, che del resto aveva sempre capito poco circa la sessualità femminile.

Il vero nome di Dora era Ida Bauer, soffriva di attacchi isterici, aveva diciotto anni quando il professore cominciò a occuparsi di lei. La mattina del 14 ottobre 1900 il signor Bauer, un ricco industriale che risiedeva poco piú in là nella stessa strada in cui abitava Freud, condusse la figlia Ida nello studio del professore.

Clara conosceva bene il bel portone al numero 19 della Berggasse, la scala dagli ampi finestroni, il corrimano lucido, la ringhiera di ferro battuto illeggiadrita dalle eleganti volute Jugendstil, il divano ricoperto da un tessuto pesante come un tappeto, la poltrona poggiata contro il muro. L'edificio era nuovo quando Freud vi mise piede nel 1891. Per quarantasette anni, fino a quando i nazisti non lo costrinsero all'esilio, quelle stanze erano state il confessionale laico dove la borghesia viennese veniva a depositare i suoi torbidi sogni.

Ida era affetta da sintomi chiaramente nevrotici: rifiuto dei contatti sociali, depressione, sporadiche tendenze al suicidio; tra i piú fastidiosi una persistente irritazione alla gola con conseguente afonia. Nella famiglia Bauer la situazione era molto complicata. La madre di Ida, temperamento chiaramente ossessivo, si negava costantemente al marito, che aveva pertanto avviato una relazione con la signora K., amica di famiglia. Il marito di questa, il signor

K. – anch'egli insoddisfatto – aveva rivolto le sue atten-
zioni nei confronti della giovane Bauer. Quando Ida aveva quattordici anni, il signor K. l'aveva aggredita bacian-
dola a forza. Disgustata dal contatto, la ragazza l'aveva
schiaffeggiato.

La situazione si era protratta per alcuni anni senza mai
venire davvero affrontata. A un certo punto però Ida, che
intanto era diventata un'attraente giovane donna, aveva
cominciato ad accusare il signor K. che, negando ogni ad-
debito, aveva anzi ritorto verso di lei le accuse. Era Ida a
coltivare fantasie pornografiche, a pensare in modo ma-
niacale al sesso. Nemmeno il signor Bauer aveva creduto
molto alle parole della figlia. Quanto meno, aveva finto di
non credervi per non dover affrontare una questione tanto
delicata e sgradevole con il marito della sua amante. Si era
cosí creato un micidiale incastro nevrotico, fondato su reticenze e reciproche complicità. Ida ne era stata la vittima.

Fino a questo punto tutto era abbastanza comprensibile.

L'enigma era Freud, la vera domanda era perché il professore non fosse riuscito a smontare questo meccanismo
perverso ma tutto sommato semplice nella sua meccanica.
Ida sentiva di essere utilizzata come complice della relazione paterna, Freud questo lo aveva capito subito, ma piú
il loro rapporto proseguiva, piú sembrava sfuggirgli la vera
causa del disgusto provato dalla ragazza. Il professore non
riusciva a capire come mai lei non fosse lusingata, eccitata, dalle esplicite avance di un uomo rispettabile e maturo.

Nella pratica clinica corrente, uno dei sintomi dell'isteria si credeva di scorgerlo nel fatto che il soggetto, esposto
a un esplicito stimolo sessuale (il signor K. che abbraccia e
bacia Ida), rifiutasse l'approccio con sensazioni di disgusto.
Anziché riconoscere che il signor K. aveva abusato della
sua posizione nei confronti di una giovanissima donna vio-
lando prima ancora del pudore la sua fiducia, Freud aveva
interpretato quel disgusto al rovescio. Il professore era una
figura indiscutibilmente geniale (Clara talvolta aveva addi-

rittura pensato di amarlo), ma la cultura di cui era imbevu-
to gli aveva impedito di scorgere la soluzione nonostante
l'avesse sotto gli occhi; pareva non rendersi conto insomma di non essere un osservatore neutrale, di falsare la sua
analisi introducendovi dei preconcetti. Attribuí i sintomi
di Ida a pulsioni sessuali inconsce nei confronti del padre
e dello stesso signor K. In sostanza aveva cercato una soluzione che rientrasse nei suoi schemi.

Il trattamento di Ida-Dora durò meno di tre mesi, si limitò all'analisi di due sogni, finí con la paziente in condizioni peggiori di quando la terapia era cominciata.

La questione diventava piú complicata, ma ancora piú
affascinante, mettendo il caso di Dora a confronto con
quello di Else, un'altra ragazza – nata dall'immaginazione
di uno scrittore – che aveva dovuto affrontare un'avance
sessuale molto piú subdola.

Clara sorrise al ricordo di ciò che lei stessa aveva dovuto
affrontare qualche giorno prima. In fondo il bel dirigente
con le mani da tennista aveva solo detto «Potremmo parlarne con calma una sera a cena», il sottinteso era evidente
ma la forma era rimasta impeccabile. Corresse il giudizio:
non era impeccabile, il garbo nascondeva un ricatto, pre-
ludeva all'esercizio di un dominio. Le condizioni perché la
sua domanda di lavoro fosse esaminata (non accolta, *esaminata*) venivano nascoste sotto una formula solo apparen-
temente mite. Del resto la fila fuori della porta era lunga
e un qualche criterio di selezione bisognava pur adottar-
lo. Poi sarebbe venuta la procedura consueta, una stanza
di motel con la cena inclusa nel pacchetto, probabilmente.
In fondo lei se l'era cavata, per Else era stato molto piú
difficile perché nel suo caso era coinvolto anche il padre.

E a proposito di padri, proprio in quel momento Luciano entrò nella stanza senza far rumore. «Sempre a studiare», disse piano. Clara avrebbe voluto rispondere «per

quel che serve». Invece sorrise chiudendo il quaderno degli appunti. Sapeva che il padre considerava la sua laurea una conquista della famiglia, e anche un vanto personale. Lui aveva solo il diploma di perito, aveva cominciato a lavorare a diciott'anni, poi s'era arruolato e aveva fatto una specie di guerra in un posto che nessuno, nemmeno lui, aveva saputo dire con precisione dove fosse: arroventato, pieno di sabbia e di muri sbilenchi calcinati dal sole.

«Alla fine l'hanno data la notizia», l'uomo parlava sottovoce ma con un certo orgoglio. Clara lo fissò senza capire. «La rapina, l'hanno fatta vedere anche in televisione –. Fece una breve pausa. – C'ero anch'io, mi si vedeva benissimo mentre stavo parlando con il commissario». Tirò fuori una sigaretta dall'astuccio di metallo, la spezzò in due. «Vado a fare due passi», agitò la mezza sigaretta senza accenderla.

Clara avrebbe voluto dirgli «sta' attento papà, non dovresti fumare con l'enfisema», invece non disse niente, tanto valeva lasciarlo in pace: quell'uomo aveva chiesto cosí poco alla vita, in cambio aveva avuto pochissimo. Aveva fatto quella specie di guerra, mandato un po' di soldi a casa, era tornato vivo, finito lí.

Una bella differenza con il bisnonno Rino, il padre di Assuntina, che era sbarcato a Tripoli tutto allegro, il casco coloniale con le penne da bersagliere, un lungo moschetto con la baionetta inastata. «Un sole tiepido e fulgidissimo allaga d'oro le sabbie, gli acquitrini e i palmeti», scrivevano i cronisti con l'enfasi di chi si sente partecipe di un'impresa straordinaria. Si sarebbe capito dopo che era la guerra sbagliata e che non c'era ragione di esserne cosí fieri con tutto quello che era successo fra massacri, gas asfissianti, e vittorie malamente strappate.

Però Rino e i suoi compagni, in posa per il fotografo, parevano bellissimi nelle uniformi color kaki, la coperta spavaldamente a bandoliera, il tascapane delle munizioni, solide scarpe alte sui garretti. Clara sapeva, tutti sapeva-

no, che le belle uniformi servivano a far sembrare soldati
dei poveri contadini quasi analfabeti, catapultati dall'onda
della storia in un territorio ostile che non sarebbero nemmeno stati capaci di sfruttare. Le membra lunghe e magre
degli indigeni prigionieri, coperti di stracci e straniti dal
combattimento, non erano molto diverse da quelle dei soldati vincitori: braccia che avevano lo stigma d'una povertà
antica, le une e le altre, al di là degli abiti.

In un'altra foto Rino e due suoi compagni minacciava-
no un gruppo di ragazze a seno nudo puntando loro contro
le baionette, ma si vedeva che era piú che altro un gioco;
quelle infatti fissavano mansuete l'obiettivo come se fossero partecipi della commedia e prevalesse, sulla violenza
della sopraffazione militaresca, la complicità d'un possibile scambio erotico. Clara s'era sempre chiesta se la ragione vera dell'entusiasmo, della voglia di partire, risiedesse
davvero nella buona paga o non piuttosto in quelle ragazze
seminude. Intanto le mogli restavano a badare alla casa e ai
campi timorose di tutto, nascondendo i loro corpi bianchi,
le mammelle, la curva delicata del ventre, sotto un grovi-
glio di panni neri tenuti addosso anche nei mesi piú caldi.

Quelle foto erano passate di mano in mano sollevando
commenti scandalizzati, si rincorrevano voci sulle malattie terribili che gli uomini avrebbero riportato a casa segnando figli e nipoti con un marchio senza rimedio. Rino aveva partecipato a un'epopea, Luciano invece aveva
solo guadagnato un po' di soldi, rifatto un paio di stanze
dell'appartamento, pagato gli studi a Clara, permesso a
Luigi di aprire un bar.

Immergendosi di nuovo nello studio Clara udí, semicon-
sapevole, suo padre chiudere con cautela la porta di casa.

Perché Freud non aveva capito il trauma di Dora? Eppure l'impatto del professore sulla storia del pensiero era
stato immenso. Aveva portato il concetto di mente fuo-

ri della cerchia della filosofia facendone il centro di una scienza nuova. Un tentativo senza precedenti di superare le osservazioni cliniche lasciando affiorare le cause dei comportamenti umani, isolandoli come si fa col bisturi su un organo malato. Con Dora non c'era riuscito, aveva falsato lui stesso i risultati introducendo il filtro della sua cultura, della sua biografia, lo spirito dei tempi. C'era riuscito invece Arthur Schnitzler. Se il caso d'una persona reale aveva fatto registrare un fallimento, la storia di *Fräulein Else*, un'invenzione letteraria, aveva toccato gli strati piú profondi. Perché anche Else aveva dovuto affrontare un oltraggio sessuale umiliante. Ancora una volta s'era trattato di un uomo maturo e d'una giovane donna in condizione di necessità. Clara ebbe la visione fugace delle mani da tennista che aveva fissato durante il colloquio. Frugavano la sua intimità, abili, con delicatezza: non era del tutto sgradevole. Necessità contro necessità ma intorno ogni cosa era cambiata, la società, il pudore, il tempo.

Una ventina d'anni dopo che Freud aveva pubblicato il caso di Dora (*Frammento di un'analisi d'isteria*, 1905), lo scrittore viennese Arthur Schnitzler aveva composto uno dei suoi racconti magistrali come se avesse voluto dare una possibile risposta a quel fallimento.

Anche Schnitzler era medico, ed era ebreo; medico suo padre, eminente chirurgo suo fratello Julius. Quando era ancora incerto se continuare anche lui come medico o dedicarsi per intero alla letteratura, Schnitzler era stato assistente dello psichiatra Theodor Meynert, uno dei maestri di Freud.

Questo soprattutto affascinava Clara, che la scienza della mente fosse stata inaugurata da uomini abituati a scrutare il corpo, che dunque la scoperta dell'inconscio fosse cominciata smontando un organismo fatto di sangue, ossa, muscoli, vasi, ghiandole; il corpo e l'anima, la tangibile realtà di un organo e la sfuggente e oscura materia di cui sono fatti i sogni. Freud aveva cominciato a indagare la mente

in termini biologici, ossia di funzionamento del cervello.
Guardare sotto la superficie del corpo per trovare la verità, s'era detto. Quando si rese davvero conto che la libera
associazione era uno scandaglio piú efficace?

Il rimedio era mettere sul tavolo autoptico i sogni, trat-
tarli come un sintomo, lasciarli emergere e poi sezionarli
con la lama dell'indagine psicologica.

Mentre è in vacanza, la signorina Else, di agiata famiglia ebraica, riceve un telegramma con il quale la madre le
comunica che il padre rischia di finire in prigione per debi-
ti. La madre le domanda di avvicinare un vecchio amico di
famiglia, il signor Dorsday, per chiedergli un prestito sufficiente a scongiurare il pericolo. Else non vorrebbe farlo,
presagisce ciò che potrà accadere. Il racconto di Schnitzler
è scritto in forma di monologo interiore, abbiamo sotto gli
occhi le reazioni della ragazza, le incertezze, i sentimenti
nel momento stesso in cui affiorano alla sua coscienza. Nonostante sia lacerata dai dubbi, Else finisce per incontrare Dorsday, vorrebbe sembrare disinvolta, invece si rende
conto di essere soltanto goffa.

«Che succede? Mi prende la mano? Che gli salta in
mente? – *Ma non lo sa già da tempo, Else?* – Deve lasciar
andare la mia mano! Oh, grazie a Dio, la lascia. Non cosí
vicino, non cosí vicino. – *Non dovrebbe essere una donna,
Else, per non essersene accorta. Je vous désire.* – Avrebbe potuto anche dirlo in tedesco, il signor visconte. – *Devo aggiungere altro?* – "Ha detto già troppo, signor Dorsday".
E io sto ancora qua. Ma perché? Me ne vado, me ne vado
senza salutare. – *Else! Else!* – Ora mi è di nuovo vicino.
– *Mi scusi Else. Anch'io ho scherzato…*»

Fallito l'approccio diretto, il lascivo signor Dorsday re-
trocede su una richiesta meno brutale ma piú subdola. Non
un rapporto sessuale, solo una diversa oscenità senile: Else
avrà il denaro se si lascerà guardare; un quarto d'ora completamente nuda davanti a lui.

Non c'è brutalità fisica in quella proposta, ma è davvero forte il ricatto nel prospettare alla ragazza quell'azione degradante come l'unico strumento che le permetterà di salvare il padre. Forse alludeva a situazioni come queste il professor Modiano quando applicava il concetto di sadismo soprattutto all'affermazione di un dominio. Come avrebbe reagito Clara nella stessa situazione?

5

Luciano aveva sempre sospettato di essere un figlio dell'addio, concepito nel giorno drammatico e festoso in cui suo padre era partito cantando per una delle tante inutili guerre. Lui aveva fatto in tempo a diventare Balilla moschettiere e Avanguardista percorrendo l'intera trafila giovanile del fascismo senza entusiasmo e senza recriminazioni, con la placida accettazione della sola realtà possibile. Semplicemente ignorava che le cose, altrove, potessero essere diverse da come le aveva sempre viste e vissute. Il 10 giugno 1940 era a piazza Venezia a gridare fremente «Duce, Du-ce» all'annuncio che era stata dichiarata la guerra; fosse dipeso da lui, la guerra l'avrebbe già dichiarata nel 1935, per vendicare le inique sanzioni inflitte all'Italia. Non aveva un'idea precisa di che cosa volesse dire, di quali conseguenze potesse avere una guerra, di quali fossero le dimensioni e le potenzialità dei nemici. Bastava il tuono di mille e mille bocche, la luce che vedeva negli sguardi, a infondergli una sterminata fiducia.

Dopo il diploma di perito geometra s'era arruolato nella Regia Aeronautica, l'arma azzurra, la nuova élite delle forze armate, e quando la guerra era cominciata davvero a lui tutto sommato era andata bene. L'avevano distaccato all'aeroporto del Littorio sulla via Salaria. L'unico rischio c'era stato il 19 luglio 1943, quando le fortezze volanti B-17 che puntavano allo scalo di San Lorenzo avevano sganciato qualche bomba passando alte in quota, fuori della portata della contraerea. Erano bastate a rendere inagibile l'unica pista.

Dopo l'8 settembre aveva disertato per raggiungere, un po' a piedi un po' su una bicicletta rubata, le alture e i boschi dell'Alto Sannio da cui veniva la sua famiglia. S'era guadagnato il cibo andando dietro a un gregge, lui e due cani. Il giorno in cui aveva visto una jeep con una grande stella bianca sul cofano aveva capito che erano arrivati gli americani e che per lui la guerra era conclusa.

Alla fine del 1945 aveva ripreso servizio col grado di maresciallo; aveva anche tentato il riconoscimento di «Volontario della Libertà» come facevano quasi tutti, però senza troppo crederci. Infatti non era riuscito ad averlo.

L'11 novembre 1961 Luciano è all'aeroporto di Léopoldville, maresciallo di prima classe, ruolo servizi, distaccato in Congo dal luglio dell'anno precedente col rammarico di essersi perso le Olimpiadi a Roma. Ha un compito importante anche se di seconda linea: è il sottufficiale responsabile del servizio approvvigionamenti. Deve assicurarsi che tutti i rifornimenti per i vagoni volanti C-119, carburante, munizioni, dotazioni di bordo, corrispondano ai livelli di carico.

Quella mattina li vede rullare sulla pista poco dopo l'alba, alzarsi in volo a fatica, lenti e pesanti come calabroni. Comandante della missione sul velivolo identificato come *India 6002* è il maggiore Amedeo Parmeggiani, un bolognese simpatico, pilota straordinario di grande coraggio: durante la guerra pilotava gli aerosiluranti nel Mediterraneo. Gli inglesi avevano il radar, gli italiani volavano alla cieca. Quando arrivavano a distanza di sgancio trovavano le mitragliere già puntate, dritte su di loro. Con Parmeggiani, Luciano ha scherzato piú volte, tra l'altro sono coetanei e hanno condiviso molte esperienze, anche se Luciano non ha mai detto che lui la guerra l'ha passata in un hangar all'aeroporto del Littorio. Sono arrivati vivi in un'Italia che veniva data per morta e che adesso sembra rinata e in buona

salute. L'altro velivolo è al comando del capitano Giorgio
Gonelli. Ottocento miglia fino a Kindu, rotta est-nordest.
Trasportano viveri e medicinali per il contingente malese
a Kindu, ai margini della foresta equatoriale: sembra routine, nessuno sa che cosa li aspetta perché nessuno ha preso informazioni sull'andamento della situazione, anche se
nei giorni precedenti si sono susseguiti eventi drammatici.

La colonia belga del Congo aveva proclamato la propria
indipendenza nel giugno dell'anno precedente. Re Baldo-
vino in persona aveva presenziato alla cerimonia che intendeva essere solenne e che invece s'era trasformata presto in
un sanguinoso tumulto. Il Congo belga era troppo grande e
troppo ricco per essere lasciato di colpo a una classe dirigente
impreparata. Alcuni mesi dopo, in dicembre, il primo mini-
stro Patrice Lumumba, uomo illuminato di simpatie socialisti-
ste, venne arrestato (in realtà sequestrato) e in seguito ucciso dal presidente della provincia secessionista del Katanga,
Moïse Ciòmbe. Dietro Ciòmbe c'erano le grandi compagnie
anglo-americane e belghe, gli interessi dell'Occidente, l'attrazione esercitata dalla ricca zona mineraria del Katanga.
Sono loro che finanziano un esercito di mercenari tagliatori
di teste. Il segretario generale dell'Onu, Dag Hammarskjöld,
che ha chiesto l'invio di un contingente militare, è morto
anche lui il 18 settembre in un misterioso incidente aereo.

I tredici aviatori italiani, senza armamento adeguato,
forti dello scopo umanitario e pacifico della missione, de-
collano ignari per andarsi a cacciare nel centro di quel gi-
nepraio. I soldati congolesi dell'esercito regolare temevano
da giorni un lancio di paracadutisti del Katanga ma forse
non fu soltanto un equivoco, perché c'erano le insegne sui
velivoli, c'erano le uniformi, la lingua. Non bastò. Vennero
catturati, straziati, uccisi a raffiche di mitra, fatti a pezzi
a colpi di machete. Secondo una diceria semileggendaria,
alla strage seguirono atti di cannibalismo.

Di tutte le cose che Luciano non aveva capito di vivere questa era la peggiore. Un quarto di secolo dopo, nelle

notti d'insonnia, ancora gli capita di rivedere con la chiarezza trasfigurata dei ricordi traumatici, i due aerei che si alzano quasi riluttanti, distanziati di pochi metri, col rombo assordante dei quattro motori radiali R-3350 spinti al massimo dei giri, cercando di portare in quota le loro sessanta tonnellate di carico.

Di questo avrebbe voluto parlare con sua figlia Clara, perché a volte gli capitava di pensare che l'intera sua vita fosse stata un susseguirsi di cose evitate e di cose non sapute, come se un intero pezzo della sua esistenza fosse trascorso in un sonno a occhi aperti dove tutto si confondeva. Clara d'altronde si occupava di sogni. Ma come avrebbe potuto descrivere sensazioni che nemmeno lui era sicuro di poter afferrare nonostante la forza con cui, in certi momenti, gli si presentavano? C'erano giorni in cui i ricordi erano cosí forti da spingerlo alle lacrime, bastavano una vecchia foto su un giornale, uno scorcio di paesaggio in televisione, un inno suonato da una fanfara, sentiva come delle punture di spilli agli occhi, allora s'alzava e andava a chiudersi in bagno. «A papà gli viene da piangere», ridacchiava a bassa voce Luigi che capiva sempre tutto. Clara lo zittiva imbarazzata ma sentendosi anche un po' in colpa, perché sarebbe toccato a lei cercare di trovare l'origine di quell'angoscia. Per la verità Luciano credeva di sapere quale fosse, ma proprio questo gli toglieva la forza di parlarne.

«Avrei dovuto fare una vita diversa, Clara», le aveva detto una sera che erano rimasti seduti a tavola dopo cena, loro due da soli. Assuntina era andata a dormire, Luigi come al solito era uscito. Lo spiraglio s'era poi richiuso.

«Ma dove corre tutte le sere tuo fratello?» aveva chiesto il padre cambiando discorso.

«Avrà i suoi amici, immagino, o sarà andato in palestra, fanno tutti cosí».

«Purché non siano brutte cose...»

Anche Clara sospettava che non si trattasse solo di giovinezza e di amici. Aveva ascoltato per sbaglio un frammento di conversazione sulla derivazione telefonica. Prima di
attaccare aveva fatto in tempo a udire una voce di donna
che chiedeva con tono implorante: «Ma almeno dimmelo
che ti piaccio ancora...»

Non si trattava di una ragazza, suonava come la voce
d'una donna matura, e in quelle poche parole affiorava una
nota quasi disperata, qualcosa di irrevocabile come possono
essere irrevocabili le faccende dell'amore, piú esattamente
del sesso. La sconosciuta non aveva chiesto se Luigi l'amava, voleva sapere se gli «piaceva», restringendo l'ambito
all'attrazione fisica.

Luigi, il fratellino cui aveva dovuto badare fin da piccola – perché la madre era morta mettendolo al mondo –, il
campioncino di lotta greco-romana che alzava con orgoglio
la coppa di latta argentata vinta in un torneo rionale, s'era
cacciato in una storia di quel tipo. Clara riprese il tema cui
suo padre aveva accennato.

«Non ti puoi lamentare, papà, hai attraversato un secolo difficile che per fortuna tra un po' finisce. Te la sei
sempre cavata e non era facile. Siamo qui, e parliamo tran-
quillamente perché non ci manca nulla: ci sono milioni di
persone che vorrebbero stare al nostro posto».

«Ho attraversato un secolo ma non ci ho capito niente, Clara. C'era la guerra in Italia e correvo dietro alle pecore, c'era la guerra in Congo e timbravo le bollette del
carburante mezzo nudo in una baracca, con i fogli che si
attaccavano alle mani per il sudore. Adesso sono vecchio
e continuo a non capire. Cosa posso fare per cominciare a
capire, tu studi sempre...»

«Serve a poco come vedi, papà».

«Arriverà il momento, ci vuole tempo, intanto hai imparato tante cose. E io?» La domanda arrivò flebile, non
molto diversa da un sospiro.

Clara rispose col tono di chi sta narrando una favola.

Un grande scrittore francese aveva immaginato un giovane intelligente e brillante, molto romantico, innamorato
di Napoleone. Cosí innamorato da volerlo vedere sul campo di battaglia nel momento in cui avrebbe coronato il suo
definitivo trionfo.

Il 18 giugno 1815 riesce a raggiungerlo nel campo di
Waterloo, a pochi chilometri da Bruxelles, dove l'imperatore, vinta l'ennesima battaglia, sarà circonfuso di gloria.
Vede del fumo, uno zampillo di terra che salta in aria per
una cannonata, qualche arbusto tranciato da una scarica,
ode il fragore terrificante dell'artiglieria, poi laggiú in fondo al prato gli appare un gruppo di cavalieri che attraver-
sano al galoppo il campo costeggiato da un filare di salici.
In mezzo a quei cavalieri gli sembra di scorgere il mantello
svolazzante dell'imperatore. È tutto ciò che vede di una
delle battaglie che hanno cambiato la storia dell'Europa,
segnando comunque la fine di Napoleone.

«Vedi papà, può accadere anche a un giovane cosí intelligente di rasentare la storia senza riuscire a vedere quello
che succede. La storia si scrive sempre dopo».

Alzò lo sguardo verso Luciano, s'accorse che s'era as-
sopito.

Nel silenzio notturno Clara ripensa alle storie di Dora e
di Else, le sue due quasi coetanee di un secolo prima. Perché Schnitzler era riuscito ad arrivare dove Freud aveva
invece dovuto fermarsi? La prima risposta era stata: questione di cultura. Forse che lo scrittore era mentalmente
piú avanzato, o piú libero, del medico? Oppure percepiva
meglio quel tipo di problemi, e si era avvicinato al soggetto piú di quanto uno scienziato, legato ai canoni della sua
disciplina, fosse riuscito a fare?

A parte un'insignificante differenza temporale, i due
uomini avevano condiviso lingua, città, ambienti, origini,
studi clinici, numerosi aspetti di quel bagaglio che si defini-

sce sinteticamente «la cultura» di un individuo. Bisognava
allora cercare piú a fondo? O in un modo diverso? Forse
bisognava parlare di metodo. Else era stata interamente
creata da Schnitzler, una specie di figlia sgorgata dal suo
desiderio, consapevole o inconscio. Dora era una giovane
donna reale, che s'era offerta (era stata offerta) all'analisi
del maestro restando se stessa, protagonista di una vicenda conturbante, volenterosa ma nello stesso tempo persa
nei suoi desideri repressi, nei suoi traumi. Non possiamo
valutare bene la dimensione del suo transfert nei confronti del medico; è invece possibile intuire il controtransfert
di Freud verso di lei.

Clara ha trovato un altro punto di riferimento. A Vienna, al numero 7 di Bäckerstraße, c'è un'imponente corte
selciata del XVI secolo circondata da alti muri coperti d'e-
dera. Il porticato del piano terreno è sorretto da robuste
colonne. Al di sopra, su ciascun lato, si levano cinque or-
dini di grandi finestre ad arco le cui vetrate sono racchiuse
entro cornici di legno. Al secondo piano si trova il gabinet-
to medico del professor Josef Breuer, felicemente sposato
con Mathilde Altmann, dalla quale ha avuto cinque figli.
Suo padre insegna il Pentateuco nella scuola della comunità
ebraica, Josef invece ha abbandonato l'ebraismo praticante. Sua madre, Bertha, è morta di parto «nel fiore della sua
bellezza», è stata la nonna a prendersi cura di lui. Anche
la sua primogenita si chiama Bertha, mentre un'altra delle sue figlie, Dora, preferirà uccidersi piuttosto che essere
deportata dalle SS. Ma questo accadrà molto tempo dopo,
quando Josef sarà già morto da vent'anni.

Il nome Bertha acquista una valenza fatale nella vita di
Breuer, che nel 1880 è uno stimato professionista quaran-
tenne. Anche una delle sue pazienti si chiama Bertha, il
suo nome di famiglia è Pappenheim, nata nel 1859, dunque all'epoca dei fatti poco piú che ventenne.

Quali fatti? Perché cosí importanti? La giovane Bertha soffre di paralisi e disturbi della visione e della parola, impressionanti sbalzi di umore con momenti di forte allegria alternati a profondi stati depressivi; non risultano lesioni organiche del sistema nervoso e il suo caso è stato genericamente catalogato come «isteria», termine derivato dal greco *hystéra* cioè utero, uno stato di alterazione considerato tipicamente femminile. Nel caso di Bertha la sessualità sembra inibita, afferma di non essere mai stata innamorata, ha sviluppato una grande capacità di sognare a occhi aperti, riesce a rappresentarsi vicende fantastiche che definisce il suo «teatro privato». L'intensità delle fantasie non le impedisce però, mentre è in compagnia di altre persone, di sembrare attenta e partecipe dell'atmosfera comune.

Bertha è stata costretta dalla madre ad assistere il padre morente, un'esperienza traumatica dalla quale è rimasta profondamente segnata. Ma l'aspetto che incuriosisce Clara, al di là della diagnosi sulle cause del male, è il fortissimo rapporto erotico che si sviluppa, attraverso la cura, tra la giovane paziente e il suo medico. In un primo tempo Breuer ipnotizza Bertha nel tentativo di riportare in superficie le cause dei suoi squilibri. È la tecnica abituale, la stessa usata a Parigi da Jean-Martin Charcot nelle sue anche troppo affollate e spettacolari sedute pubbliche all'ospedale della Salpêtrière.

In una seconda fase però il professore si rende conto che l'ipnosi non è necessaria. Convince la paziente a narrargli il contenuto delle sue allucinazioni rendendosi conto che è sufficiente risalire all'evento primario che ha prodotto il sintomo perché questo regredisca o scompaia. Bertha battezza questa terapia «cura parlata», il professore preferisce la dizione «metodo catartico». A volte è stata necessaria anche un'ora di colloquio preliminare perché la paziente si liberasse dai ricordi e dalle fantasie sgradevoli accumulate durante la notte e per poter finalmente affrontare i sintomi remoti.

Tutto comunque sembra andare per il meglio quando una notte Breuer viene chiamato d'urgenza. Trova Bertha in preda a violentissimi dolori addominali che ben presto si trasformano nella scena di un vero parto isterico. L'inibizione sessuale era dunque pura finzione. Il corpo sta rivelando ciò che le parole non avevano potuto esprimere: Bertha è convinta di dare alla luce il figlio del professore. Davanti a questa rivelazione Josef Breuer rimane sconvolto, di colpo capisce ciò che aveva voluto negare anche a se stesso, quale fosse la natura reale del turbamento che l'ha colto ogni volta che Bertha, preda dell'ipnosi, si abbandonava tra le sue braccia, il turgore del seno che sentiva premere sotto il corpetto attillato, il calore del corpo, i gemiti, il fremito delle membra quando la massaggiava. Lungamente si erano desiderati senza dirlo, anche se sua moglie Mathilde aveva capito subito quale fosse la natura profonda del rapporto.

Breuer non rivela a nessuno i dettagli dell'accaduto, anzi nasconde sotto lo pseudonimo Anna O. il vero nome della paziente. Solo dopo qualche tempo ne parlerà con il suo protégé, anch'egli medico ed ebreo, di quattordici anni piú giovane, Sigmund Freud.

Dopo il trauma del finto parto, il professor Breuer interrompe bruscamente la cura. Aveva forse visto nel nome Bertha il fantasma di sua madre? Lascia Vienna con la moglie per una specie di seconda luna di miele a Venezia, durante la quale sarà concepita una delle loro figlie. Questa era la versione dei fatti preferita da Clara, altre ne esistevano che negavano in parte gli eventi o ne davano una differente versione.

Bertha Pappenheim era una donna di grande intelligenza e volontà, lo avrebbe dimostrato in seguito diventando tra l'altro una pioniera del volontariato sociale, cofondatrice della *Jüdischer Frauenbund*, Lega delle donne ebree.

Giunta a questo punto, Clara non sapeva piú se stesse continuando a elaborare un progetto o se anche le sue, non meno di quelle di Bertha, fossero semplici «fantasticherie». Le sembrava di vedere con chiarezza solo questo elemento: la scoperta dell'inconscio era nata con uomini che avevano scrutato il corpo delle donne, ne avevano subìto il fascino, le avevano desiderate. A Parigi le isteriche si abbandonavano gemendo tra le braccia del loro stregone Jean-Martin Charcot; a Vienna, Dora, Else, Bertha si erano trovate, per la forza della vita o dell'invenzione, al centro del desiderio, sempre in condizioni critiche, esposte al ricatto, con degli uomini che, attraverso la nudità del corpo, avevano tentato di penetrare la nudità della loro anima.

Doveva essere tardi, ma non aveva modo di controllare l'ora; udí la porta dell'appartamento aprirsi con circospezione e si affacciò sul corridoio. Era Luigi che rientrava, furtivo. Accese la luce facendolo sobbalzare. Sembrava stravolto, un graffio profondo, malamente tamponato, gli attraversava la guancia.

«Che cos'è successo?»

Evitò la risposta: «Sei ancora in piedi? Va' a dormire, sarai stanca».

«Ma sei ferito».

«Niente, un graffio».

«Appunto. Fa' vedere, lo medichiamo».

Voleva mettergli la guancia sotto la luce della lampada, ma Luigi si ribellò.

«Lasciami in pace, sono maggiorenne e vaccinato, saranno cazzi miei?»

«Non gridare, svegli papà».

«Buonanotte».

Luigi raggiunse la sua stanza chiudendosi piano la porta alle spalle. Subito dopo si riaffacciò.

«Ho parlato con Roberto, è d'accordo. Da lunedí puoi cominciare al bar, se ti va».

6.

La prima cosa che i clienti notavano in Luigi era la forza, e dopo la forza la scioltezza, la flessuosa precisione dei movimenti. Si muoveva senza sosta per il locale, dal banco alla sala, ai tavolini sul marciapiedi; faceva scendere due caffè dalla macchina fermandoli alla misura richiesta, intanto preparava i piattini e dava il resto avendo già colto l'ordinazione successiva, faceva saltare il tappo di un succo e deponeva il bicchiere sul banco dopo averlo fatto piroettare in aria come in un saloon. Tutto da solo, sorridendo. «Sei nato per fare il barista, – dicevano i piú simpatici. – Sembri un ballerino».

«Ballerino non mi piace, – rispondeva fingendosi offeso. – Ballerino suona un po' checca».

«Hai qualcosa contro le checche?»

«Ognuno al posto suo, c'è spazio per tutti».

Luciano gli aveva dato due possibilità: o un po' di soldi alla volta per pagare l'università, o tutti insieme per aprire il bar. Aveva scelto il bar, anche perché lo spettacolo di sua sorella che continuava a mandare in giro curricula senza avere mai nemmeno una risposta gli sembrava troppo, troppo di tutto – tempo e umiliazione. «Una vergogna», aveva detto una volta a suo padre che continuava a sperare.

«Sono cose lunghe, Luigi, – aveva risposto. – Ci vuole tempo».

«Io questo tempo non ce l'ho. Se mi aiuti ad aprire il bar va bene il bar. Un mio amico mette l'altra metà».

La combinazione era invitante, una bella vetrina, l'insegna luminosa «Bar dei Cedri», di un verde sparato che si vedeva dall'inizio della strada. Il bancone moderno, ad angolo, di alluminio e cristallo scintillante che faceva sembrare cornetti e tramezzini piú buoni di quel che erano. Sei tavolini dentro, sei sul marciapiedi. Il proprietario se ne disfaceva a un prezzo conveniente per ragioni che Luigi non aveva voluto sapere, anche perché appena firmate le carte quello era sparito. L'unica cosa certa è che il posto era buono, gli arredi nuovi, la macchina del caffè di ottima marca. L'avventura poteva cominciare.

Roberto, socio al cinquanta per cento, aveva una strana storia. Veniva da Colleverde, una ventina di chilometri dalla città. Per piú d'un anno aveva fatto il pendolare su uno di quei treni scassati che d'inverno partono che è ancora buio e arrivano quando possono. Voleva fare architettura, stringendo i denti c'era riuscito, continuava a studiare anche se il treno una volta su due si fermava in aperta campagna e tutti protestavano ad alta voce. Quando un professore gli aveva detto, con qualche supponenza, che un architetto può disegnare un cucchiaio o un'intera città, era stato tentato di lasciar perdere. Di cucchiai in giro ce n'erano anche troppi, in quanto a una città non l'avrebbero certo fatta progettare a uno di Colleverde.

In facoltà s'era sempre sentito come uno che viene dalla campagna, la madre con una piccola pensione da vedova, il cesso di casa come una garitta sul balconcino. Una delle poche ragazze che gli avevano dato confidenza era stata Alessia, qualche volta avevano preso un'aranciata insieme e s'erano trovati, sembrava. Una ragazza tranquilla, minuta, un gran seno sotto i golfini attillati, studiava molto, ottimi risultati. Roberto però vedeva aleggiare su di lei la stessa ombra che immaginava per se stesso. Contribuiva a questa sensazione la luce come velata da un sogno nel suo sguardo; Roberto non sapeva se definirla dolorosa o appassionata. Nemmeno Alessia ce l'avrebbe mai fatta, partiva da troppo lontano, sarebbe forse arrivata a mezza corsa ma il traguardo finale, quello vero dove si riscuotono i premi, non l'avrebbe mai toccato. Avrebbe voluto dirle «tu e io non saremo mai dalla parte giusta del tavolo, Alessia. Resteremo in sospensione, non ce la faremo a sedimentare».

Però non aveva il diritto di dire una cosa del genere, infatti non la disse.

Una sera avevano fatto tardi. Alessia aveva chiesto una pizza, c'era la fila, lui aveva perduto l'ultimo treno. «Puoi dormire da me, – gli aveva detto. – Ho anche uno spazzolino nuovo», lei aveva riso perché voleva sdrammatizzare ma a Roberto l'idea di doversi lavare i denti insieme non era piaciuta molto. Alessia viveva in una stanza dalle parti dell'ospedale, ingresso indipendente «cosí entro ed esco quando mi pare». Andarono al bagno uno alla volta, comportandosi come se fosse naturale trovarsi insieme in quel letto dopo aver condiviso qualche aranciata e una pizza. Quando Roberto si sdraiò, ancora tutto vestito, Alessia attenuò la luce. Per qualche istante si sentí solo il respiro di lei un po' rumoroso. Alessia si chiedeva che sapore avrebbe avuto la sua bocca: nei ragazzi era la cosa che l'incuriosiva di piú, l'intimità della bocca. Roberto scorgeva i suoi occhi irrequieti nella mezza luce, forse stava sorridendo. Anche se bastava allungare una mano, nessuno dei due aveva molta voglia di farlo.

Non era certo la prima volta che stava a letto con una ragazza, però avvertiva un turbamento che in altre occasioni non c'era stato. Come se si trattasse di violare un patto, come se una cosa cosí elementare, in quelle condizioni, si caricasse di una responsabilità sproporzionata. Forse fu la musica a sbloccare la situazione. Alessia fece partire *Keep Love Alive*, «Bitter sweet, you wasted years | Lonely dream about souvenirs | Baby, touch an hand | Make a friend, tonight». Uno dei due prese l'iniziativa. Sentí il calore del viso di lei sotto la mano, il turgore soffice delle labbra, il peso inaspettato del seno sul torace e la sua voce che ripeteva sí, senza dire altro, solo sí, sí.

La mattina dopo si alzò piano per non svegliarla. Dall'imposta sconnessa passava una lama di luce, indossò gli abiti quasi alla cieca. Voleva uscire in silenzio, come nei film, ma quando si girò per cercare a tastoni l'orologio si accorse che Alessia lo stava guardando. Nello stesso tempo notò le lenzuola grigiastre che il tumulto notturno aveva fatto risalire verso il centro lasciando apparire un materasso disseminato di macchie.

«Che fai, scappi?» gli chiese lei.

«Non volevo disturbarti».

«Non vuoi un caffè?»

«Devo proprio andare, ci vediamo in facoltà».

Non ci furono piú aranciate né battute sui professori e sugli esami. Si salutavano incrociandosi nei corridoi. Nessuna ostilità, l'asciuttezza veniva da sola, come se avessero voluto scansare un destino.

Roberto disegnava benissimo, anzi l'idea di fare architettura era venuta da lí. Un giorno un amico di famiglia che abitava a Roma aveva visto una sua tavola a matita e acquerello e aveva detto: «Disegni proprio bene, dovresti fare l'architetto». A sua madre s'erano illuminati gli occhi, la parola *architetto*, anche solo a pronunciarla, sembrava un salto enorme se pensava al marito, di benedetta memoria, che aveva chiuso come vice capostazione delle Ferrovie Vicinali.

Sul retro del bar c'era una stanzetta che faceva un po' da magazzino. Roberto l'aveva attrezzata come studio e camera da letto. Dormiva immerso in un buon odore di caffè. «Ma non ti toglie il sonno?» «Anzi, concilia», aveva risposto a Luigi. Nel retrobottega teneva tutto l'occorrente. Dopo la chiusura buttava giú qualche tavola per gli albi illustrati, quando capitava faceva anche dei tatuaggi.

Alle ragazze proponeva la spalla, la caviglia o l'incavo della schiena; «zona lombare», precisava. Qualcuna rideva maliziosa. Per i ragazzi andavano molto bicipiti e gemelli: draghi con lingua di fuoco, armi antiche, simboli arcani, strane fiamme che salivano palpitanti attorno al muscolo sfrangiandosi sull'omero. Suddivisione equa dei compensi: ottanta a lui e venti al bar per il consumo della luce.

Un paio di volte al giorno entravano due vigili urbani, l'aria stracca, facendosi vento con il berretto. La fronte madida, muti, vagamente ostili. Non avevano ancora finito di accostarsi al bancone che Luigi aveva già impostato due cappuccini cremosi abbondanti che quasi uscivano dalla tazza, spruzzati con molto cacao. «Cornetto o tramezzino?» Quelli facevano un cenno a casaccio leccando il cucchiaino. Per non sbagliare Luigi metteva sul piattino i cornetti freschi, integrali al miele, aggiungendo qualche tramezzino. «Oggi sono meglio del solito», commentava di tanto in tanto, anche se non era necessario: avrebbero addentato anche la plastica dei tavoli.

Uscivano senza aver detto una parola.

«Fanno sempre cosí?» domandò un giorno sottovoce un tale quando si richiuse la porta vetrata.

«Sono vecchi amici», rispose Roberto senza sbilanciarsi. Tenere un bar in quel quartiere non era facile. Su questo il padrone che gli aveva ceduto l'attività non era stato esplicito, però s'era capito lo stesso che bisognava stare attenti.

Era una delle zone che pareva non aver ancora deciso bene che cosa fare di se stessa. Case popolari degli anni Trenta, diventate col tempo quasi residenziali, in parte ancora abitate dagli eredi dei piccoli impiegati del fascismo per i quali erano state costruite. Qualche casale sopravvissuto all'urbanizzazione, schegge del vecchio contado incastrate tra le palazzine pretenziose degli ultimi anni con i rivestimenti a cortina, balconate eccessive, qualche pino messo qua e là per invogliare all'acquisto.

Quasi di fronte al bar sorgeva uno strano edificio, non

brutto, nato nel 1938 (anno XVI E.F.) come foresteria della Gioventú Italiana del Littorio. Ai tempi vi trovavano alloggio i ragazzi convocati dal regime per adunate, gare sportive, ricorrenze patriottiche o, quando era necessario, per fare da sfondo con i loro volti luminosi al passaggio di personaggi importanti, gerarchi, ospiti stranieri. Per l'arrivo di Hitler li avevano schierati fuori della stazione Ostiense sul presentat'arm. Moschetti finti, per prudenza. Durante l'occupazione s'erano acquartierati nel palazzo alcuni reparti della Wehrmacht, nel giugno 1944 erano arrivati gli americani della V Armata, partiti i liberatori le stanze avevano ospitato gli «sfollati». Da ogni finestra sbucava una canna fumaria per evitare l'avvelenamento da anidride carbonica. Adesso era diventato un albergo. Scaricavano dai pullman pellegrini polacchi o bavaresi che arrivavano per il papa. L'edificio aveva due entrate, una sulla strada e l'altra sul retro, che dava in una specie di galleria commerciale completa di supermercato. I pellegrini venivano dirottati da quella parte, compravano foulard con il Colosseo, piccoli David di Michelangelo in similmarmo, Torri di Pisa, fazzoletti con la Gioconda, medagliette di padre Pio, rosari, ma pure acqua minerale, pacchetti di prosciutto cotto, lattine di birra. La galleria offriva anche un'altra comodità. Tra un pullman e l'altro l'ex caserma della Gil diventava una specie di albergo a ore: poter uscire ed entrare confondendosi con la folla del supermercato agevolava gli incontri.

Ogni mattina verso le dieci e mezzo entrava nel bar la signora Lina. Sedeva al tavolino d'angolo in fondo al locale e ordinava un cappuccino e una brioche. La vecchia pelliccia emanava un buon odore di acqua di colonia, tutta la persona dava l'impressione d'una pulizia meticolosa, quella dei vecchi che vogliono ostentare decoro. I capelli li portava raccolti, nascosti sotto foulard dalle tinte tenui – cenere, rosa pallido –, che scendevano fin sulla fronte.

«È stata una famosa attrice, – aveva bisbigliato un giorno un cliente. – Il nome adesso non me lo ricordo, ha fatto teatro ma anche un film con Amedeo Nazzari».

Nel bar erano a disposizione due giornali sportivi e un quotidiano locale specializzato in cronaca nera. La signora Lina lo leggeva da cima a fondo mentre sorseggiava lentamente il cappuccino piluccando la brioche. Un giorno Roberto, tra scherzo e curiosità, le aveva offerto il quotidiano sportivo piú popolare: «Non s'interessa di calcio?» La signora Lina aveva sorriso compita, poi aveva snocciolato senza incertezze: «Bacigalupo, Ballarin, Maroso, Castigliano, Rigamonti, Grezar, Ossola, Loik, Gabetto, Mazzola, Menti. È dal 4 maggio 1949 che non mi occupo piú di calcio».

Luigi e Roberto, ma anche gli altri due o tre avventori presenti, erano rimasti fulminati. La minuta figura della signora Lina s'era di colpo circonfusa di un'aura di rispetto, anche se non tutti avevano capito bene di che cosa stesse parlando. Qualche giorno dopo Roberto aveva ricavato un disegno acquerellato da una foto del vecchio Torino trovata su internet e l'avevano appeso al muro sopra il tavolino. La signora Lina, al primo vederlo, gli aveva mandato un bacio scherzoso sulla punta delle dita.

La popolazione del quartiere era mista e d'incerto reddito. «Però con parecchie buone prospettive», come aveva sottolineato il venditore al compromesso. Per i tramezzini, a parte gli «omaggi» obbligatori, si poteva contare soprattutto sui redattori di un quotidiano che aveva appena spostato gli uffici nella zona. Gente giovane, dinamica, buoni stipendi, spiritosi, membra levigate dalla palestra, maniche della camicia arrotolate sugli avambracci, all'americana. Arrivavano a frotte, commentavano i fatti del giorno con aria di grande competenza, ridevano degli errori trovati sulle testate concorrenti, d'una linea politica che giudicavano guardinga o addirittura servile. Roberto, che li aveva osservati a lungo, era incerto se ammirarne lo slancio o diffidare d'una tale baldanza.

Poi c'era l'altra parte, i ragazzi che arrivavano dalle case piú vecchie, di poche parole appesantite dall'accento, dette con voce soffiata. Tenevano gli occhi bassi, consumavano in silenzio e uscivano, come se avessero una gran fretta di proseguire il cammino.

Si facevano notare due ragazzi appena piú grandi, Luigi li aveva stimati intorno alla trentina. Arrivavano quasi ogni giorno su una Maserati bianca decappottabile, cauti, come un po' assonnati. Scendevano dall'auto saltando giú agilissimi, felini ma allo stesso tempo indolenti. Davano l'idea di possedere tutto ciò su cui si possono mettere le mani. Padroni della situazione, in una parola. Ostentavano braccialetti, orologi di gran marca, accendisigari d'oro, piccoli diamanti incastrati nel lobo dell'orecchio. Niente cappuccini, indicavano direttamente il freezer dove Luigi teneva un paio di bottiglie di vodka Absolut quasi solo per loro. Due o tre bicchierini buttati giú a gola piena. Pagavano gettando sul bancone un biglietto da diecimila, appallottolavano il resto cacciandolo in tasca senza nemmeno guardarlo.

Luigi e Roberto ipotizzavano tra loro sottovoce: «Magnaccia?»

«Giro di coca, quello grosso. Le puttane non le porti in Maserati».

Uno dei due un giorno chiese a Roberto se era vero che faceva tatuaggi, lo disse come se volesse perdere tempo, stirandosi mentre sbadigliava in attesa del secondo cicchetto. Non era una vera domanda, non ebbe una vera risposta. Ripeté il solito numero delle diecimila e uscí facendo saltare sulla mano le chiavi della Maserati.

Ma questi chissà perché hanno sempre sonno, pensò Roberto.

Bisognava decidere moltissime cose, ora che gli incassi cominciavano a essere consistenti.

«E se mettessimo anche la pizza a taglio? – propose quel giorno Luigi. – Va a ruba. Con tutti quei giornalisti poi, gliela facciamo qui la mensa».

«Surgelata?»

«No, la cuociamo noi, calda appena sfornata».

Sotto gli occhi di Roberto, Luigi disegnò un forno con le mani. Trovò l'angolo dove piazzarlo, delineò in aria la dimensione della bocca, mostrò il percorso della canna per i fumi, il ripostiglio degli attrezzi, il piano per impastare.

«Qui i vasetti, vedi? Pomodori, mozzarella, alici, erbette, origano, sale, pepe, olio, c'è spazio per tutto».

«E la licenza? Possiamo gestire un bar, non una pizzeria».

«E tutti gli omaggi che passiamo ogni giorno a quei due? Serviranno a qualcosa o li abbiamo buttati dalla finestra?»

Verso le undici si presentò Clara.

«Posso avere un caffè?» chiese sorridendo. Si guardò in giro, fece un cenno di saluto alla signora Lina. La giornata era mite, dopo il caffè uscí con Luigi sul marciapiedi.

«Veramente, – disse, – non era solo per il caffè».

«Me l'ero immaginato. Quando ho visto le scarpe col tacco ho capito subito che il caffè era una scusa. Tu le scarpe col tacco…»

«Mi sono stancata d'aspettare. Ecco».

«Se c'è uno che ti capisce sono io, figurati. Non ho voluto nemmeno cominciare ad aspettare».

«Volevo sapere se l'altro giorno dicevi sul serio. Se davvero volete, potrei fare la cassiera… Avete tanto lavoro, non ce la fate da soli».

«Per il momento ce la facciamo benissimo, però…»

«Non ti stai tirando indietro, vero? Vengo anche a mezzo stipendio. In nero. Un mese di prova gratis, quello che vuoi».

«Sei davvero a questo punto?»

Era leggermente arrossita, tanto valeva che dicesse tutto, non perché Luigi era suo fratello ma perché la posta in gioco era enorme. Si trovava in uno di quei momenti in cui ci si vede davanti un bivio. La prima giovinezza ormai stava per lasciarsela dietro, quegli anni non sarebbero mai tornati e lei stava sempre lí, studentessa matura, titoli che allungavano inutilmente il curriculum rendendolo, sospettava, non piú allettante ma piú noioso.

Aveva l'impressione che solo suo padre aspettasse, col sorriso paziente, che quella lunga preparazione sfociasse in qualcosa. Nella migliore delle ipotesi si sarebbe trovata a insegnare a dei ragazzi svogliati che le avrebbero contato in bocca le parole aspettando che finisse l'ora per fuggire via da lei, dalla noia, dall'inutilità di ciò che aveva imparato e che ora pretendeva di riversare nelle loro teste, come per punizione.

S'era avvicinato anche Roberto, e Clara ne approfittò per dire tutto d'un fiato il breve discorso che s'era preparata:

«Ho dedicato anni a venerare testi e maestri, mi sono infilata nella vita e nelle nevrosi di decine di estranei, ho analizzato i casi clinici delle mie coetanee di un secolo fa, le ho guarite... Ma solo sui libri, perché nella realtà non ho fatto niente, ho scritto decine di contributi che credo nessuno abbia letto, il risultato è che non so piú bene nemmeno in che Paese vivo, se mi chiedete quanto costa un litro di latte non saprei rispondere. Allora tanto vale che atterri, cominciando dalla cassa di questo bar. Cappuccini e cornetti, un buon punto di partenza, molto italiano... Se mi volete».

Roberto sorrise accennando un piccolo applauso silenzioso. «Molto ben detto», commentò.

Gli occhi di Clara cominciarono a riempirsi di lacrime e il naso diventò rosso sotto il leggero velo del trucco.

«Non ti commuovere adesso. Giochi in casa», disse Luigi battendole la mano sulla spalla in un raro momento cameratesco; forse era addirittura affetto.

«Non sono commossa, ho le scarpe sbagliate. Avevo dimenticato che mi fanno male».

«Darai un dispiacere a papà, per lui tu eri il riscatto, lui che s'era fermato al suo diplomino».

«Farò tutt'e due le cose, non ti preoccupare... E forse anche un'altra. Non lascio niente, raddoppio».

Fu allora che la signora Lina, uscendo dal bar, gettò un'occhiata, sembrò cogliere il momento e s'avvicinò.

«Lei è la sorella di Luigi, vero? La studiosa».

Fece un sorriso a mezza bocca: «Studiosa, diciamo. Sperando che serva a qualcosa».

«Servirà, servirà».

Lina fece un cenno di saluto e s'allontanò lentamente, appesantita dalla pelliccia che era sempre stata fuori moda e adesso cominciava a diventare anche fuori stagione.

7.

L'avvocato sembrava un americano. Il viso tondeggiante, radi capelli bianchi cortissimi, colorito roseo, occhiali cerchiati di metallo leggero, non molto alto. O forse era solo per via del papillon, che in Italia non porta quasi nessuno. Sulla parete dietro la scrivania figuravano una serie di targhe, parecchie in inglese: era possibile che il papillon venisse da lí. Wanda si chiese se un uomo di quel tipo sarebbe stato capace di cavarsela in una storia intricata come la sua. In America le cose dovevano essere piú semplici, la gente meno bugiarda, o forse le bugie venivano punite piú severamente e c'era maggiore fiducia nella Giustizia, anche se non sempre ben riposta a giudicare da certi film.

La verità era che non sapeva piú che pensare. Le prime domande dell'avvocato non avevano migliorato la situazione, girava intorno, tornava piú volte su dettagli senza importanza, pareva sfuggirgli il punto centrale: lei era innocente, non sapeva perché l'avevano messa sotto inchiesta. Sentiva solo crescere l'ansia, aveva molte difficoltà a rispondere a quell'uomo buffo che però forse poteva aiutarla. Doveva stare molto attenta a misurare ciò che diceva, l'altro non immaginava nemmeno in che guaio era finita, cominciato molto prima che ammazzassero suo marito.

«Signora, le devo ripetere che io non sono il suo avvocato, né l'avvocato del suo defunto marito, – l'accento era neutro, impossibile capire da dove arrivasse. – S'è creato un equivoco. Io rappresento le assicurazioni presso le quali suo marito Pantano Ignazio aveva, come tutti i suoi colleghi, una polizza per eventuali incidenti professionali».

«Mi hanno detto che lei può difendere anche me».

«Non è vero, non è possibile. Si creerebbe un conflitto. Lasci che le spieghi. Quando suo marito... quella sera è stato ucciso, stava uscendo dal poligono di tiro, giusto? In un mestiere rischioso l'allenamento al tiro può rientrare tra le attività di servizio. Ciò che però si deve accertare sono le ragioni per le quali il fatto è accaduto. Mi sta seguendo?»

Wanda fece, malvolentieri, un cenno d'assenso, tutte quelle chiacchiere servivano solo ad accrescere la sua inquietudine.

«Faccio due ipotesi. L'assassino era un uomo con il quale suo marito s'era scontrato per ragioni professionali, diciamo respingendo o sventando un tentativo di furto o di rapina. Oppure, altra ipotesi, il delitto è avvenuto per ragioni personali che nulla hanno a che vedere con il servizio. Ecco il punto che dev'essere chiarito, in questo senso sono interessato alle indagini della procura, sono stato chiaro?»

«Sí avvocato, ma a me chi mi difende?»

«Ha con sé l'avviso di garanzia?»

Wanda sembrava non capire. L'uomo le spiegò con pazienza che la procura aveva dovuto mandarle un pezzo di carta per comunicare che erano in corso indagini sul suo conto. In quel documento doveva esserci anche il nome di un avvocato che le era stato assegnato d'ufficio. Il suo consiglio era di nominare subito un avvocato di fiducia per farsi assistere nell'interrogatorio. Sfogliò il fascicolo aperto sulla scrivania.

«Un primo interrogatorio sommario c'è già stato. Vedo che lei ha messo a verbale alcune utili precisazioni. Ha detto che non era presente ai fatti. Ha anche detto di essere andata successivamente sul luogo del delitto. Quando esattamente?»

«Due o tre giorni dopo. Ci sono andata insieme ai carabinieri. Volevano che vedessi e non ho nemmeno capito perché».

«Le hanno fatto delle domande, suppongo. Le ricorda?»

«Ho dovuto ripetere tutta la storia di quando Ignazio era uscito, di com'era vestito, se era arrabbiato».

«Glielo chiedo anch'io: era arrabbiato? Ha fatto dei nomi?»

«No, cioè sí... Voglio dire che Ignazio era sempre un po' nervoso, quella sera era nervoso come al solito. Nomi però non li ha fatti o non li ho sentiti».

L'uomo la studiò un attimo quasi a soppesare quelle parole, poi si chinò a sfogliare nuovamente il fascicolo, prese un appunto a matita, lo richiuse e giunse le mani come in preghiera.

«Suo marito era una guardia giurata, o vigilante, in servizio presso la tesoreria del Comune. Sul lavoro era armato. Finito l'orario portava l'arma con sé? La teneva in casa? Avete bambini?»

«Non ci sono bambini. In genere la metteva nell'ultimo cassetto del comò, insieme alle cartucce. Ogni tanto la tirava fuori per oliarla. La smontava pezzo a pezzo, strofinava, ungeva, rimontava. Poi l'avvolgeva in un panno e la rimetteva nel cassetto».

«Aveva solo la pistola d'ordinanza o possedeva altre armi?»

Qui Wanda sentí che doveva stare attenta, scelse la via piú facile:

«Non lo so».

L'avvocato la fissò perplesso, decise di lasciar correre.

«Quando era in servizio suo marito indossava l'uniforme completa di cinturone e fondina, vero?»

«Quando andava al lavoro sí».

«Fuori servizio, se avesse avuto con sé la pistola, l'avrebbe infilata nella cintura».

«Non lo so... Sí, credo di sí».

«Può dirmi quanto spesso cambiava le camicie?»

Questa volta fu Wanda a fissarlo stupita. Avvertiva un'intenzione nascosta, ma non aveva idea di quale potesse essere.

«Non lo so».

L'avvocato emise un debole sospiro.

«La camicia che indossava quella sera era sporca d'olio all'altezza della vita. Sarebbe interessante sapere se l'aveva cambiata prima di uscire».

«Non so rispondere».

«Ha mai visto in casa una di quelle fondine, dette ascellari, che si mettono sotto la giacca?»

«No, non l'ho vista... Perché mi fa tutte queste domande? Io sono disperata, capisce?»

«Signora, le ripeto che non posso difenderla, però ho un certo interesse ai fatti. Se vuole, posso consigliarle un bravo collega, una persona per bene, che la rappresenti».

«Va bene, mi dia quel nome, ma lei mi deve credere...»

«Signora, mi ascolti. Non voglio turbarla, però domande come queste gliele faranno comunque, tanto vale che lo sappia. Suo marito è stato derubato, però gli hanno lasciato la pistola che è finita sotto il suo corpo quand'è caduto. Il problema è che la rapina sembra una messinscena, sembra un tentativo per mascherare la vera ragione del crimine».

Wanda lo fissò smarrita. Se erano arrivati cosí vicini alla verità, la cosa diventava ancora piú difficile. Doveva fingere ancora una volta, perché l'avvocato non diceva la sola cosa che davvero la interessava. Sentí l'ansia salire da dentro, travolgerla, non si oppose, la lasciò erompere.

«Io non ce la faccio piú, avvocato. Che altro volete sapere tutti quanti... Io non ho fatto niente, quella sera non c'ero, nessuno m'ha detto niente, m'hanno avvertito i carabinieri quando sono venuti a bussare a casa».

L'avvocato riprese quell'atteggiamento da mezzo prete con le mani congiunte sul tavolo.

«Lei non c'era, non è in discussione. Sotto questo profilo deve stare assolutamente tranquilla. Ma ha idea se suo marito quella sera si dovesse incontrare con qualcuno dopo il poligono?»

Cominciò a rispondere tra i singhiozzi.

«Non lo so, l'ho già detto al capitano, non lo so... Ma perché mi tormentate? Volete che m'ammazzi?»

L'avvocato rimase in silenzio. La donna sembrava veramente sotto choc, era evidente, non per la morte del marito però, anche questo era evidente. Quale altro motivo di turbamento aveva?

Wanda tirò fuori una sigaretta, fece un cenno come per chiedere il permesso, l'avvocato annuí. Accese tirando su col naso, non aveva fazzoletti. L'avvocato gliene allungò un pacchetto attraverso la scrivania.

«Vuole che le indichi il nome di un collega? Credo che si sentirebbe piú tranquilla con un buon avvocato. Sa perché viene indagata?»

Wanda balbettò un no a mezza voce, tamponandosi il naso.

«Il magistrato vuole accertare se da parte sua ci sia stata complicità con lo sconosciuto che ha ucciso suo marito. Sconosciuto per i carabinieri, per me, per la procura. Sconosciuto anche per lei?»

«Non lo so piú, avvocato. Io m'ammazzo».

8.

La festa era stata organizzata in un barcone sul fiume addobbato con luci colorate, tavoli per il buffet, divani di vimini, un'orchestrina jazz di buon livello – repertorio in prevalenza swing – adatto a gente per lo piú d'una certà età. Dopo il taglio della torta e lo champagne s'era cominciato a ballare, musica vintage, compreso l'intramontabile *In the Mood*, per compiacere i festeggiati che celebravano le nozze d'oro.

Luigi si trovava lí quasi per caso; si allenava spesso col barista del galleggiante agli esercizi di lotta greco-romana, una volta avevano combattuto e aveva vinto lui. La notò seduta in un angolo, mentre ascoltava, chiaramente poco interessata, la conversazione dei suoi vicini. Con le lunghe gambe semidistese sul divanetto, emanava una sonnolenta dolcezza, un'aria d'irresponsabilità. Era una donna matura, ma in confronto agli altri la si poteva dire giovane. Conservava qualcosa di capriccioso nella luce chiara del volto, nell'abito volutamente démodé. Luigi avvertiva un forte desiderio di conoscere il suo nome, vedere la sua casa, sapere qualcosa della sua vita, del passato. Anche il desiderio di averla, certo, ma confinato in secondo piano rispetto alla somma delle altre curiosità che erano e non erano desiderio. S'avvicinò invitandola a ballare. Non disse subito di sí.

Non accadde niente di notevole: poche parole, la stretta dei corpi, i sorrisi che nascono per reazione a un'intimità improvvisa. Si chiamava Melania, ballava muovendosi nel modo giusto. A un certo punto riferendosi al suo abito disse che l'aveva messo in onore degli ospiti. «Era di mia madre, credo che risalga ai primi anni Cinquanta, una seta cosí ormai chi la trova piú», e mentre diceva questo invitò Luigi a toccare la stoffa all'altezza del corpetto.

«In compenso siamo sommersi dalla plastica», replicò Luigi con imbarazzo.

Non aveva alcuna dimestichezza con quel tipo di conversazioni inconcludenti. Melania comunque rise della sua battuta, sembrava sinceramente divertita e anche Luigi finí per partecipare alla sua ilarità. Non si capiva bene perché ridessero, forse per il piacere di un incontro che pareva dischiudere un piccolo spiraglio di futuro. La loro intesa non era sfuggita a nessuno, Luigi quasi si vergognava di essere in compagnia di quella donna, mentre ballavano sentiva addosso gli sguardi di tutti.

Se ne andarono insieme, s'era levato un venticello fresco, insolito per la stagione. Melania ebbe un piccolo brivido nell'abito troppo leggero.

«La mia macchina è quella». Indicò una vistosa berlina scura. Luigi le aprí lo sportello con goffa galanteria. S'aspettava un invito, invece la donna gli sfiorò appena la guancia con un bacio e mise in moto.

Dopo qualche giorno lo chiamò al telefono, chissà come si era procurata il numero: «Mi piacerebbe invitarla per un tè».

«Un tè? Ma si usa ancora?»

Anche questa volta lei aveva riso, però lasciando trapelare una nota di disagio. Solo in seguito Luigi capí d'aver fatto una gaffe. Lei aveva chiaramente piú del doppio dei suoi anni. La sua sorpresa aveva sottolineato la differenza in modo inconsapevole.

Fino ad allora, Luigi non aveva avuto sufficienti occasioni per esercitare un uso appropriato del mondo. Qualche coetanea, baci frettolosi, angoli appartati in un'auto con i finestrini appannati e l'ansia d'un rumore, il balenio sospetto d'una luce. Aveva interrotto gli studi troppo presto, nel bar era riuscito a mantenere con le ragazze rapporti di cordialità cameratesca, battute, piccoli doppi sensi, scherzose parole di benvenuto, scambi fondati soprattutto sulla simpatia che la sua energia fisica attirava. Pur se di recente aveva interrotto gli allenamenti, la lotta, praticata per anni, gli aveva dato una muscolatura evidente anche sotto gli abiti. Forse era stato questo ad attirare l'attenzione d'una donna cosí piacevole, capace di tenere a bada l'avanzare dell'età, interessata a lui per ragioni che si potevano facilmente supporre; una sensazione nuova, non sapeva se esserne contento.

Eccitato dalla novità, mentre s'avviava all'indirizzo che Melania gli aveva dato, Luigi si accorse di avere la gola secca come un adolescente. Si vergognava un po' della sua emozione, cosí come s'era vergognato dell'erezione avuta durante il ballo. Cercò di anticipare ciò che sarebbe potuto accadere quando lei avrebbe aperto la porta. Vestita come? Quale porta? Si costruí una grottesca drammaturgia mentale e non seppe se augurarsi una conferma o una smentita alle sue fantasie. L'indirizzo era quello di un albergo del centro ma non corrispondeva all'ingresso principale, infatti era la porta di servizio. Un giovanotto dall'aria trasandata, evidentemente al corrente del suo arrivo, gli indicò l'ascensore in fondo al corridoio. «Spinga A, sta per attico», disse. Lo guardò con un sorrisetto che a Luigi non piacque. Per riflesso automatico, senza vera ostilità, pensò che avrebbe potuto schienarlo in due sole mosse.

Melania doveva aver udito l'ascensore perché la porta si aprí immediatamente; Luigi si trovò all'interno dell'abitazione, in un luminoso vestibolo.

«È bello qui», gli venne da dire.

Ampie finestre affacciavano su alti ombrelli di pini, sul pavimento folti tappeti sovrapposti a una moquette, piante esotiche sparse qua e là dentro grandi vasi di ceramica color latte, un'aria di lusso anche eccessivo. Melania lo precedette in un salotto la cui portafinestra dava su una vasta terrazza. Nell'aria c'era un buon odore che veniva dai profumi e dalle creme posate sulla toeletta della stanza adiacente; lo aveva addosso anche lei, un sentore tiepido che richiamava l'intimità femminile.

«Questo non è l'albergo, vero?» chiese Luigi un po' ingenuamente.

«L'albergo appartiene a una società di mio marito, questa è la nostra abitazione privata. Lui però non c'è. È spesso via».

Aveva mantenuto un tono oggettivo: constatava un'assenza, senza altre implicazioni. Sembrava calma, come priva di sentimenti o di desideri. Da una bottiglia di cristallo intagliato versò in due calici un liquido di colore neutro.

«Non ha creduto che volessi sul serio offrirle un tè...» Rise apertamente, e ancora una volta Luigi la imitò, però incerto se dovesse davvero farlo. Alzò il calice come pensava si dovesse fare e bevve un primo sorso. Il sapore era gradevole, affiorava una punta amara di gin che scaldava la gola.

«Luigi, sono cosí contenta che abbia accettato l'invito, – riprese Melania sorseggiando a sua volta. – Vorrei cominciare un'attività sportiva, a una certa età diventa necessario se si vuole mantenere un tono decente, forse potrebbe darmi qualche consiglio».

Gli dava del lei con ostentazione, anche se durante il ballo dovevano essere passati al tu. Luigi vuotò completamente il calice.

La situazione era molto chiara, tuttavia continuava a frapporsi tra di loro un velo che creava un certo impaccio. Adesso però Luigi sapeva come liberarsene. Quel po' di alcol lo faceva sentire come se tutto scivolasse in una piacevole spirale. Si alzò e andò a collocarsi di fronte alla vetrata, consapevole di muoversi su un terreno familiare.

«Gli esercizi fisici possono essere di vari tipi... Poten-
ziamento dei muscoli, flessibilità del corpo, allungamento
dei tendini, misto di agilità e potenza», ripeté con scioltezza la formula tante volte ascoltata dagli allenatori.

Pensò di poter illustrare con dei movimenti ciò che aveva appena detto ma temeva di eccedere. Anche Melania
però s'era alzata e ora lo fronteggiava. Fu lei a chiederglie-
lo con un improvviso *tu*.

«Fammi vedere qualche cosa, voglio capire come si fa,
vedere come sei fatto».

Luigi si sentí piú a proprio agio, sapeva di poter fare
affidamento sulla sua nudità. Melania gli passò la mano intorno alle spalle, carezzando il solido turgore del dorsale
mentre lui, senza piú esitare, prese a sganciarle le giarret-
tiere facendole scivolare in basso insieme alle calze. Aveva
sempre pensato che fosse un indumento che si vedeva solo
nella pubblicità, invece c'erano donne che le indossavano
davvero. I suoi baci disordinati le avevano scompigliato i
capelli, l'abito le era scivolato dalle spalle scoprendole un
poco il seno attraversato da piccole vene azzurre.

«Se continuiamo cosí tra poco finiremo sul pavimento,
– bisbigliò Melania, – meglio andare di là».

Erano in piedi accanto al letto, il fruscio del respiro di
lei, calmo, consapevole, era l'unico rumore nel silenzio totale della stanza. La luce fioca bastava appena a rischiarare
i contorni degli arredi. Il letto era incastrato dentro un'al-
cova, sul soffitto c'erano degli specchi fissati con diverse
inclinazioni. Luigi avvertí nello stesso tempo il peso di lei
sopra di sé e i battiti del proprio cuore, stupito che fossero
cosí violenti. Non c'era confronto con le esperienze fatte
con le coetanee, emanava da Melania un fascino molto piú
intenso di quello offerto dall'avvenenza d'una ventenne.
Guardandosi nel riflesso si sentiva come in un film, tutto
era molto esplicito, nessun contrabbando romantico, Melania l'aveva preso, lo racchiudeva in sé.

«Sei la prima donna, la prima donna...» si sentí dire,

con la voce che usciva a fatica, quasi a parlare fosse un altro, lontano.

Nel dormiveglia leggero udí poi Melania che pronunciava il suo nome due volte, soffiandolo, come se lo trovasse cosí bello da doverlo ripetere. Gli strinse il volto tra le mani coprendolo di baci furiosi: un incontro insperato, un regalo inatteso, un addio.

«Mi meraviglio di me stessa, mi fai venire pensieri che non ho mai avuto», sussurrò rauca vicino al suo orecchio.

«Merito mio?» chiese Luigi mordendole le labbra.

«Non so se sia un merito, forse sarebbe meglio non averli certi pensieri».

«L'importante è che ti piaccia».

«Mi amerai davvero?»

Luigi non rispose, ma la strinse forte tra le braccia.

Avrebbe voluto gridarle «ma non lo senti da te?», invece non disse nulla. Quasi ubriachi, si guardavano avidi e stupefatti desiderando solo che quella condizione sospesa durasse il piú a lungo possibile.

Nella fitta penombra, la stanza dava l'idea di essere riparata dal mondo. Luigi avvertiva la vicinanza dell'ascella di lei, la morbida linea del seno. Afferrò le dita che gli sfioravano il collo, sentí il bisogno di stringerle.

Melania teneva i capelli sul viso, facendoli caldi e umidi col respiro, il volto divenuto impenetrabile. «Io non ho mai fatto niente nella vita, per questo ho cosí pochi rimpianti, – confessò improvvisamente. – Una vita senza forma».

Luigi pensò quanto fosse strano che gli piacesse a tal punto una donna che aveva puntato tutto sul nulla, e che forse lui stesso di quel nulla faceva parte.

«Perché me lo dici?»

Lei alzò le spalle.

«Le persone morali sono cosí noiose».

Una mattina, qualche tempo dopo, Luigi pensò di farle un'improvvisata. Quando si presentò come sempre faceva sul retro dell'albergo, quella specie di portiere gli indicò come al solito l'ascensore col suo sorrisetto di sufficienza. L'ingresso dell'attico dava direttamente nell'appartamento; nessuno però lo stava aspettando, dovette suonare.

«Chi è?» chiese lei dall'interno.

«Sono io, Luigi».

Si aspettava che la porta s'aprisse di slancio, che lei gli saltasse al collo con un piccolo grido di gioia. Invece dovette aspettare, poi la porta venne dischiusa lentamente, malvolentieri. Melania doveva essersi sistemata i capelli e data un po' di rosso alle labbra, tratteneva con una mano i lembi della veste da camera perché non s'aprisse. Luigi, dopo che ogni fantasia fra loro era stata esaudita, non comprese il perché di quel pudore. S'avvicinò per baciarla, ma lei lo trattenne appoggiando debolmente la mano sul suo petto.

«Sei stato imprudente. Poteva esserci mio marito».

«Però non c'è».

Fece per stringerla attirandola a sé.

«Aspetta, non adesso –. Esitò, aggiunse: – Non sono pronta».

Lo fece accomodare in salotto, precedendolo. Lui aveva pensato di cominciare con una frase scherzosa: «Sono il suo personal trainer per l'esercizio», ma non se la sentí. Quando Melania passò davanti all'ampia vetrata la luce fredda di metà mattina la colpí crudamente, e in quell'attimo Luigi capí il motivo del suo atteggiamento scontroso. La lama radente aveva mostrato ciò che negli incontri precedenti era rimasto nascosto. Il reticolo sottile delle rughe intorno agli occhi, le labbra in parte svuotate, il pallido profilo del volto, la leggera curvatura del dorso, carne denudata dalla luce.

Fino a quel giorno, Melania aveva soddisfatto ogni suo capriccio prima ancora che lo esprimesse. Luigi talvolta aveva pensato se in quel momento ci fossero altri uomini nella sua vita; l'idea che i suoi slanci non fossero riservati a lui solo gli aveva fatto sentire l'ambigua puntura della gelosia. Era arrivato a passare sotto l'albergo cercando d'individuare dalla strada le finestre corrispondenti al salotto, alla camera degli specchi dove s'incontravano, domandandosi se lei fosse da sola o in compagnia.

Quel raggio crudo aveva dissipato i suoi timori. Di colpo Luigi scoprí che, nonostante le piú audaci impudicizie, nella costante penombra della camera aveva visto di Melania quasi solo gli occhi, il contorno del seno, la curvatura del ventre, mentre ora la repentina scoperta dei segni d'una giovinezza perduta rompeva l'incantesimo. Melania l'aveva avvinto con la sua esperienza o con la sincera passione che metteva nel concedersi, ma ora a Luigi era chiaro di essere lui il piú forte.

Rimasero qualche minuto in silenzio a guardare il cupo verde dei pini nel parco.

Luigi mormorò: «Forse è meglio che vada». Lei non fece nulla per trattenerlo.

9.

«Numerose forme di psicoterapia sono state sviluppate prima di Freud; si pensi ad esempio alla terapia ipnotica messa a punto da Franz Anton Mesmer nella seconda metà del Settecento, o alle indagini sui rapporti fra psicologia e religione di William James un secolo dopo. Inoltre, nei primi anni del Novecento Georges I. Gurdjieff, maestro di spiritualità di origine armena, ha cominciato a studiare gli influssi orientali in ambito psicologico sia in Europa sia negli Stati Uniti. Una visione psicologica molto vicina a quella proposta da Evagrio Pontico è stata sviluppata ai primi del Novecento da Karen Horney, psicoanalista statunitense di origine tedesca. Secondo questa studiosa ogni essere umano è dotato di una forza centrale che cerca durante la vita di realizzarsi in maniera autentica. La sua ipotesi è che la struttura della personalità sia una sorta di nevrosi che ostacola l'espressione del vero sé, per cui la possibilità di guarigione coincide con la presa di coscienza della grave condizione di alienazione iniziale e con la contemporanea pratica dell'analisi intesa come percorso a ritroso verso il proprio centro, che comporta l'osservazione e il superamento dei vari strati nevrotici.

Il centro culturale che nel XX secolo ha maggiormente influenzato l'incontro fra la psicoterapia e le tradizioni spirituali è stato l'istituto di Esalen in California, dove si sono incontrati e hanno insegnato grandi maestri della psicoterapia, dell'antropologia e delle tradizioni spirituali, tra cui Fritz Perls, Claudio Naranjo, Carlos Castaneda, Paul Tillich. Forse la forma di psicoterapia piú vicina alla dimensione spirituale praticata a Esalen è stata la terapia della Gestalt, sviluppata dallo psicoanalista tedesco Fritz Perls (1893-1970). La psicoterapia gestaltica è infatti in stretta relazione con le tradizioni spirituali dell'antica Grecia e dell'Estremo Oriente. Il terapeuta gestaltico deve dedicare una costante "attenzione al vissuto", deve sviluppare una dedizione particolare al "qui e ora". Viene anche definita come "via della lucidità", perché permette di superare una sorta di "cecità esistenziale" che impedisce di guardare il lato grottesco delle persone».

Clara fece scivolare il libro sotto il piano della cassa, nelle prime ore del mattino quando erano presenti rari e frettolosi clienti riusciva a leggere qualche pagina ma con il procedere delle ore diventava sempre piú faticoso, per di piú inutile. Del resto il lato grottesco del comportamento avrebbe potuto cominciare a studiarlo su se stessa. Una delle piú brillanti laureate del corso che batteva scontrini. Eppure anche in quel lavoro cosí noioso e ripetitivo, era riuscita a trovare un aspetto che la divertiva. Tentare di ricostruire dai pochi indizi che ogni cliente offriva allo sguardo una possibile personalità: condizione sociale, umore, temperamento, educazione... Un buon esercizio che comunque le permetteva di evadere dall'azione meccanica – pavloviana, s'era detta – di battere l'importo, rispondere ai «buongiorno», sorridere.

Il trattamento era uguale per tutti, meno che per la signora Lina, meritevole di attenzione particolare per il modo stesso in cui entrava nel locale. Si muoveva con delicatezza: nonostante il peso della pelliccia faceva attenzione a non urtare i tavolini, con le sottili zampe di metallo che stridevano sgradevolmente sul pavimento. Al suo terzo giorno di lavoro la signora Lina le aveva sorriso.

«Come va? L'aria comincia a scaldare finalmente».

«Per la verità preferisco il clima autunnale».

«Non mi stupisce, segno di giovinezza. I vecchi invece hanno bisogno di caldo, Clara».

Sapeva che era psicologa, conosceva anche il suo nome. Clara invece di lei non sapeva nulla, a parte quel «signora Lina» con il quale tutti la chiamavano, e i pettegolezzi sul suo passato di attrice.

Al suo ingresso, aveva sorpreso Clara intenta a leggere e aveva cercato di sbirciare il titolo del libro. Clara glielo aveva messo sotto gli occhi: *Neuropsicologia dell'esperienza religiosa*, di Franco Fabbro.

La signora Lina aveva accennato un gesto di ammirazione.

Sorseggiò il cappuccino, lentamente come al solito, piluccando la brioche mentre sfogliava il giornale. Di tanto in tanto sollevava lo sguardo per sorriderle.

In un momento di pausa, mentre Luigi e Roberto confabulavano nell'angolo destinato a ospitare il forno per la pizza, la signora Lina fece cenno a Clara di avvicinarsi.

«Stavo leggendo di un caso incredibile. Ha visto qui?»

Le mostrò il giornale aperto alla pagina della cronaca cittadina. Una donna di trent'anni aveva ucciso la madre di cinquantasette con l'aiuto dell'amante.

«Voleva prostituirsi in casa e la madre glielo impediva, – prese a spiegare la signora Lina. – Pare che sia stato Giorgio, il suo giovane amante, a progettare il delitto. Lei gli ha fatto un'unica raccomandazione: non doveva usare il coltello perché non sopportava la vista del sangue. Ha detto proprio così: ci sarebbe stato molto sangue e avrebbe sporcato dappertutto. Allora hanno deciso di metterle un sonnifero nel caffè, poi l'hanno strangolata col filo del telefono... Si rende conto?»

Clara aveva cominciato a leggere qua e là il servizio di cronaca.

«Adesso però negano tutto, ognuno dei due dice che

sarebbe stato l'altro a uccidere. È una vecchia tecnica, darsi reciprocamente la colpa. Sa quand'è stata inaugurata?»

Clara dovette interrompere la conversazione per andare a occuparsi di alcuni clienti.

«Erano gli anni Sessanta, – continuò imperterrita la signora Lina, – un giorno viene trovato a terra nel suo studio il cadavere di un giovane egiziano ricchissimo. È sospettata del delitto una signora che tempo prima era stata la sua amante. L'arrestano insieme a suo marito, sono libanesi ma vivono in Europa, tra Parigi e Londra, qualcuno dice che sono arrivati a Roma proprio per uccidere. Al processo i due si accusano a vicenda. Lei, Claire, è molto bella, aggressiva, gioca la parte della donna padrona di sé e della sua vita, accusa il marito di aver ucciso l'egiziano per gelosia anche se la relazione era finita da tempo. Lui, Youssef, interpreta il ruolo dell'uomo riflessivo e bene educato che non ha mai fatto ricorso alla violenza, parla con calma e davanti alle accuse di sua moglie sorride mestamente, ribatte che a uccidere è stata lei perché l'uomo voleva lasciarla. Processo memorabile: colpi di scena, lacrime, svenimenti, feroci litigi, accuse e controaccuse».

«E alla fine?» domandò Clara dando il resto a un avventore.

«Alla fine i giudici li hanno assolti. Nell'impossibilità di stabilire chi dei due era stato, li hanno lasciati liberi».

«Assurdo!»

«Fino a un certo punto. Anche i latini dicevano "In dubio pro reo". La sentenza venne comunque corretta in appello; i giudici gli dettero vent'anni ciascuno ma ormai quelli erano spariti dalla circolazione. Ho l'impressione che questi due disgraziati vorrebbero fare lo stesso gioco... Ma non credo siano in grado. Vede Clara, ci vuole una grande sapienza teatrale per recitare un dramma del genere, bisogna saper misurare le mosse e i rilanci, non è facile».

«Ma lei come mai si interessa tanto ai fatti di sangue?»

Lina rimase per qualche istante sovrappensiero.

«Non lo so. Forse per il senso del teatro. I delitti di sangue, se si mette da parte la pietà, sono potenti rappresentazioni drammatiche. Non parliamo poi d'un processo in assise, teatro nel senso piú puro; accusa e difesa, punti di vista opposti che si scontrano davanti a un pubblico che infatti parteggia, rumoreggia o applaude quando viene letta la sentenza... Se fossi piú giovane mi piacerebbe assistere, ormai preferisco leggerli sul giornale».

Clara si avvicinò al tavolino della signora Lina. «Anche un caso clinico può essere visto come la rappresentazione di un dramma, sa? A volte il dramma si svolge tra terapeuta e paziente, a volte nel paziente con se stesso, nel qual caso si parla di "Io diviso". Per uno psicologo i drammi personali sono pane quotidiano, il nostro è un campo dove ci si addestra ad affrontare la sofferenza dell'esistere».

«Già, lei è psicologa».

«Sono laureata, sto preparando la tesi di dottorato».

«Mi sembra molto interessante. Se un giorno me ne vuole parlare... Tra uno scontrino e l'altro». Lina cercò di abbozzare un sorriso d'intesa.

«Non è facile, le assicuro. Un conto è la tesi, o il dottorato: lí basta leggere molto, studiare. Invece è difficile mettere in pratica quello che s'è studiato, quando si tratta di applicarlo nella vita reale».

«Ma i casi clinici sono già resoconti di vita, è già esperienza pratica... Stanno scritti nei libri».

«Sí, ma nei libri ci sono anche i maestri che fanno da guida. Quando ci si trova a tu per tu con un paziente bisogna scegliere una strada o l'altra, decidere da soli una terapia, essere certi d'aver bene interpretato, e tutto diventa molto complicato. No, piú che complicato dovrei dire che diventa molto opinabile».

«Le è successo spesso?»

«Solo alcune volte, e sotto il controllo del mio supervisore. Adesso dovrei cominciare a fare da sola, se ne avrò la forza».

La signora Lina la fissava con un'espressione concentrata; i suoi occhi mantenevano un'eccezionale vivacità.

Clara s'era lasciata coinvolgere per la simpatia che la signora Lina le ispirava, però cominciava a pensare d'aver detto troppo. D'altra parte era la prima volta che qualcuno sembrava davvero interessato a ciò che stava facendo.

Forse poteva rivolgerle la domanda che da qualche giorno aveva sulla punta della lingua: «Signora Lina, tutti dicono che ha una vita... misteriosa. Ecco, mi piacerebbe conoscerla».

«Per il suo dottorato?»

Risero entrambe come se fossero davvero contente di quanto s'erano dette, della familiarità che le parole scambiate aveva stabilito tra di loro.

«No, non per la tesi. Per me».

«Una vita misteriosa. Forse sarebbe piú appropriato dire una vita sbagliata: può succedere sa, nel mio mestiere si sbaglia come nel suo, forse di piú».

Clara la guardava aspettando il seguito, che però non arrivò.

«Adesso devo andare. Alla mia età le abitudini diventano piccoli riti quotidiani».

Si alzò, si sistemò la pelliccia che aveva gettato sulla sedia, poi chinandosi verso Clara sussurrò con tono scherzoso:

«I piccoli riti allontanano la fine, pare».

S'avvicinò Roberto.

«Non ti preoccupare Clara, – disse ironico. – Pensiamo noi alla cassa mentre tu intrattieni la signora».

S'era completamente dimenticata di tutto il resto.

«Sono stata invadente, scusatemi». La signora Lina s'avviò verso l'uscita, ma prima di raggiungerla afferrò un braccio di Clara come se volesse sostenersi.

«Un giorno di questi vorrei invitarla a pranzo da me. Mio fratello è avvocato. Credo che sarebbe interessante se vi conosceste».

Sulla porta incrociò uno dei due brutti ceffi della Maserati che entrò senza badarle, forse nemmeno la vide, piccola com'era. Puntava dritto verso Roberto.

«Mi serve un tatuaggio», disse brusco.

«Di che tipo? Quando?»

«Semplice, solo un nome. Anzi due...»

Roberto accennò un gesto per invitarlo a proseguire.

«Omar Amor, facile».

Fece roteare pollice e indice come a mimare il movimento delle lettere incrociate.

«È un bel gioco, – commentò Roberto. – Un anagramma. Anzi potremmo scrivere anche Roma. Volendo puoi aggiungere addirittura Ramo. Aspetta, ci sono anche Mora e Marò, Orma e Armo. Hai scelto una parola magica».

Il tipo sgranò gli occhi come se si fosse perso in quel dedalo di lettere.

«E dove lo vuoi il tatuaggio?» incalzò Roberto.

«Non è per me, è per la mia ragazza. Voglio che le tatui il mio nome, una specie di giuramento».

«Capisco, e dove lo vorrebbe?»

Omar fece un gesto vago accennando al basso. «Giú, – disse solo. – Giú».

«Se ti va ci vediamo stasera verso le otto, quando chiudiamo. Non c'è mai troppa gente, stiamo tranquilli».

Quello congiunse pollice e indice formando una «o», uno spavaldo gesto d'intesa, poco meno di un contratto.

10

Clara s'era risvegliata di colpo e non riusciva a prendere sonno, si sentiva sospesa in un'indefinita condizione di ansia, l'uno dopo l'altro le si presentavano brandelli di ricordi o propositi ingigantiti dalle ombre del dormiveglia. La sua condizione era resa piú penosa dalle lenzuola tutte aggrovigliate e dal cuscino madido di sudore. Ascoltava i rumori della casa inavvertiti durante il giorno, il fruscio smorzato del traffico, il gocciolio di un rubinetto che nessuno aveva fatto riparare, l'annoiato latrare d'un cane. In uno stato di maggiore coscienza si chiese come mai le cose che durante la giornata appaiono lievi o addirittura insignificanti, alle tre del mattino possano provocare una tale inquietudine da impedire il sonno. Tentò varie diversioni per attenuare l'ansia. Il colloquio con la signora Lina l'aveva divertita, ripensò ad alcune frasi e ne sorrise. Sentiva per quella donna una simpatia che non aveva ragioni particolari, dunque poteva rapidamente svanire o consolidarsi, nonostante la differenza d'età; forse poteva diventare addirittura una confortevole amicizia femminile. Improvvisamente le tornò alla mente la frase con la quale Lina s'era congedata, l'accenno generico ma allusivo al fratello avvocato che «sarebbe stato interessante conoscere». Nell'invito c'era sicuramente un'intenzione. Si chiese se ciò che davvero la turbava non fosse che alla sua età non aveva ancora trovato un compagno stabile. Corrado era diventato una persona importante per lei, un amante fedele, soprattutto un amico con cui poter parlare. Però non aveva ancora capito se fosse lui quello che viene de-

finito, con enfasi caramellosa, l'uomo della vita. «Tu vivi
di citazioni», gli aveva detto una volta, rimproverando-
lo scherzosamente. «Hai ragione, – aveva risposto, – dovrei parlare di meno, tacere ringiovanisce». Anche quella
probabilmente era una citazione. Quel vizio un po' aveva
contagiato anche lei.

Clara aveva avuto altre storie piú o meno importanti o
gradevoli, perlomeno senza conseguenze. Aveva inaugura-
to la sua vita amorosa in un modo che nel ricordo ancora
la disturbava; lui era un casuale compagno di studi con il
quale preparava gli esami di maturità. Avevano letto e ri-
passato i testi, s'erano interrogati a vicenda. In un giorno
di avanzata primavera con i primi tepori che filtravano attraverso la finestra aperta, erano passati a vie di fatto senza una vera premeditazione, come se fosse la conclusione
scontata del capitolo che stavano leggendo, soli e senza alcun sospetto. Come confessa Abelardo nelle sue memorie:
«sepius ad sinus quam ad libros reducebantur manos»...
Cosí, sul divano di casa, in una posizione quasi dolorosa
per la scomodità, con l'ostacolo degli abiti che, trafelati,
per inesperienza e pudore, non avevano avuto il tempo di
togliere. Da quella prima volta era uscita un po' accaldata
e soprattutto perplessa, con il suo stesso inesperto amante
che si guardava intorno incredulo d'aver portato in fondo
una tale impresa. Era dunque tutta lí la materia cantata
da secoli di poesia e di canzoni? Descritta mille volte nella letteratura, illustrata a ogni possibile livello, dalle raffinate metafore classicheggianti alla piú cruda pornografia?

Poi aveva imparato che non era tutto lí. Aveva provato
che cosa significhi accendersi di passione, pensare all'altro
anche quando non c'è, cogliere perfino la sua assenza per
colmarla di fantasie. In parte aveva provveduto la letteratura, per esempio il finale di *Ulisse*, il monologo che Molly Bloom riempie di sogni e di bugie: «Quand'ero ragazza
ero un Fiore di Montagna sí quando mi mettevo una rosa
nei capelli come le ragazze andaluse [...] e lui mi ha bacia-

ta sotto il muro moresco io pensavo be' va bene lui come un altro poi gli chiedo con gli occhi di chiedermi ancora sí e lui chiede se voglio sí dire sí mio Fiore di Montagna e io gli ho messo le braccia al collo sí e l'ho tirato a me per fargli sentire il mio seno profumato sí e il suo cuore batteva all'impazzata e sí ho detto sí voglio Sí».

Nella confusa coscienza dell'ora, con la speranza di recuperare un sonno che non voleva tornare, incerta se a quel punto non fosse meglio svegliarsi del tutto, poi di colpo chiedendosi se tutta la fatica e l'impegno messo nello studio non l'avessero privata di una parte importante della sua vita, rovesciò il cuscino augurandosi che il fresco sulla guancia l'aiutasse a riprenderlo per la coda, quel sonno fuggiasco.

Non c'era verso. Si alzò, uscita dalla stanza vide che dalla cucina filtrava la luce azzurrognola del televisore acceso. Silenziosa, a piedi nudi, s'avvicinò per affacciarsi alla porta. Suo padre sedeva con i gomiti poggiati al marmo del tavolo fissando il teleschermo – che trasmetteva la fine delle trasmissioni. Era come perduto anche lui in un sogno a occhi aperti.

«Papà, che fai alzato a quest'ora?»

Luciano si riscosse, sorrise, strappato ai suoi pensieri.

«Va' a dormire papà, che è tardi».

«E tu che fai? Anche tu sei in piedi».

«Devo solo andare in bagno».

Non andò in bagno, entrò in cucina, sedette. Chiese se Luigi era rientrato. Luciano scosse il capo, disse che suo fratello ormai era maggiorenne, aveva il bar, era padrone di giocarsi la vita come meglio credeva. Assuntina invece dormiva.

«Ormai dorme quasi sempre, non so se te ne sei accorta. È come se ci volesse abituare alla sua partenza, povera Assunta, non solleva nemmeno piú i piedi quando cammina, li sento strisciare e non ho il coraggio di guardarla. Vive di cosí poco, si nutre di preghiere».

Clara ascoltò il padre che parlava con un tono uniforme.

Teneva gli occhi fissi al teleschermo, aspettando forse che ricominciasse a trasmettere qualcosa, una cosa qualunque che ricordasse in qualche modo la vita.

«Sai, – disse a un certo punto, – quando stavo in Africa c'erano delle notti in cui faceva un tale caldo che nelle camerate non si riusciva a dormire. Allora trascinavamo le brande all'aperto e ci stendevamo sotto le stelle. Un mio amico aveva paura degli scorpioni che laggiú sono molto velenosi, non come i nostri che fanno solo un po' schifo. Metteva i piedini della branda dentro le scatolette usate dei pomodori dopo averle riempite di petrolio. "Cosí sono isolato e gli scorpioni s'attaccano", diceva contento prima d'addormentarsi».

Il ricordo sembrava averlo rianimato.

«E s'è salvato dagli scorpioni?»

«Mi sono salvato anch'io che non ho mai messo la branda a mollo nel petrolio... Forse gli scorpioni erano solo una di quelle cose che si dicono per mettere paura».

«La vogliamo spegnere la tv, papà?»

Luciano annuí, disse che gli stava venendo sonno. Fece per alzarsi ma ricadde a sedere.

«Sai che stavo pensando, quando sei arrivata? Mi sarebbe tanto piaciuto avere un pezzetto di terra e coltivare due zucchine, pomodori, qualche pianta d'insalata. Un mio amico m'ha invitato a mangiare la sua insalata, tutto un altro sapore da quella che si compra. Mi sarebbe piaciuto ma non ce l'ho fatta».

Fece di nuovo per alzarsi ma di malavoglia, ancora una volta s'arrestò a metà.

«Ho fatto una vita che non mi piace. Non sono mai riuscito a trovare il mio posto... È la verità, uno deve dirsela prima o poi. Dovevo restare laggiú in campagna, con le pecore, oppure in Africa, bruciato dal sole. Anche lí è finita cosí male».

Nel riflesso crudo della lampada, Clara si rese conto che le palpebre di Luciano s'arrossavano e lo sguardo stava diventando acquoso. Sperò, pregò che non cominciasse a piangere. Vedendolo cosí debole, provò l'acuta nostalgia di quando aveva imparato e sentito forte dentro di sé, come molti suoi coetanei, che al padre è necessario ribellarsi. Aveva ora davanti agli occhi un uomo cosí fragile che bisognava sorreggerlo perché non cadesse. Non chiedeva certo un modello ideale, un eroe, ma un padre che raccontando del suo passato potesse testimoniare che la vita ha un senso. Invece le toccava raccogliere da terra le povere spoglie di un fallimento, un genitore-figlio i cui ricordi piú solidi erano le pecore che aveva dovuto accudire negli anni difficili. S'alzò d'improvviso, girò intorno al tavolo, andò ad abbracciarlo spinta da un moto nel quale tenerezza, compassione, amore filiale, si mescolavano caoticamente.

«Siamo ancora in tempo, papà. Appena trovo un lavoro te lo prendo io quel pezzetto di terra. Annegheremo nell'insalata. E la domenica vengo a zappare con te, che un po' d'esercizio mi farebbe bene».

Luciano scuoteva il capo contento del proposito, anche se sapeva che non si sarebbe mai realizzato.

«Dimmi la verità, Clara. Tu ti vedi con qualcuno? Luigi va di qua e di là, non dorme quasi mai a casa; tu invece stai sempre a studiare».

Quella notte era fatta per le confessioni: «Ho un caro amico, papà. Si chiama Corrado».

«Che fa?»

Esitò a rispondere per non turbarlo, poi decise che tanto valeva dire la verità.

«È un filologo classico».

Luciano la fissò interrogandola con lo sguardo.

«Non ti preoccupare, non è niente di serio... Voglio aspettare a impegnarmi. Devo risolvere anch'io qualche problema prima».

«Da bambino un avvocato che frequentava casa nostra disse che ero molto intelligente, un ragazzo pieno di promesse, disse proprio cosí. Ti farò ridere, quasi mi vergogno a dirlo, ma me le sono ripetute non so quante volte le sue parole... Adesso so che quell'avvocato era solo un bugiardo. Sai perché lo diceva? Faceva la corte ad Assuntina».

Clara sorrideva divertita al racconto, Luciano scambiò la sua espressione per incredulità.

«Guarda che la povera Assunta da giovane era molto bella».

«Lo so, ho visto le foto. Ma penso soprattutto a te, sei un uomo fortunato. Assunta alla sua età vive ancora per te. Io ti voglio bene, Luigi è un bravo ragazzo, con le sue arie da viveur fa solo tenerezza».

«Non ci può essere una tale differenza tra quello che uno s'aspetta quando ha vent'anni e quello che ci si ritrova mezzo secolo dopo... Mi sento come se m'avessero fatto uno scherzo, capisci Clara? Come se questa non fosse davvero la mia vita, quella vera deve ancora arrivare, non è vero che sono cosí vecchio... Invece mi guardo allo specchio e lo vedo: è proprio cosí, niente da fare. Non mi sembra giusto, era l'unica vita che avevo e me ne sono accorto tardi».

«Uno non può sempre scegliere. A volte la vita ti viene addosso e bisogna prenderla come arriva, imparare a usarla per quello che è».

Questa volta Luciano s'alzò davvero.

«Nemmeno tu sei piú una bambina, Clara».

Si sentí aprire e chiudere la porta di casa. Luigi stava rientrando. Rimasero in silenzio, nessuno dei due aveva voglia di affrontare un'altra discussione, a quell'ora.

Quando Omar si presentò il bar era deserto. Luigi stava avviando l'ultimo carico di tazzine nella lavastoviglie, Clara chiudeva i conti del giorno. Accompagnava Omar una ragazzetta pallida, graziosa e impertinente, forse nemmeno maggiorenne. Era chiaro che sapeva di essere graziosa e ci teneva a farlo vedere, e questo contribuiva alla sua impertinenza. Quanto al pallore forse era solo che dormiva poco.

Omar disse a Roberto che si chiamava Deborah, lei tese la destra, molle, per farsela stringere. Nel retrobottega Roberto aveva già predisposto l'occorrente. Non aveva una licenza per i tatuaggi, non sapeva nemmeno se fosse necessaria, comunque faceva le cose con una certa discrezione.

Dei tre il piú imbarazzato sembrava Roberto: non aveva ancora capito bene chi fosse questo cliente e dove il tatuaggio andasse fatto. Ci pensò Omar. Indicò a Deborah la poltrona reclinabile con il lenzuolino pulito, lei docilmente obbedí. «Fagli vedere», ordinò brusco.

La ragazza tirò su la gonna e abbassò vezzosamente l'orlo degli slip.

«Lí!» disse Omar.

Ecco, proprio ciò che temeva, pensò Roberto. Una zona ricca di terminazioni nervose, molto sensibile anche se lui usava una macchinetta americana poco dolorosa. Illuminò vivamente la parte avvicinando la lampada snodabile: lavorava sempre con grande scrupolo, in questo caso poi era chiaro che non poteva commettere il minimo errore. Anche se quasi completamente depilata, salvo un'esile strisciolina nel mezzo, la zona era esigua se si voleva restare bassi. La macchinetta era la migliore in commercio, ultimo modello, in bronzo, facile da maneggiare. Roberto finí di far colare il pigmento nel serbatoio e pensò di avvertirli, rivolgendosi direttamente alla ragazza.

«Deborah...»

«Parla con me», ordinò Omar.

Roberto voleva dire che, in caso di ripensamento, asportare il pigmento sarebbe stata un'operazione piuttosto lunga e fastidiosa, era bene saperlo.

«Siete cosí giovani, magari se tra un po' di tempo...»

«Parli come un prete. Scrivi e no' rompe il cazzo», lo interruppe secco Omar.

Deborah gli rivolse uno sguardo adorante, pronta a farsi marchiare con quella bizzarra iscrizione piú di appartenenza che di fedeltà.

Poteva solo passare alla parte tecnica. Aveva preparato una bozza del disegno. Le due parole, Omar e Amor, si curvavano ad arco: alla sommità, nello spazio tra l'una e l'altra, aveva inserito come ornamento una specie di piccola stella cometa con la coda rivolta allusivamente verso l'alto. La composizione era semplice ma alternava gradevolmente il rosso e il blu, qualche sfumatura verde affiorava nei riccioli delle lettere. Mostrò lo schizzo, Omar abbozzò svogliato un gesto che poteva dire «vai, vai». Quando diede corrente e la macchinetta cominciò a ronzare, Deborah allungò la mano afferrando quella del compagno. Il Monte di Venere, piuttosto sporgente, in certo modo facilitava l'esecuzione. Si potevano scrivere le due parole aggirandolo tutto intorno. Avrebbe dato l'idea di un portale inscritto in una cornice in pietra colorata, la stellina al vertice come chiave di volta.

Roberto sudava copiosamente, procedeva lento, con cautela, lettera dopo lettera, attento alla giusta curvatura dell'insieme, all'equilibrio tra vuoti e pieni. Deborah di tanto in tanto emetteva un lieve miagolio. Roberto dette qualche tocco di rifinitura, corresse una sbavatura, tamponò. Allontanò il viso per valutare l'opera, era un buon lavoro. Omar taceva e poteva essere un segno incoraggiante. Inclinò uno specchio in modo che anche Deborah potesse vedersi.

«Ti piace?» chiese la ragazza parlando per la prima volta.

Omar annuí. Lei allora prese direttamente lo specchio e si guardò, stupita.

«Guarda, amore, il tuo nome si legge da tutt'e due le parti».

«È un anagramma», spiegò Roberto.

Omar lo bloccò prima che potesse finire. «Non fare lo stronzo. Tieni –. Sfilò alcune banconote dalla tasca col solito gesto negligente di quando pagava il caffè. – Tu rivestiti».

Deborah fece risalire gli slip tenendo il bordo della camicetta tra i denti, rassettò la gonna.

«Peccato che al mare non si vede, – disse quando si sentí a posto. – Il costume arriva piú su, c'è ancora il segno dall'anno scorso».

Roberto stava già riordinando gli strumenti. Al momento di uscire Omar infilò la mano in tasca e gettò alcune bustine bianche, di carta sottile, sul tavolinetto.

«Questo è un regalo, fatti un giro stasera. Vieni, andiamo», intimò a Deborah.

Muovendosi con una certa grazia, la ragazza s'affrettò a seguirlo.

Nel bar, Luigi aveva finito di riordinare, rovesciato le sedie sopra i tavolini, cominciato a spegnere le luci esterne. Accennò un saluto ai due che uscivano. Omar tirò dritto, Deborah fece ciao con la manina.

Quando Roberto gli mostrò le bustine sul palmo della mano, Luigi si lasciò sfuggire un breve sibilo di compiacimento. Propose di spartire.

Roberto non intendeva farne uso, e appoggiò le bustine sul bancone: «Sono tutte tue».

Clara era già sulla porta, parve non notare nulla. Uscendo disse solo: «A domani».

Il whisky «25 years old», leggermente torbato, era squisito.

«La mattina il cappuccino, la sera whisky, – disse Lina. – Mi piace alternare i gusti».

Lo disse caricando ironicamente la frase, facendola quasi diventare un programma di vita. Il piccolo appartamento era curato con un ordine vagamente ossessivo, dai ninnoli alle numerose fotografie esposte su mensole e pareti. I fiori che Clara aveva portato erano stati subito messi in un vaso smaltato bianco che contrastava con il rosso prevalente delle corolle.

Dopo cena erano passate al tu.

«Una giovane cassiera molto particolare e un'anziana pensionata irregolare, che strana coppia». Lina rise, divertita dalle sue parole.

«Questo stando ai principî della fotografia, – obiettò Clara. – Ma è falsa come tutte le foto. Se guardassimo il film direbbe un'altra cosa».

Lina la fissò stupita. «E che direbbe il film secondo te?»

«Le cose viste in movimento sono diverse, lo ripeteva spesso un mio professore. Un pensionato ha una vita di cui rispondere, una cassiera ha un futuro nel quale sperare. C'è un prima, c'è un dopo».

«La vita di cui parli è zeppa di ricordi. A volte creano una specie di ingorgo».

«Il futuro è peggio, – azzardò Clara, – ciò che lo riempie sono solo illusioni».

«Le illusioni vanno e vengono, cambiano, si ricreano... I ricordi sono fatti di pietra. Immobili».

Indicava sulla mensola piú vicina una fotografia chiusa da una cornice d'argento; una giovane donna dagli abiti modesti che guardava con occhi sognanti e disperati qualcuno che l'inquadratura non mostrava, la mano destra portata in avanti con un gesto ingenuamente melodrammatico.

«Hai mai visto *Addio giovinezza?*» domandò Lina. Non attese nemmeno la risposta. «Ormai nessuno la ricorda, per mezzo secolo è stata una delle operette piú rappresentate, ne hanno tratto non so quanti film. In uno degli ultimi Dorina era interpretata da Maria Denis».

Fissò Clara per capire se quel nome le suscitava qualche ricordo. Davanti alla perplessità dell'altra continuò:

«La Denis è stata molto famosa, ha girato decine di film, insieme a Clara Calamai era una delle attrici piú in voga ai tempi del fascismo; durante l'occupazione venne coinvolta in una brutta storia».

«Cioè?»

«Fu accusata di essere l'amante di Pietro Koch, un torturatore che nascondeva dietro motivazioni politiche il suo sadismo. Lei ha sempre giurato che non era vero, ma la voce ha continuato a girare. Credo che dopo la Liberazione abbia fatto anche un po' di galera... Ma non era questo che volevo raccontarti. La ragazza della foto sono io nella parte di Dorina, una sartina che s'innamora di uno studente. Si amano per un paio d'anni, poi lui si laurea e sparisce. "Non vedi, non senti che io brucio... | Ch'io mi consumo per amor tuo... | Tutto è sorriso in me... | Quando mi stringi al sen..." Questo canta la povera infelice. Resterà con un pugno di mosche e le andrà anche bene che il piccolo mascalzone non l'ha messa incinta. Secondo te ci sono ancora ragazze cosí sceme?»

Clara non s'aspettava una domanda tanto diretta: «Probabilmente no... Eppure se si pensa a tutte le "povere infelici", come le chiami tu, che continuano a vivere con uomini violenti, a tollerare le loro prepotenze...»

«Ho anche fatto la parte di Elena, – riprese Lina all'improvviso, – è l'altra protagonista di *Addio giovinezza*. Dorina è una poveretta, come Mimí nella *Bohème*, Elena invece è la maliarda seduttrice che però alla fine, generosa, sparisce dalla vita di quello stordito per lasciare il posto alla sventurata Dorina. Una bella coppia, non c'è che dire. Odio gli stupidi del basso romanticismo, quelli che capiscono sempre troppo tardi le situazioni... Alfredo nella *Traviata*, per esempio, bastava un po' d'intuito in piú e Violetta si salvava –. Rimase qualche istante a riflettere sulle sue parole, poi riattaccò: – Al cinema Elena era Clara Calamai. Una sera venne in camerino dopo lo spettacolo a farmi i complimenti. Insomma, questi sono i ricordi, poca cosa, come vedi».

«Non sono d'accordo. Gli spettacoli sono importanti, anche quando le ragioni che ne hanno fatto un successo non sono piú attuali; aiutano a costruire la memoria collettiva».

«Memoria per modo di dire, Clara, nemmeno sapevi che c'era un'operetta dal titolo *Addio giovinezza*. Qualche volta mi sono vergognata: scene di cartone, orchestrina da café chantant... Tiravamo quattro paghe per il lesso, come diceva non so chi».

«Pascoli, *Davanti a San Guido*».

«Ma no, quello è Carducci».

Risero come vecchie amiche.

Poi Lina scosse un po' il capo. «La verità è che nessuno ricorda niente, la musica è svanita, i miei colleghi sono morti. Gli errori, di cui ancora pago qualche piccola conseguenza, e quelle foto, sono l'unica prova che non ho sognato».

Sistemò con un gesto veloce i capelli, ed era come se avesse detto basta. Aggiunse un po' di whisky nei bicchieri, accennò a un muto brindisi sollevandoli. Era lei che voleva sapere adesso.

Sapere che cosa? La giornata di una cassiera, con un fratello che non s'era ancora capito bene da quale lato avrebbe affrontato la vita, se da sopra o da sotto. Una famiglia sbilenca, il suo destino cosí incerto di donna.

«Ho mandato il curriculum a chiunque, una bella lau-

rea, qualche esperienza, due lingue straniere... Mai avuto
risposta. Ora la mia speranza è una borsa di studio negli
Stati Uniti. Ho fatto domanda, vedremo che succede».

Lina sembrava interessata da quei primi cenni, voleva
saperne di piú sulla ricerca.

Clara spiegò: «Ricostruisco e racconto il momento di
passaggio dalla medicina alla psicologia, dall'esame del
corpo alla ricerca dell'anima, o meglio della mente. Dalle
patologie dell'organismo a quelle della coscienza. Parla-
vamo di Dorina e Mimí, eroine involontarie, prigioniere
del loro sesso. Le isteriche, le ipnotizzate, le sonnambule,
le analizzate in pubblico, nude su un lettino, catatoniche
o squassate dagli spasmi muscolari: sono quasi sempre le
donne a dare spettacolo negli anfiteatri medici di mezza
Europa. Alle lezioni di Charcot a Parigi si faceva la fila.
Non c'erano solo gli studenti, arrivavano in carrozza i signori e le signore della borghesia. Si pigiavano per godersi uno spettacolo nuovo: la linea di confine della ragione,
la terra di nessuno dove cominciano i comportamenti in-
comprensibili, non ancora follia, non piú ragionevolezza. Donne sorrette dal braccio del medico, recline, senza
espressione, offerte allo sguardo di tutti, come morte...
Ecco, a me interessa studiare il momento in cui questa
nuova scienza ha cominciato a esistere».

Rimasero per qualche attimo in silenzio. Lina stringeva tra le mani il bicchiere con il whisky senza accennare
a bere, fissava Clara assorta nei pensieri che le sue parole
avevano suscitato. Un turbamento analogo aveva assalito
Clara. Nel rievocare la sintesi del suo progetto le erano ba-
lenate, per contrasto, le ore passate alla cassa, le battute
con i clienti, quelli che consumavano senza pagare perché
cosí voleva la legge del quartiere, il tempo perso a preparare curricula che nessuno avrebbe visionato. Si sentí invasa
da un senso d'inutilità, probabilmente la sua espressione
la tradí. Lina la stava fissando, i suoi occhi riflettevano
una quieta saggezza.

«Tra i vantaggi della vecchiaia, – disse, – c'è che si guardano le cose con piú distanza. Si vede meglio se si saltano i dettagli. I sogni entrano nel tuo progetto? Non quelli che avevo da ragazza: le luci del palcoscenico, i mazzi di rose in camerino, i signori galanti che vogliono portarti a letto ma intanto ti baciano la mano e fanno scivolare un braccialetto nel portagioie... Intendo i sogni veri, quelli che si raccontano alle fattucchiere e alle indovine. Una volta ho recitato nell'*Elettra* di Hofmannsthal. Mi colpí già allora questa battuta: "Non sono buone le mie notti. Hai una medicina contro i sogni?" L'avete trovata questa medicina?»

«Non esattamente. Comunque, anche i sogni fanno parte del racconto. Come mi ha fatto notare un amico, ne parla già Lucrezio quando dice: "Molti nel sonno parlano e spesso si svelano dando la prova del loro delitto". Confessano contro la propria volontà, obbediscono cioè a una volontà piú profonda, che nemmeno loro conoscono».

«Mi piacerebbe leggere le tue note. M'interessa molto il tema».

«Se davvero vorrai... Però senza complimenti, al primo accenno di noia: cestino».

Lina s'alzò per prendere un biglietto dal secrétaire, lo lesse rapidamente, poi fissò Clara con molta serietà.

«Ti ho accennato giorni fa a mio fratello. È un avvocato molto bravo, tra le altre cose lavora per le assicurazioni. S'è imbattuto nel caso di una donna indagata per l'uccisione di suo marito. Sicuramente non è lei la colpevole, però potrebbe essere in qualche modo coinvolta. L'aspetto che piú lo interessa è un altro: questa donna è cosí traumatizzata che potrebbe commettere una sciocchezza. Ho parlato di te a mio fratello, mi ha chiesto se non vorresti incontrarla...» Clara corrugò la fronte. «Niente di ufficiale, s'intende, – s'affrettò a chiarire Lina. – Un colloquio tra donne che potrebbero aiutarsi, capirsi almeno... Che ne dici?»

Clara rimase per un attimo senza fiato. L'assalí di nuovo l'immagine di se stessa seduta alla cassa di quel piccolo bar. Debolmente annuí.

Quasi ogni mattina, con il locale ancora deserto, Roberto e Luigi disputavano su varie ipotesi per ampliare l'attività. Di recente aveva aperto, a un paio di strade di distanza, un altro bar piú grande del loro, lussuoso, moderno, tutto cristallo e lucido acciaio, senza i delicati richiami al passato che Roberto, in omaggio al prevalente tono architettonico del quartiere, aveva trovato il modo d'inserire. La superficie piuttosto ampia di quel locale aveva consentito di attrezzare anche tre o quattro séparé, dove avvenivano incontri di ogni genere. C'era il pericolo di un'irruzione, la chiusura, addirittura la galera per il gestore, però era sembrato un rischio sopportabile data l'aria di sonnolenta vigilanza che c'era in giro. Secondo Luigi l'importante era non dare nell'occhio, nuotare sott'acqua, essere generosi con chi poteva dare una mano. Roberto faceva notare che comunque, nel loro caso, non ci sarebbe stato fisicamente lo spazio. Luigi obiettava che c'era sempre il retrobottega; lí lo spazio ci sarebbe, insisteva. Roberto replicava che quello serviva per il magazzino e i tatuaggi, era l'accordo iniziale. «Ma rende cosí poco il tatuaggio, – concludeva Luigi quasi con fastidio. – Pensa quanti soldi potremmo fare invece con la pizzeria e qualche ragazza».

Quando se ne uscí con la faccenda delle ragazze, Roberto lo fissò sgranando gli occhi. Stava scherzando o diceva sul serio? Tra l'altro con Clara alla cassa? Finse di non aver capito, o forse davvero non aveva capito.

«Anche la pizzeria non so se ce la faremo mai a metterla su», si limitò a obiettare.

Luigi sfoderò un sorriso compiaciuto, allusivo, prima di rispondere:

«Credo di avere trovato un finanziatore, anzi una finanziatrice».

Faceva il misterioso; disse che non era ancora arrivato il momento di parlarne, che restavano dei profili d'incertezza. Disse proprio «profili d'incertezza».

«Immagino che non sia un regalo. Quanto ci costerebbe il prestito? Questo almeno si può sapere?»

Luigi rispose che si trattava di una somma in parte a fondo perduto, secondo certe norme europee sulle iniziative giovanili, in parte a tasso bassissimo dati i rapporti privilegiati che la finanziatrice aveva con la banca.

Clara li vedeva confabulare come due ragazzini, intuendo vagamente che si trattava di progetti, o di castelli in aria. Non udiva le parole ma dalle espressioni e dal tono delle voci credeva di capire che suo fratello stesse avanzando proposte che non convincevano Roberto. Negli ultimi tempi Luigi era diventato indecifrabile. Da alcune notti non dormiva piú a casa, suo padre sembrava non accorgersi di nulla, la vecchia Assuntina era addirittura contenta. «Una stanza in meno da rifare», biascicava ciabattando. Avrebbe dovuto affrontare l'argomento con lui, cercare di capire che intenzioni avesse. Però era un uomo ormai, per certi versi la cosa strana era che avesse ancora una stanza nella casa di suo padre, che alla soglia dei trent'anni non fosse andato a vivere per suo conto, adesso che il bar aveva preso a girare.

Cominciò la routine della giornata, il va e vieni dei clienti, le ordinazioni, gli scontrini, i cornetti che erano di nuovo in ritardo, ed era forse il caso di cambiare fornitore.

Negli ultimi giorni, un ricordo tornava con insistenza.

Le colline erano quelle dove suo padre aveva passato qualche tempo da giovane, in quella regione del Mezzogiorno sospesa tra le alture e il mare verde. In paese avevano una casa di famiglia piuttosto malridotta: Clara la utilizzava talvolta d'estate per studiare in pace. Al mattino saliva il pendio coperto d'erba bassa prima che cominciasse la grande faggeta che si spingeva fino alla sommità, dove, attraverso il fogliame, si cominciava a vedere la luce del cielo sul versante opposto. Quell'ombra fitta, anche nei giorni piú caldi dell'estate, lasciava circolare un tenue alito fresco. Arrivata al limitare del bosco, Clara stendeva un plaid e cominciava a leggere strizzando un po' gli occhi per attenuare la luce vivida che colpiva la pagina.

Un giorno udí i campanacci appesi al collo dei capibranco, poi il fruscio delle zampe e i belati di un gregge. Alzò lo sguardo. Un centinaio di pecore sorvegliate da due cani e un pastore stavano salendo il dorso della collina tagliando in obliquo il pendio. Il pastore, poco piú d'un ragazzo, raccolse un sasso da terra e lo lanciò contro uno dei cani che s'attardava. La pietra colpí senza rumore la folta pelliccia dell'animale, che reagí agitando festosamente la coda. Clara guardava la scena e il pastore facendo solecchio nel forte controluce. Il ragazzo aveva una camicia verdolina aperta sul petto e un paio di pantaloni marroni, probabilmente di velluto. Era alto, snello, bruciato dal sole. Fece un cenno di saluto e s'avvicinò.

«Fa caldo oggi», disse Clara.

«Le porto su, dopo il bosco c'è piú fresco».

S'era fermato un po' anelante davanti a lei poggiandosi al bastone, riparandola dal sole con la sua ombra. Clara si sentí colpita dai modi spigliati del ragazzo, che si muoveva come se fosse anch'egli parte della natura nella quale erano immersi. Lui guardò lei che lo guardava, poi la guardò ancora. Intorno, nient'altro che il soffio del vento tra gli alberi, i belati del gregge, il canto degli uccelli. L'istante era sospeso, Clara era come ipnotizzata da quel sorriso aperto sui denti bianchissimi. Si fissarono ancora un po', in silenzio, poi lui cominciò a fare ciò che Clara sperava che facesse. Si tolse la camicia, fece cadere i pantaloni sciogliendo con un gesto la logora cintura che li sorreggeva. Quando si distese sopra di lei Clara sentí che mai aveva desiderato un contatto virile con uguale intensità, i brandelli di nuvole bianche che navigavano sopra di lei, alte nel cielo, e il frusciare delle pallide foglie dei faggi agitate dalla brezza. Sentiva la tensione dei muscoli che imprimevano una spinta leggera, guizzando sotto la pelle sottile, asciutta. La pelle scaldata dal sole, la pressione gradevole del corpo magro. Assecondò i movimenti, prese il ritmo del suo respiro e gridò perché anche la voce entrasse nel cerchio perfetto della natura.

Poi lo vide allontanarsi col suo passo leggero, guardando dritto davanti a sé, fischiando alle pecore. S'erano salutati senza parole, solo un cenno, cosí doveva avvenire nei tempi remoti quando bastava un incontro come quello per generare un mito.

Molto tempo dopo si rese conto che anche suo padre Luciano per un periodo aveva fatto il pastore da quelle parti, forse proprio su quella stessa montagna. La vita è forte, pensava ora Clara, seduta alla cassa in attesa del cliente successivo. La violenza, il desiderio, l'abitudine… tutto ciò che non è razionale ha un potere enorme su di noi.

Erano arrivati finalmente i cornetti; Luigi, alterato, stava dicendo che un altro ritardo cosí e avrebbero cambiato fornitore, se c'era traffico bisognava solo partire prima. Il bar girava a pieno regime, verso mezzogiorno arrivò anche Mustafà, un egiziano alto, molto scuro, con gli occhi lievemente iniettati di sangue. Faceva il pizzaiolo in Italia da qualche anno, aveva lavorato soprattutto a Milano.

«Le pizze buone le fanno a Milano, a Napoli cattive», ebbe l'impudenza di dire con aria autorevole. Tutti risero, Mustafà invece restò serio guardandosi intorno per capire la ragione di quell'ilarità.

«Si chiama pizza napoletana perché viene da Napoli, l'hanno inventata lí», chiarí Roberto.

«A Napoli cattive», ripeté cocciuto Mustafà. Questa volta aveva accompagnato le parole con un gesto delle dita che alludeva all'eccessivo spessore della pasta.

«Io le ho mangiate le pizze che fa lui, sottili, croccanti, gustose, – intervenne Luigi. – Lavora in un locale vicino alla stazione ma non ci vuole piú stare, sai perché?»

La spiegazione non arrivò subito. Luigi aspettò che ci fosse un attimo di pausa nel flusso dei clienti. Mustafà faceva colazione lentamente, con scrupolo, raccogliendo dal piattino con la punta del dito le briciole del cornetto.

«Troppe puttane, ha detto. Si porta il bicchiere da casa perché non si fida a bere in quelli del locale. Poi lui è copto osservante, quindi…»

«Quindi Mustafà esclude l'altro tuo progetto», obiettò Roberto con un mezzo sorriso ripensando alla storia dei séparé.

«Ma stavo scherzando, che ti credi?»

Nelle prime ore del pomeriggio entrò, inaspettata, Deborah. Sembrava sconvolta, gli occhi, affossati, avevano perso ogni splendore. Cercò con lo sguardo Roberto che era momentaneamente scomparso, chino dietro il bancone. Appena lo vide riemergere gli si avvicinò sussurrando che doveva parlargli subito. Mentre lui la guidava verso la porticina del retrobottega, Deborah gli afferrò il braccio. Non era piú la bambolina che miagolava la sua sottomissione: nei pochi giorni trascorsi dal rito del tatuaggio, doveva essere successo qualcosa che l'aveva trasformata in una giovane donna piena d'angoscia. Anche il pallore del volto non era piú quello impertinente di quando era entrata con Omar la prima volta. Adesso era solo la conseguenza di molte lacrime. Le stesse che, mentre s'aggrappava al braccio di Roberto, presero a rigarle il volto.

La ragazza tirò fuori con mani che tremavano una pagina di giornale tutta gualcita. La foto era diventata incomprensibile, il titolo diceva che un giovane, già noto alla polizia per piccoli reati, era stato trovato ucciso da colpi d'arma da fuoco a bordo della sua macchina. Probabilmente, aggiungeva il sommario, uno scontro tra bande rivali di spacciatori. I piú forti avevano eliminato il nuovo arrivato.

Scorrendo i giornali, Roberto aveva notato di sfuggita la notizia, senza collegarla al giovanotto del tatuaggio.

«Qui non si fa il nome di Omar», obiettò dopo aver dato una scorsa all'articolo.

«Si chiamava Venanzio, Omar era il nome che si era dato, ormai tutti lo chiamavano cosí».

«E l'altro? Quello che girava sempre con lui?»

«Quella sera non c'era».

Continuava lo strano pianto fatto di sole lacrime, senza un singhiozzo. Sembra una bambina disperata, pensò Roberto, si piange cosí solo da piccoli.

Clara li stava osservando dalla cassa; Luigi, impegnato al banco, lanciava ogni tanto un'occhiata preoccupata. Deborah piangeva e parlava. Le avevano detto che l'auto di Omar era stata stretta contro il muro da un'altra macchina molto piú grande e pesante. Guardando bene la foto si riusciva a distinguere la fiancata destra della Maserati contorta dalla violenta stricciata.

«Omar girava sempre armato, – sussurrò, – ma non ha fatto in tempo».

Aveva gli occhi cosí pieni di spavento che Roberto non osò chiederle perché fosse venuta a cercare lui che nemmeno conosceva. Temeva di non poter contare su una risposta comprensibile, la ragazza aveva perso lucidità, balbettava parole che sembravano parodiare un discorso coerente, si stringeva le mani l'una nell'altra.

Clara s'era avvicinata, aveva ascoltato le ultime confuse parole; chiese a Roberto di sostituirla per qualche minuto alla cassa, aprí la porta del retrobottega.

«Vieni con me, – disse con molta dolcezza, – parliamo un po' tra noi».

La fece accomodare. Quando riconobbe la poltrona reclinabile dove le era stato fatto il tatuaggio, Deborah ricominciò a piangere, nascondendo il viso nelle mani. Sembrava stordita, incapace di muoversi. Le tremavano le mani e la bocca.

Clara le parlava con voce bassa e uguale. Lei un po' annuiva, un po' sembrava distrarsi.

«Sono sola, non so dove andare», disse poi semplicemente.

«I tuoi genitori dove sono?»

Il padre era partito anni prima per la Germania e di lui s'era saputo solo che aveva un'altra moglie e qualche figlio. La madre era tornata giú al Sud e non l'aveva piú vista. Lei aveva cominciato a lavorare da un parrucchiere, faceva lo shampoo, il padrone però le stava sempre addosso e una sera...

Clara le impedí di continuare. «Non dire piú niente. Conosco queste storie, anche quelle sono tutte uguali. Volevi molto bene a Omar?»

«Con me era buono, anche se qualche volta m'ha menato. M'ha insegnato tante cose».

«Perché ti menava?»

«Se facevo qualche cosa che non andava... Però non mi faceva davvero male. A Rosanna una volta il suo ragazzo le ha rotto due denti».

Clara prendeva mentalmente nota. Non c'era bisogno di chiedere chi fosse Rosanna, proprio dalle storie delle sventurate come lei era partito lo spunto per la sua ricerca.

Vedendola assorta la ragazza continuò: «Omar però mi

capiva, non mi faceva mancare niente. Mi dava pure i soldi per pagare mia zia».

Lentamente venne fuori che Deborah stava a pensione da una zia, e la doveva pagare per dormire su una brandina nel corridoio.

«Perché sei venuta a cercare Roberto? In fondo ti conosce poco». Temendo di essere stata troppo diretta, Clara aggiunse: «Se non ti va non rispondere».

Deborah appariva combattuta, guardava Clara con espressione smarrita. Però aveva dimenticato le lacrime e questo era già un buon risultato, piú la si portava su questioni pratiche meglio era. Gli affetti possono diventare difficili da padroneggiare.

Alla fine si decise a parlare. Era per il tatuaggio. Roberto l'aveva detto che poteva diventare un problema, ma mentre stringeva la mano di Omar si era sentita cosí sicura, e poi lui ci teneva cosí tanto... Ogni volta che la spogliava per prima cosa la baciava lí, baciava lei e il suo nome e il suo anagramma, amor, che era la cosa che li teneva insieme e lei aveva creduto che fosse per sempre, invece adesso con chiunque fosse andata si sarebbe vergognata.

«Non si può sempre stare al buio», aggiunse, ingenuamente accorata.

Clara avrebbe voluto stringerla in un abbraccio, come una piccola sorella infelice. Si limitò a dire: «Faremo in modo che tu possa accendere la luce».

13

«Cosí io devo parlare con lei, ha detto l'avvocato».

«Non *deve*, questo no. Parleremo se vorrà, se le farà piacere, se le sembrerà utile».

«Utile a che?»

«Questo adesso non lo possiamo sapere. Può anche darsi che non serva, può darsi che non parleremo proprio».

Clara aveva dovuto cercare a lungo per trovare l'abitazione di Wanda in un quartiere di vecchie case, a metà tra il borgo contadino e la cittadina di provincia. Quando aveva chiesto indicazioni le era parso di cogliere qualche occhiata sorniona. La casa si trovava in effetti ai limiti del paese, ultima di una strada nemmeno del tutto asfaltata che finiva nella campagna aperta, parte a coltivo, parte ricoperta da una boscaglia bassa disseminata di rifiuti. L'edificio a due piani aveva poveri serramenti in alluminio, due malconci leoni di gesso a sorvegliare l'ingresso di un minuscolo giardino. Gliel'aveva indicata una donna anziana, di corporatura imponente, grandi seni adagiati sul ventre, l'aria di saperla lunga.

Adesso Wanda era sulla porta, incerta se farsi di lato per consentirle di entrare. Sarebbe stata, in condizioni normali, una bella signora di mezz'età; invece l'espressione spaurita, lo sguardo sfuggente, l'evidente contrazione dei muscoli, ne alteravano la fisionomia al punto da renderla brutta. Il volto sciupato aveva i segni che un'altra donna sa riconoscere impressi piú dalla pena che dagli anni. Alta, senza trucco, però, curiosamente, con le labbra ravvivate da un rossetto molto carico; i capelli assicurati frettolosamente all'insú, che le lasciavano la fronte scoperta, davano risalto agli zigomi.

Per qualche istante si limitò a fissare Clara con insistenza, come se fosse possibile, con lo sguardo, valutare la situazione, soppesare le conseguenze. Clara la fissò a sua volta, con tranquillità. Dopo un breve indugio si fece da parte invitandola a entrare.

«E di che dobbiamo parlare?» ripeteva scostante.

«Di lei, di noi, della situazione. L'avvocato m'ha detto che sta attraversando un periodo difficile... So che ha perso suo marito».

«L'hanno ammazzato».

«Parlarne può aiutarla, forse».

«Bastasse parlarne... Vorrei essere morta io».

Wanda aveva pronunciato le ultime parole sottovoce, con tono di rassegnazione, di accorata sincerità. Clara lo interpretò come un segnale d'apertura, ma s'era sbagliata, lo spiraglio si richiuse.

«Senta, lasciamo perdere. Mi dispiace che è arrivata fino quaggiú, ma io davvero non ho niente da dire... Non la conosco, non ho voglia di parlare, non so nemmeno chi è. Soprattutto non credo che parlarle dei fatti miei potrebbe aiutarmi. Se vuole le offro un caffè».

Si mosse per alzarsi, Clara le fece cenno di trattenersi.

«Grazie per il caffè, prima però mi ascolti. Siamo quasi coetanee, abbiamo sicuramente delle esperienze comuni. Se vuole le dico perché sono venuta a trovarla e come è cominciata questa storia».

Wanda alzò le spalle con noncuranza, comunque non era un rifiuto.

«Sono amica di Lina Vettori, ci vediamo spesso perché non ho ancora un lavoro fisso e do una mano a mio fratello che ha un bar. Per qualche ora al giorno sto alla cassa; la signora Lina è una cliente abituale. Qualche giorno fa m'ha detto che suo fratello Serafino, un avvocato che

lavora per le assicurazioni, ha conosciuto una signora che
sta passando un periodo molto difficile... Parlava di lei naturalmente. Ho sentito lui al telefono, e m'ha chiesto se
avrei voluto incontrarla. Dunque io ho chiamato lei, e poi
sono venuta qui. Lo so quello che sta pensando, e del resto
me l'ha detto: a che potrebbe servire? Io la risposta non ce
l'ho, però so una cosa, la terapia psicologica può darle sollievo. Le devo dire, per correttezza, che io non sono ancora abilitata a esercitare la professione. Sarà solo un dialogo
tra donne, ognuna delle quali ha conosciuto le sue pene».

Clara aveva cercato un tono volutamente spoglio, rife-
rendo gli eventi esattamente come s'erano svolti. Sul tavolinetto accanto al divano c'era una serie di flaconi e di
contenitori, pasticche, soprattutto gocce. Benzodiazepine
e sedativi.

«Gli psicofarmaci vanno dosati con attenzione, Wanda, soprattutto per un uso prolungato».

L'altra alzò le spalle mormorando qualcosa che si udí
solo a metà.

Era un diversivo, in realtà Clara stava aspettando una
risposta al preambolo che aveva appena fatto. Arrivò dopo alcuni istanti, sorprendente, riferito a un dettaglio che
aveva rivelato senza intenzioni particolari.

«Sicché lei fa la cassiera. Pensi che anch'io ho cominciato facendo la cassiera. Avevo diciannove anni».

Piú tardi, in treno, Clara annotò un breve memorandum.

«Il primo incontro è andato com'era prevedibile aspet-
tarsi. W. era chiaramente diffidente, infastidita – anche
se al telefono s'era detta d'accordo a incontrarmi. Forse
era anche intimorita dal fatto che un'atmosfera distesa
e amichevole potrebbe spingerla – se ci sarà un seguito – a lasciarsi andare. Ci sono individui che diffidano
della verità anche quando non ne avrebbero ragione.
Ho paura che W. abbia piú di un motivo per temerla;

erano evidenti in lei i sintomi fisici di uno stato di forte ansia. Il solo indizio del trauma provocato dall'uccisione del marito è stato quando ha sussurrato: "Vorrei essere morta io". Le parole, e soprattutto il tono con cui le ha pronunciate, denotavano grande sincerità. Piú che dolore, però, mi è parso di leggervi la paura. Ha preferito ritirarsi a vivere in quella casa isolata (di proprietà di una cugina, a quanto ho capito), a un'ora di treno dall'appartamento dove per anni ha abitato con il marito. L'hanno sopraffatta i ricordi? Gli oggetti di lui nei cassetti? Il vuoto? O ci sono altre ragioni? E io come devo comportarmi dopo questo incontro? I segnali sono contrastanti. Da una parte diffidenza e chiusura; però anche un paio di spiragli. In questo momento starà elaborando anche lei l'incontro. Bisognerà vedere quale delle due spinte finirà per prevalere sulla base di motivazioni che ignoro – e che ritengo nemmeno l'avvocato conosca bene. Le ho dato i miei recapiti, lascio a lei l'iniziativa, vedremo. Però mi chiedo anche se io stessa "vorrò". Affronto quasi alla cieca una situazione di cui ignoro dimensioni e retroscena. Non si tratta solo dei traumi di un individuo, ma delle ragioni che hanno portato a un omicidio per il quale W. è indagata. Lei era diffidente all'inizio dell'incontro, io lo sono adesso».

Quando entrò nel bar, la signora Lina indirizzò a Clara un'occhiata d'intesa. Anche se in quel momento il locale era molto affollato il suo tavolino era stato lasciato libero. Roberto e Luigi si avvicendavano tra il banco, la macchina del caffè e l'angolo dove nel frattempo stava sorgendo la pizzeria. Avevano teso un telo di plastica opaca da una parete all'altra per proteggere il resto del locale dalla polvere, ma i colpi di martello e lo stridio lacerante arrivavano lo stesso. Un cartello scritto a mano pregava di perdonare il temporaneo disagio: «Tra pochi giorni i nostri clienti avranno una bella sorpresa». In realtà tutti sapevano che si stava costruendo un forno a legna, la parola «sorpresa» però piaceva, ed era rimasta.

«È andato bene l'incontro?» domandò Lina quando Clara le si avvicinò.

«Non saprei dire, francamente».

«La vedrai ancora?»

«Non sono certa di volerlo –. Clara prevenne un'obiezione affrettandosi ad aggiungere: – Non per lei, per me. Non ho sufficiente esperienza. Non so se me la sento».

In quel momento c'erano cinque o sei clienti al banco; affaccendati con i loro caffè, commentavano ad alta voce la novità della pizzeria, volevano notizie sulla data d'apertura, se ci sarebbe stata una festa per l'inaugurazione. Un tizio, girato di tre quarti, sembrava invece interessato piú al loro colloquio che ai lavori. Clara incrociò brevemente il suo sguardo, le parve ostile ma forse era solo concentrato. Lina indicò il cartello:

«Anch'io ti ho preparato una sorpresa. Vieni a pranzo da me, se sei libera».

La tavola era apparecchiata per tre. Quando Clara entrò vide un uomo di mezz'età seduto sul divano, il volto roseo, tondeggiante, i radi capelli tagliati cortissimi, gli occhiali cerchiati di metallo leggero, al collo un papillon blu a pallini gialli.

«Clara, mio fratello Serafino».

L'avvocato Vettori aveva cominciato come professore e del professore conservava l'aspetto e un atteggiamento guardingo che manteneva perfino nei momenti di cordialità con sua sorella. Lina, al contrario, pareva voler accentuare i modi disinvolti, sfruttava ogni pretesto per sciogliere il leggero imbarazzo dell'incontro. Soprattutto per Clara, che appariva dei tre la piú impacciata.

«Clara non è sicura dei risultati del colloquio di ieri»,

esordí Lina mentre si mettevano a tavola. Voleva solo avviare la conversazione per poi lasciare spazio ai due ospiti. L'avvocato replicò:

«Non mi aspettavo granché da un primo incontro. Avevo indicato alla signora Wanda il nome di un bravo collega che potrà rappresentarla in procura e mi sono limitato a suggerire il suo per un colloquio amichevole».

Clara cercò di riassumere con chiarezza le sue impressioni, compreso un accenno all'ambiguità delle posizioni rispettive, l'evidente condizione di angoscia di Wanda, il disagio che aveva manifestato durante l'incontro. Tacque sul proprio.

«Non so se potrò essere io ad aiutarla, ho poca esperienza, ma è chiaro che di un aiuto ha bisogno... Muscoli contratti, mascelle serrate, l'intera espressione del viso e del corpo denotava grande sofferenza. Inoltre ho intravisto una notevole quantità di psicofarmaci. Tecnicamente l'ansia viene anche definita "risposta di attacco e fuga". Quando non si sa dove fuggire precipita, diventa angoscia».

«Quella donna è evidentemente terrorizzata, – commentò l'avvocato. – S'è andata a rintanare in una casupola isolata per allontanarsi da una possibile fonte di pericolo. Non sappiamo di quale si tratti. Non lo sa nemmeno il procuratore, che ignora le cause di un turbamento cosí grave. Continua a dirmi che le indagini sono a buon punto, al momento però...»

«La donna comunque risulta estranea all'omicidio», osservò Clara.

«Il suo alibi per quella sera è inoppugnabile; il procuratore sospetta però una qualche forma di contiguità con l'assassino o gli assassini». Fece una pausa prima d'aggiungere: «Il passo tra contiguità e complicità può essere breve. Stiamo parlando di ipotesi, sia chiaro».

«Quale ragione ci sarebbe?»

«È una buona domanda. Da un punto di vista legale io devo solo difendere l'interesse delle assicurazioni. Se il marito è stato ucciso per cause in qualche modo legate al servizio, la signora Wanda potrà godere di una pensione. Altrimenti... lei capisce. Il marito, come sa, era guardia giurata presso la tesoreria comunale. In quell'ufficio ci sono già stati in passato ammanchi di denaro, personaggi e passaggi sospetti, favoritismi, traffici. È possibile che il defunto sia finito in uno di questi giri? Ciò spiegherebbe la paura».

«I rapporti tra i coniugi com'erano?»

«Non buoni, secondo le informazioni dei carabinieri, litigi giunti anche alle orecchie dei vicini, tradimenti reciproci. Anche questo contribuisce a complicare la situazione».

Serafino Vettori parlava con freddezza professionale, la dizione meticolosa dava un'eco artificiosa alle sue parole; in teoria quella precisione che avrebbe dovuto allontanare ogni emotività imprimeva alle sue frasi un tono sinistro.

Clara era sempre piú convinta di aver commesso una leggerezza ad accettare un incarico di tale complessità con la sua preparazione ancora incompleta, quasi solo teorica. Cercò dentro di sé qualche espressione rassicurante, si aggrappò al primo pensiero che le venne in mente.

«Sono in attesa di essere accettata come ricercatrice in un'Università della Georgia. Se la risposta fosse positiva dovrei lasciare l'Italia».

L'avvocato non replicò, si tolse gli occhiali, prese a pulire assorto le lenti con un fazzoletto.

«Auguri per il dottorato. Anch'io a suo tempo ho fatto questa esperienza. Ogni tanto penso d'aver fatto male a tornare, sarei potuto restare, volendo».

«Invece hai fatto benissimo a tornare, Serafino. Tu ci servi qui», interloquí Lina con convinzione.

«Dottoressa, avrei potuto rivolgermi a uno psicologo di mia fiducia che ha già collaborato con me. Sarebbe stata una consulenza di parte, si sarebbe aggiunta un'altra consulenza d'ufficio eccetera. Il mio interesse è fare presto, ma vorrei anche dare una mano a questa povera donna che è venuta a chiedermi aiuto. La sua giovane età, quella che chiama inesperienza, potrebbero dare in un caso del genere una possibilità in piú, proprio per il fatto che nei vostri incontri non c'è niente di ufficiale».

«Sarò altrettanto franca, avvocato. Ho lasciato a Wanda i miei recapiti, non intendo fare altro né premere in alcun modo. Se non si metterà lei in contatto con me lascerò cadere la cosa».

Le ultime frasi vennero scambiate mentre Lina portava in tavola il dessert. Suonarono dunque come una specie di patto che Serafino Vettori suggellò con un leggero cenno del capo affondando il cucchiaino nel gelato di fragole.

14

Mentre Lina stava varcando il portone d'ingresso, la portiera uscí dal suo alloggio per consegnarle un plico arrivato con la posta del mattino. Con una punta di diffidenza nella voce aggiunse che sembrava carta. Si trattava infatti dello studio condotto da Clara: aveva preferito inviarlo per posta evitando l'imbarazzo di una consegna diretta. Lina sorrise fra sé mentre saliva nell'ascensore un po' traballante che doveva avere suppergiú la sua età: una panchetta ricoperta di logoro velluto color granata, alcune lucenti bacchette d'ottone a protezione dei vetri.

La giornata di un'anziana sola è fatta di piccole abitudini, ogni giorno si ripetono gesti piú o meno uguali, quasi che la loro iterazione diventi premessa di un'indefinita durata. Lina si soffermava talvolta a guardare il dettaglio di una foto, oppure a riascoltare qualche brano da lei interpretato. Senza compiacimento e senza nostalgia, anzi con uno spirito critico che gli anni avevano accentuato: una certa filatura non era perfetta, un fa diesis lo sentiva calante, certi «tremoli» sapevano di vecchio. Anche se impegnata in un repertorio considerato leggero, al contrario di certe sue colleghe aveva curato l'emissione della voce come se avesse dovuto cantare in un vero teatro lirico. La chiamavano «la tedesca» per questi suoi scrupoli. Un tenore del quale s'era infatuata le ripeteva che darsi tanto affanno non serviva a nulla: «Cantanti come noi sono segnati, cara Lina, il nostro pubblico certe finezze non le capirà mai». Coltivava una specie di vanità al contrario, annegava nell'ironia le sue frustrazioni, le stemperava con un'alzata di spalle. Proprio il suo sostanziale disprezzo per la loro arte aveva guarito Lina da quella breve sbandata. Riascoltare un loro duetto le provocava adesso una notevole irritazione, piú che altro verso se stessa.

La busta speditale da Clara dava un carattere particolare alla giornata. Pensava di aprirla verso sera, il momento preferito per la lettura. Invece vinse la curiosità e lacerò l'involucro. Conteneva un gruppetto di fogli spillati insieme e una lettera d'accompagnamento:

Carissima Lina,

ti mando una parte del lavoro di cui t'ho parlato. Ho omesso le considerazioni specialistiche, quelle che leggerai sono le parti di carattere generale per lo piú storico o letterario. Oggi il legame tra psicologia, psicoanalisi e letteratura è diventato molto piú tenue. La psicologia ha trovato le sue (numerose) strade e preferisce poggiarsi sulla statistica, la biologia, le scienze cognitive; i libri, i film, la tv hanno saccheggiato la psicologia riducendola spesso in coriandoli buoni al piú per una citazione, schegge bonarie alle quali si può far dire qualunque cosa. Insomma sono diventati strumenti (chiamiamoli cosí) che vanno ognuno per la sua strada. All'inizio era diverso. Per fare il «misterioso salto dal corpo alla mente», come lo chiamò Freud, si utilizzavano largamente le forme della narrativa, anzi la terapia stessa si svolgeva, a suo modo, in forma narrativa. Un episodio poco noto, ad esempio, vede protagonista un pioniere della psicologia: un medico francese arrivato alla medicina dopo una formazione filosofica, si chiamava Pierre Janet. Prima ancora di Freud, applicò una terapia corretta avendo intuito l'esistenza del subconscio. Uno dei casi piú significativi è noto con il nome della protagonista: «Marie».

Un giorno all'ospedale di Le Havre dove Janet lavorava viene condotta una giovane di diciannove anni provenien-

*te dalla campagna e considerata pazza incurabile. Marie
soffre di ricorrenti attacchi convulsivi accompagnati da
delirio. Dopo un periodo di osservazione, diventa chiaro
che il suo male è legato alle mestruazioni, che lei accoglie
con manifestazioni di terrore. Il ciclo si arresta, venti ore
dopo l'inizio subentra un tremito convulso, un dolore intenso sale dalla zona ovarica verso la gola. A questo punto cominciano violente contorsioni del corpo. Il finale è
spaventoso: l'infelice vomita sangue.*

*Janet comincia a parlare con la ragazza cogliendo i suoi
momenti di maggiore lucidità. Marie è depressa, teme di
essere condannata a vita a quell'inferno; quando però il
medico tocca l'argomento mestruazioni, diventa di colpo
vaga, offre risposte confuse. Questa reazione costante dà al
medico l'intuizione giusta: diagnostica un trauma fortissimo e rimosso, diventato inaccessibile alla coscienza. Ipnotizza Marie. Sotto ipnosi lei finalmente risponde rivelando
una storia tragica e banale. A tredici anni s'era imposta di
fermare quella nauseante emorragia immergendosi in una
vasca d'acqua gelata. L'espediente aveva funzionato e il
ciclo s'era interrotto, però era subentrato un tremito fortissimo cui era seguita febbre alta e delirio. Per cinque anni
le mestruazioni non erano più tornate; al loro riapparire
aveva di nuovo provato vergogna e angoscia.*

*Janet escogita allora questa terapia: tenendo la paziente sot-
to ipnosi ricostruisce parte della sua memoria insinuandole
dei «falsi» ricordi. La riporta alle circostanze iniziali del
delirio, la convince che le mestruazioni si erano svolte re-
golarmente, com'era naturale che fosse: «Le mestruazioni
seguenti comparvero nella data giusta e durarono tre giorni
senza dolori, convulsione o delirio». Dopo questa prima
vittoria, il medico continua ad «analizzarla», rimodellan-
done la memoria per altri traumi rimossi. La cura insomma impiegando solo metodi psicologici o, se si vuole, nar-
rativi; la giovane donna, giudicata fino a quel momento
incurabile, si libera delle ossessioni e guarisce. È probabi-*

*le che in un primo momento nemmeno Pierre Janet si sia
reso pienamente conto dell'importanza della sua scoperta.
La capí subito Freud, invece, che riconobbe in parte la
derivazione da queste esperienze, però in misura molto
minore di quanto lo psichiatra francese ritenesse corretto.
Piú tardi Freud arrivò addirittura a negare ogni influenza
avviando cosí una narrazione leggendaria della storia della
psicoanalisi sulla quale mi piacerebbe lavorare.
Sto divagando. Ti racconto questi episodi solo per chiarire
qual è stato il punto di partenza della nuova scienza. Ora,
se vorrai leggerlo, ti allego qualche estratto dal mio lavoro.*

DAL CORPO ALLA MENTE – OVVERO: L'ETÀ DELL'INCONSCIO

Anche se alla fine del XIX secolo quasi nessuno crede piú
alla possessione diabolica, le cause degli attacchi di tipo
isterico continuano a essere sostanzialmente sconosciu-
te. Gli studi sull'isteria, destinati a diventare celebri,
cominciano quasi per caso. A Parigi nel grande e antico
ospedale della Salpêtrière, l'inagibilità di alcune sezio-
ni costringe a riunire i pazienti epilettici non-psicotici
e gli isterici in un unico reparto chiamato «Quartier
des épileptiques simples». Sulla base delle conoscenze
del tempo sembrava una sistemazione logica. Invece si
assistette a un fenomeno inaspettato: in capo a pochi
giorni si constatò un aumento considerevole di episodi
epilettici fra i pazienti isterici, una specie di contagio
che non dipendeva però da alcuna visibile lesione orga-
nica. Jean-Martin Charcot (1825-93), anatomo-patologo
e neurologo che si era particolarmente dedicato a questi studi, definí tale sindrome «isteria-epilettiforme».
Quando moriva un paziente che aveva seguito in vita,
Charcot praticava l'autopsia senza riuscire mai a trovare negli organi esaminati, in particolare il cervello, nulla che spiegasse le cause del male. La deduzione fu che
l'isteria derivasse non da un organo bensí dalla mente,

ovvero dalla sfera affettiva dell'individuo. Siamo alle
soglie di quella che sarà, di lí a pochi anni, la scoperta
dell'inconscio. Quella soglia però Charcot non riuscí a
varcarla nonostante avesse promosso alla Salpêtrière un
intenso programma di collaborazione tra medici e psi-
cologi. Com'è stato scritto, nei suoi esperimenti «l'inconscio resta inconscio», anche se c'è, e agisce, non si
riesce a «vederlo» né, per conseguenza, a trattarlo.

Lo scrittore Alphonse Daudet nel suo *À la Salpêtrière*
descrive l'impressionante spettacolo di un attacco la
cui protagonista è probabilmente una delle «isteriche»
piú famose, Blanche Wittman, spesso esibita da Charcot nelle sue lezioni-spettacolo.

> La povera figlia, rovesciata su delle fredde lastre, schiuma, si
> torce, le braccia in croce, le reni sollevate ad arco, tesa, contratta,
> quasi sollevata. «Presto i sorveglianti! Prendetela, mettetela a let-
> to...» Arrivano quattro ragazzone forti, sane, pulite nei loro grandi
> grembiuli bianchi, una di loro con un ingenuo accento campagno-
> lo dice: «Io so come comprimerla, dottore». La comprimono, la
> spingono, trasportano attraverso i cortili questo pacco di nervi in
> subbuglio, che urla, si rotola, la testa arrovesciata come una pos-
> seduta all'esorcismo...

Era il trattamento abituale quando non si aveva ancora la minima nozione di come si potesse affrontare un
attacco di quel tipo.

Il 16 agosto 1893, a sessantotto anni, Charcot muore per un infarto. È lo stesso anno in cui Pierre Janet,
che di anni ne aveva esattamente la metà, si laurea in
medicina. Ma è anche il periodo in cui a Vienna viene
pubblicato un articolo dal titolo *Meccanismo psichico
dei fenomeni isterici: comunicazione preliminare* firmato da Sigmund Freud e da Joseph Breuer. Freud aveva
frequentato i corsi di Charcot quando aveva meno di
trent'anni, rimanendone molto colpito. Nel suo *Charcot* (1893) scrive:

Come insegnante, Charcot era addirittura avvincente; ogni sua lezione era un piccolo capolavoro di costruzione e composizione, di una tale efficacia e perfezione formale che per il resto della giornata era impossibile togliersi dalle orecchie le parole che si erano udite, né levarsi dagli occhi quel che si era visto...

Il medico viennese parte dal punto in cui Charcot era arrivato, sale per cosí dire sulle sue spalle per spingere lo sguardo piú lontano. Gli esperimenti sull'isteria cui ha assistito a Parigi gli hanno permesso di concepire quasi dal vivo un embrione d'ipotesi psicoanalitica di cui anche il suo maestro Joseph Breuer aveva avuto l'intuizione. Su quelle prime ipotesi elabora un intero sistema, riconoscendo il suo debito anche nei confronti del maestro francese. Nella conclusione della «comunicazione preliminare», scrive insieme a Breuer:

Abbiamo compiuto un passo avanti sulla strada già iniziata da Charcot con tanto successo.

Ciò che Charcot, Janet e Breuer avevano tentato di raggiungere attraverso l'ipnosi, Freud lo cerca nei sogni: la coscienza, in uno stato di ridotta vigilanza, lascia emergere con piú facilità e senza una logica apparente strati profondi della memoria che si credevano dimenticati. È la tecnica che il medico viennese comincia ad applicare con i suoi pazienti. I risultati piú interessanti li racconterà nel libro *L'interpretazione dei sogni* (1900) da lui considerato il suo scritto piú importante. Scrive:

L'interpretazione dei sogni è la via principale per la conoscenza dell'inconscio, il piú sicuro fondamento della psicoanalisi.

Un altro strumento conoscitivo è quello delle associazioni libere. Il paziente senza riflettere e senza censurarsi deve dire tutto ciò che affiora alla sua mente. L'aspetto curioso è che si tratta di una tecnica simile a una forma di meditazione insegnata dal Buddha chiamata *Vipassanā*; chi medita deve prima di tutto osservare ciò che sorge spontaneamente nella mente per poi chiedersi le ragioni per le quali quel pensiero, quella fantasia, siano arrivati a livello della coscienza.

Attraverso questi passaggi venne scoperta, secondo un'altra celebre definizione, «la magia assoluta di dare capacità terapeutica alla parola e al racconto».

Curarsi attraverso la parola non era una novità in senso assoluto. Anche il greco Aristide – II secolo d.C. – nei suoi *Discorsi sacri*, aveva tenuto un diario nel quale raccontava sogni durante i quali incontrava Esculapio; i dialoghi avuti con il dio della medicina avevano lenito molto i suoi disturbi.

Questa è la ragione per la quale la psicoanalisi è stata ripetutamente definita una terapia «narrativa». Lo stesso Joseph Breuer ne parlava come di una «terapia della parola» o «del racconto». Parlare e parlare trascinando nel flusso delle parole grumi di vita, traumi sepolti in un qualche angolo nascosto, nel sottosuolo della mente. Come spesso accade per le scoperte geniali, tutto sembra semplice – dopo.

Il presente lavoro si concentra invece sul «durante», intende indagare quali spinte, quali intuizioni abbiano consentito di far spiccare quel «salto misterioso». Quali percorsi, esplorati combinando studio, esperienza, intuizione e caso, abbiano portato a scoprire che nell'animo umano esiste una dimensione di cui lo stesso individuo interessato è inconsapevole.

Nella seconda metà dell'Ottocento numerosi scienziati studiano il problema del comportamento umano deviante. Non vogliono piú limitarsi a prenderne atto né a isolare con metodi di contenzione fisica – celle, camicie di forza, catene – coloro che ne soffrono, come s'era fatto fino a quel momento. Vogliono scoprire le cause dei fenomeni, condividono una medesima fiducia: la scienza riuscirà a individuare quelle cause. E a curarle. Li incoraggia l'atmosfera del tempo, una corrente di pensiero giustamente definita «positivista». L'opinione pubblica condivide questa fede nelle «magnifiche sorti e progressive», sente il fascino delle nuove conquiste che permettono di forare le montagne, solcare velocemente gli oceani, illuminare a giorno le città grazie a un'energia di sconvolgente novità, addirittura levarsi in volo realizzando il sogno di Icaro. I grandi progressi nelle scienze, nella tecnologia, nella medicina, nella chimica, nell'ingegneria, diffondono il desiderio di superare i limiti usualmente accettati, esplorare territori sconosciuti; non soltanto quelli dei continenti lontani, ma i soggetti vicini non meno misteriosi, la mente degli individui. Come scriverà Charles Baudelaire: *Au fond de l'Inconnu pour trouver du Nouveau*. Bisogna toccare il fondo dell'ignoto per scoprire il nuovo.

Le due capitali dove piú si lavora e si sperimenta sono Parigi e Vienna. Subito dopo c'è l'Italia. Cesare Lombroso (1835-1909) tenta di leggere l'animo dei soggetti criminali catalogandone i lineamenti. Ricerca i legami possibili tra soma e psiche, le analogie tra l'espressione, la forma e le dimensioni d'un volto e le attitudini intellettuali e psicologiche di un individuo, comprese le possibili deviazioni criminali. L'uomo delinquente sembra poter svelare attraverso l'aspetto la sua natura malvagia: questo ovviamente comporta immensi vantaggi sociali nella prevenzione dei delitti. Si fa notare che sulla sua teoria si stende l'ombra d'una dannazione a priori. Ci sarebbero dunque esseri umani predisposti alla violenza, incapaci di scegliere tra bene e male. Il linguaggio verbale o quello del corpo li denunciano, facendone dei candidati per nascita al castigo e alla pena, incapaci di sottrarsi al loro destino. La questione era e resta controversa anche per le implicazioni politiche che la teoria può avere. Indiscutibilmente, però, con Lombroso nasce la moderna criminologia.

Paolo Mantegazza, neurofisiologo, cerca di codificare

i parametri del dolore e dell'amore. Scrive un saggio
fondamentale sull'effetto delle droghe, da lui battezza-
te «alimenti nervosi»: *Sulle virtú igieniche e medicinali
della coca e sugli alimenti nervosi in generale*. L'idea che
un moderato consumo di cocaina apporti effetti benefici è diffusa. Sherlock Holmes stimola le sue prodigiose
capacità deduttive con una soluzione di coca al 7 per
cento. Romanzi, ovviamente. Ma romanzi significativi.
Mantegazza cataloga e circoscrive la fisiologia del piacere e del dolore, descrive quelle che chiama *Le estasi
umane* (1887), capolavoro della nascente neurofisiologia.
Nel tentativo di individuare l'origine delle sensazioni
di piacere scrive nel suo *Fisiologia del piacere* (1880):

> Il carattere per cui la sensazione del piacere differisce da qua-
> lunque altra, ci è sconosciuto; e deve consistere certamente in una
> mutazione particolare della polpa nervosa sensibile che sfugge ai
> nostri sensi.

Approssimazioni, poi superate e, in parte, contraddette dalle successive ricerche. È comunque l'inizio di un
nuovo cammino.
Lo psichiatra britannico Henry Maudsley percorre un
itinerario parallelo nel suo *Body and Will* e soprattutto
nel saggio *The Physiology and Pathology of Mind* (1867).
Dirige a lungo il manicomio di Manchester (Manchester Royal Lunatic Asylum). In una concezione laica e
immanente della vita, nega l'esistenza dei cosiddetti
fenomeni soprannaturali, ritiene che gli episodi cata-
logati come inspiegabili siano semplicemente la conseguenza di una «cattiva osservazione o interpretazione
di fenomeni naturali».
Krafft-Ebing nel suo celebre *Psychopathia Sexualis* (1886)
cerca di catalogare le fantasie e le deviazioni sessuali
ritenute al di fuori di una possibile «normalità». Buon
conoscente di Freud, del quale non condivideva la teoria della seduzione, è stato cattedratico di psichiatria e
direttore di manicomi. Fu leggendo i suoi libri che Carl

Gustav Jung ebbe una specie di repentina «illuminazione», a seguito della quale decise di abbandonare gli studi di archeologia per dedicarsi alla psichiatria.

Anche le teorie di Krafft-Ebing vennero criticate. Nonostante l'autore avesse descritto in latino i dettagli piú scabrosi, si disse che il testo era diventato la bibbia dei pornografi.

Il ventaglio delle sue psicopatologie è ampio, va dall'impotenza al feticismo da fazzoletto, dal sadismo al masochismo, dalla necrofilia all'omicidio per libidine. In 617 pagine e 238 casi esaminati nell'ultima edizione – che precede di poco la sua morte – Krafft-Ebing tenta di esplorare e di dare un ordine (se è possibile definirlo cosí), a questo smisurato continente.

Interessante per l'evidente coincidenza tra manifestazione sadica ed esercizio del dominio il caso n. 97, reso notevole anche dal fatto che il dominio in questo caso è esercitato da una donna:

> Signora X., 27 anni, di origine ungherese, divorziata. Figlia unica; il padre è morto. [...] In generale però l'eccitazione e la voluttà suprema essa prova nel *tormentare l'uomo fisicamente e psichicamente*... Essa lo batte, con una bacchetta, con un bastone o simili, e quando lo vede tutto coperto di lividi ha una «sensazione deliziosa di piacere supremo». In una tale scena ha luogo anche orgasmo completo con eiaculazione. Ciò però avviene soltanto se anche l'uomo spasima nell'ebbrezza della voluttà suprema. Dal momento che i colpi inferti all'uomo cessano di eccitarlo, essa pure cessa di avere sensazioni di voluttà sessuale. Lo stato di eccitazione dell'uomo è, a quanto essa dichiara esplicitamente, condizione preliminare per la voluttà di lei. L'uomo deve, mentre essa lo batte, essere legato, perché non possa difendersi in alcun modo né sottrarsi al dolore, giacché lo stimolo principale le è dato dal sentimento della sottomissione dell'uomo, assoluta e senza difesa. Mentre l'uomo è cosí legato, essa trova, secondo la sua stessa espressione, delle finezze per torturarlo. Il piacere piú intenso è per lei quello di prolungare una tale scena per ore ed ore.

A livello piú generale, e con piú accentuate connotazioni sociali, il problema aveva interessato anche Benedict-

Augustin Morel nel suo altrettanto pionieristico *Traité des dégénérescences de l'espèce humaine*.
Morel osserva, tra i primi, «l'incessante diffusione» di mali che colpendo gli individui finiscono per colpire l'intera società: epilessia, suicidio, criminalità. Quali «forze naturali» influenzano la condizione umana? Egli osserva gli internati nei manicomi e si chiede, come Lombroso, se le malattie da cui sono affetti possano essere ereditarie, scrive:

[...] questi individui riassumono nel loro corpo le caratteristiche organiche patologiche di diverse generazioni precedenti.

Un concetto del quale – ancora una volta – s'impadronirà la politica, con devastanti conseguenze. Nello stesso tempo però la teoria consente di dare un volto, discutibile che sia, ai problemi che inquinano e turbano la convivenza: alcolismo, ubriachezza cronica, dissolutezza.

Saranno necessari anni di ricerca per ottenere una migliore messa a fuoco di temi cosí delicati e sfuggenti. Molte ipotesi cadranno, tutte però, comprese quelle poi superate o contraddette, contribuiranno a fondare il metodo scientifico della ricerca psicologica.
Un empito, ma potrebbe anche essere definita un'ansia, accomuna questi tentativi. Scoprire nuove frontiere che partano dalla dimensione nascosta della mente per raggiungere l'obiettivo di ricondurre la vita e la morte, la sessualità e la follia, l'eccentricità e l'angoscia, entro i confini dell'osservazione scientifica, dunque delle sue possibilità terapeutiche. Non piú leggende terrificanti, ombre sfuggenti, torbide presenze ultraterrene. Le deviazioni dalla norma, compresa quella sessuale, compresi i risvolti bizzarri e addirittura criminali del comportamento, cominciano finalmente a essere studiate in base ai principî della neuropatologia, governata – o non governata – dal cervello e dal sistema nervoso centrale.

L'elenco qui esposto non rappresenta una casistica completa, dà solo un'idea per accenni della vastità degli interessi e degli studi suscitati dalla nuova scienza: sondare l'animo umano, saggiarne la «normalità», cercare di stabilirne il funzionamento, completare in definitiva il «misterioso salto dal corpo alla mente».

Se la psicoanalisi ha cosí numerosi confini in comune con l'espressione letteraria, romanzi e teatro non potevano restare estranei a un fenomeno cosí largamente sentito. Negli anni a cavallo tra la fine dell'Ottocento e il fatale 1914, sono numerose le opere ispirate da questi temi o a essi dedicate.

Tra i fenomeni piú significativi si può citare il teatro detto «del Grand Guignol» che s'inaugura a Parigi nel 1896 (rue Chaptal, Montmartre). Il Grand Guignol si definiva «Théâtre de l'épouvante et du rire», non c'era tema spaventoso che non venisse rappresentato sulla sua piccola scena ma, ecco il dettaglio interessante, le occasioni di paura avevano spesso a che fare con i limiti della ragione, l'irrompere della follia, gli strumenti della psicologia. Come conseguenza, i drammi erano di frequente ambientati in un manicomio.

Alfred Binet (1857-1911), autore di testi per il Guignol, era anche direttore del laboratorio di psicologia della Sorbona. In quanto psicologo sperimentale, introdusse una scala di misurazione dell'intelligenza poi divenuta il prototipo dei test mentali. Qui lo ricordiamo soprattutto come autore di uno studio (*Les altérations de la personnalité*) che per anni Pirandello tenne come libro da comodino, citandolo spesso e ispirandovisi per i tanti «matti» e «doppi» che popolano il suo teatro.

Sempre sullo stesso tema psichiatrico, grande successo ebbe un dramma del prolifico autore di Guignol André de Lorde: *Le système du docteur Goudron et du professeur Plume* tratto da un racconto di Edgar Allan Poe – a sua volta instancabile esploratore delle ossessioni. Due giornalisti, in visita a un manicomio, s'intrattengono col piú pericoloso dei ricoverati che davanti a loro si fa passare per il direttore dell'istituto. Scoppia un temporale e i pazzi, lasciata una calma simulata, si abbandonano al loro delirio tentando di uccidere i due estranei. Gli infermieri riescono in extremis, e a stento, a salvarli. Un rivolo di sangue che scorre sotto una porta fa scoprire l'atroce fine del vero direttore, il cui cadavere viene ritrovato orrendamente mutilato.

Affiora qui l'argomento tante volte raccontato del possibile rovesciamento tra sanità mentale e follia.

Si può scambiare con estrema facilità la sanità per follia e viceversa, anche perché non sono infrequenti le distorsioni nell'occhio clinico che indaga il fenomeno. La psicologia, la psichiatria, la psicoanalisi esplorano gli estremi confini di territori proibiti, quelli di cui la borghesia avverte il fascino e il terrore, essendone nello stesso tempo sedotta e respinta. Jean-Martin Charcot a Parigi riesce a fare spettacolo ipnotizzando le sue isteriche discinte che, rese assenti a se stesse, si adagiano languide tra le sue braccia, pronte a obbedire alla volontà del maestro.

Marcel Prévost (autore tra l'altro dello scandaloso *Les Demi-Vierges*) fa della psicoterapia l'argomento centrale del suo romanzo *L'Automne d'une femme* (1893). Uno dei protagonisti è il dottor Daumier, neurologo che esercita alla Salpêtrière, chiaramente ricalcato sulla figura di Pierre Janet. È lui che tenta di guarire i sintomi «neurosici» delle sue pazienti applicando i nuovi principî della psicoterapia.

In Inghilterra gli scrittori Coleridge e De Quincey cercano di affondare una sonda dentro se stessi avvalendosi dell'aiuto di droghe, compreso il veleno dell'oppio. Thomas de Quincey conquista infatti una fama immediata con il suo *Confessions of an English Opium-Eater*.

In italiano *Le confessioni di un mangiatore d'oppio*, romanzo autobiografico nel quale descrive gli effetti provocatigli dall'assunzione di droghe. Il tema non poteva sfuggire a Charles Baudelaire, qui già citato per il famoso verso: *Enfer ou Ciel, qu'importe? | Au fond de l'Inconnu pour trouver du Nouveau!* Qualche decennio piú tardi riprenderà l'argomento dell'oppio in un capitolo del suo *I paradisi artificiali*.

Fëdor Dostoevskij in *Delitto e castigo* analizza secondo i principî della psichiatria il doppio omicidio commesso da Raskol'nikov e gli incubi che accompagnano l'espiazione.

Lo scrittore inglese Robert Louis Stevenson descrive nel suo *Dottor Jekyll e Mr Hyde* (1886) un caso evidente di sdoppiamento della personalità riprendendo il modello romantico del *doppelgänger*. Lo stesso si può dire per il romanzo di Oscar Wilde, *Il ritratto di Dorian Gray*, che è degli stessi anni (1890). Uomini rispettabili nascondono il lato perverso della loro personalità in un personaggio parallelo che è la loro ombra, un doppio, un incubo – al quale finiranno per soccombere.

La psicologia pervade, in modo evidente, anche uno dei racconti di fondazione del romanzo gotico: *Frankenstein* di Mary Shelley. Il mostro creato dal dottor Frankenstein rappresenta un incubo per il suo autore e per chiunque lo incontri. Il suo aspetto è orribile, le sue azioni malvagie arrivano fino all'omicidio. Eppure, sotto l'apparenza terrificante, la creatura nasconde un animo sensibile, soffre fino alle lacrime la solitudine che la sua mostruosità gli impone.

L'Inghilterra è anche il primo Paese in cui si diffonde la medicina legale. Accanto al «salto» dal corpo alla mente, si deve registrare un altro notevole passaggio, l'estensione dell'indagine dai corpi dei vivi a quelli dei morti. In quegli stessi anni si scopre che i cadaveri delle persone assassinate, fino a quel momento utilizzati al massimo

per le esercitazioni degli studenti di medicina, possono in realtà «parlare». Scrutando con metodo scientifico una salma, è spesso possibile ricostruire a posteriori
gli ultimi istanti di un'esistenza, il momento e le cause
del decesso, scoprire indizi che riconducano all'autore d'una violenza omicida. Insieme alla psicologia, che
studia l'animo umano, nasce la medicina legale che indaga il corpo inoltrandosi nella dimensione sconosciuta
di un'inchiesta post mortem.
Nemmeno questi tentativi e queste prove rappresenta-
no in termini assoluti una novità. Di veramente nuovo
c'è solo l'introduzione di un metodo scientifico che si
fonda su esperimenti che siano ripetibili e verificabili.
Per il resto, molti secoli prima in un luogo appartato,
l'isola greca di Patmos, era già stato concepito uno dei
massimi testi visionari della storia umana, archetipo
di ogni altra visione fantastica negli spazi inesplorati
dell'inconscio e della colpa, l'*Apocalisse* 9.1-6.

> Poi il quinto angelo sonò la tromba [...] aprí il pozzo dell'abis-
> so e ne salí un fumo, come quello di una grande fornace; il sole
> e l'aria furono oscurati dal fumo del pozzo. Dal fumo uscirono
> sulla terra delle cavallette, cui fu dato un potere simile a quello
> degli scorpioni della terra. E fu detto loro di non danneggiare
> l'erba della terra, né la verdura, né gli alberi, ma solo gli uomini
> che non avessero il sigillo di Dio sulla fronte. Fu loro concesso,
> non di ucciderli, ma di tormentarli per cinque mesi con un do-
> lore simile a quello prodotto dallo scorpione quando punge un
> uomo. In quei giorni gli uomini cercheranno la morte ma non la
> troveranno; brameranno morire ma la morte fuggirà da loro.

La vera scoperta che dobbiamo agli uomini e agli anni
di fine Ottocento, fu che tormenti e flagelli, turbamen-
ti e acuto dolore, lo stesso desiderio della morte come
sollievo, possono essere causati da mostri non venuti
dall'esterno bensí sgorgati dalla stessa mente di un essere umano.

Totalmente assorbita dalla lettura di quelle note, Lina aveva dimenticato l'ora del pranzo, circostanza mai verificatasi nella sua vita cosí rigidamente scandita. Non se ne pentiva. Aveva imparato cose che non sapeva, o che sapeva solo per frammenti, soprattutto aveva conosciuto meglio la personalità della sua nuova amica. Alla quale ora toccava, dopo cosí numerose escursioni dotte, tentare di applicare il suo «metodo scientifico» a un caso concreto: la vita di una donna infelice assediata dall'angoscia. Se non si trattava di peggio.

15

Nel silenzio della notte si udivano talvolta ruggire i leoni del vicino zoo, soprattutto quando cambiava il tempo e cominciava a salire l'aria dello scirocco densa di umidità. A Clara veniva in mente l'attacco di un grande libro ormai trascurato, *L'Orologio* di Carlo Levi: «La notte, a Roma, par di sentire ruggire i leoni. Un mormorio indistinto...» Lei però non aveva a che fare con le fantasie di uno scrittore, quelli che udiva erano ruggiti veri, che risuonavano come segni di pena.

Solo la ferocia dell'uomo occidentale aveva potuto concepire l'idea di chiudere in un ergastolo di pochi metri quadrati animali nati per la vita libera e randagia. Nel silenzio dell'ora, i ruggiti risuonavano con non minore disperazione delle urla che l'avevano accolta quando era andata in visita in un ospedale psichiatrico. Chiuse la finestra per allontanare lo strazio di quei versi. Ricordava il vecchio leone di un circo dove suo padre l'aveva portata da bambina. Era chiaro dall'andatura anchilosata che soffriva, il mantello era logoro, pareva smangiato dalle tarme, eppure allo schioccare della frusta emetteva dei ruggiti che conservavano un'ombra di fierezza, spalancava le fauci cercando di apparire minaccioso e forse in cuor suo, aveva pensato Clara, se il duro apprendistato a frustate non lo avesse ridotto a un'umiliante obbedienza, avrebbe davvero voluto sbranare il domatore e buona parte di coloro che applaudivano la sua sofferenza. Lei non aveva voluto battere le mani con la gioia degli altri bambini che ridevano contenti con le bocche sdentate, le dita sporche di cioccolata, i volti alterati dall'eccitazione.

Suo padre l'aveva guardata con allarme, chiedendosi perché sua figlia non si comportasse come gli altri. Comunque al circo non erano piú tornati, e nemmeno allo zoo.

Nel ritrovato silenzio Clara riprese le annotazioni preliminari su un altro caso straordinario: quello di Sabina Spielrein, che le sembrava esemplare da molti punti di vista, compresa l'inaspettata ferocia del modo in cui la sua vita era finita – a soli cinquantasei anni.

«Nata a Rostov, sul Don, nel 1885, figlia di un agiato mercante ebreo, nipote di rabbini. Sabina comincia presto a mostrare sintomi d'isteria che s'aggravano al punto di consigliarne il ricovero. Quando non ha ancora compiuto vent'anni, entra nell'ospedale psichiatrico di Burghölzli dove lavora Carl Gustav Jung. Il rapporto tra i due è presto molto piú stretto di quello tra un medico e la sua paziente. È opinione diffusa che i due siano diventati amanti, come del resto confermano alcune frasi nella loro corrispondenza. Jung, che è sposato e ha figli, avvia con lei un rapporto con forti connotazioni morbose, compresa la pulsione di Sabina a essere dominata e punita. Sicuramente Jung esercitò un dominio psicologico a scopi terapeutici. Arrivò anche al dominio fisico infliggendo a Sabina le punizioni corporali da lei desiderate?»

Frustate sul corpo nudo e offerto? Sarebbe un'ulteriore conferma della tesi del professor Modiano. Clara però decide di procedere con cautela data l'incertezza delle fonti.

«La vera amante di Jung, un'autentica seconda moglie, fu un'altra paziente, Antonia "Toni" Wolff. Una relazione proseguita per quasi quarant'anni in un ménage à trois con la moglie Emma, dalla quale Carl Gustav aveva avuto cinque figli, tacitamente consenziente. Quando arriva a Burghölzli Sabina è molto malata. Dopo il trattamento s'iscrive a medicina, si laurea, diventa lei stessa psicoanalista, conosce Freud, scrive saggi considerati importanti, progetta di diventare il punto di equilibrio nei complicati rapporti tra i due geni. Anche lei come aveva fatto Bertha vuole un figlio dal medico di cui è innamorata. Gli vuole dare un nome della mitologia wagneriana: Siegfried, figlio di Sigmund. È il nome di Freud. Un figlio biologico da Jung, simbolico da Freud».

Clara ha un pensiero repentino. La sola eccezione che conosca a queste donne che hanno scelto di essere dominate è Lou Andreas-Salomé, di cui Friedrich Nietzsche si è inutilmente innamorato e da cui è stato dominato. È un caso che dovrà studiare, contraddice il fondo della sua ricerca ma proprio per questo la completa.

Per il momento torna a Sabina. Il comportamento di Jung sembra deplorevole, ha amato la sua paziente, cedendo al suo desiderio di essere punita. Certo, la punizione è stata da lei invocata, ma per malattia. Il dolore è solo lo strumento, aveva detto il professor Modiano, il vero fine del sadismo è il dominio. Era possibile che anche Jung avesse compiuto questo percorso.

«Nel 1923, a trentott'anni, Sabina torna in Russia, nel frattempo diventata Unione Sovietica. Continua a esercitare come medico e psicoanalista soprattutto con i bambini nel suo famoso "Asilo bianco", osteggiato dalle autorità. Combatte contro notevoli difficoltà economiche, alleva due figlie, tiene dietro a un marito incostante e spesso lontano, soprattutto oppressa – bisognava credere – da quel grumo irrisolto che il soggiorno nella clinica svizzera e la terapia del giovanissimo Jung non sono riusciti a dissolvere completamente. Passano gli anni, Stalin rafforza il suo potere, due suoi fratelli scompaiono nei Gulag, muore anche il marito, di lei non si hanno piú tracce, persa nel gorgo immane prima del terrore staliniano poi della guerra. Per molto tempo nessuno si chiede che fine abbia fatto la giovane donna che aveva cercato di mantenere il filo d'una problematica comunicazione tra i due geni della psicologia. Nel 1983 uno studioso svedese, Magnus Ljunggren, trova documenti sulla sua fine che paiono autentici.

Rostov sul Don, la cittadina dove Sabina era nata e dove era tornata a vivere, nel luglio 1942 viene occupata dalle truppe del Reich, brevemente però, solo per otto giorni. L'Armata Rossa attacca e la riprende ma è anche questa una vittoria effimera; a seguito di una controffensiva tedesca i sovietici devono nuovamente abbandonarla. Le truppe del Reich ritornano con i loro reparti di SS addetti allo sterminio. Alla fine di quel mese di luglio, tutti gli ebrei sono rastrellati e concentrati nella sinagoga, la sorte che li attende è chiara, la rendono evidente le stesse condizioni in cui sono tenuti. Sabina e le due figlie sono sfuggite alla cattura ma – ecco la mossa inaspettata, ecco l'enigma – il giorno dopo, inspiegabilmente, lei si presenta con le bambine al Comando germanico dove viene immediatamente aggregata alla colonna che intanto s'è messa in marcia verso una cava dei sobborghi. Vengono tutti sistematicamente sterminati, i militari dell'*Einsatzkommando 10a* uccidono anche lei e le due bambine come gli altri.

Sabina aveva lasciato scritto che sulla tomba avrebbe voluto queste parole: "Sono stata un essere umano, il mio nome era Sabina Spielrein". E poi: "Lasciate che una giovane vita giochi all'ingresso di questa tomba e che continui a brillare d'un remoto splendore l'indifferente natura".

L'indifferente natura ha continuato certo a risplendere ma non c'è stata nessuna tomba, solo l'orrore d'una fossa comune presto abbandonata nel gelo.

Perché Sabina si era consegnata volontariamente ai suoi carnefici? Questa è la domanda, nessun documento fortunosamente trovato avrebbe piú potuto rispondervi, forse nemmeno Sabina stessa sarebbe stata in grado di farlo. E nemmeno i suoi due tutori redivivi avrebbero potuto».

Davanti a questo vuoto la ricerca di Clara deve necessariamente fermarsi. Forse piú che uno psicologo ci vorrebbe un grande scrittore per rispondere. Un artista avrebbe potuto trovare un'ipotesi in grado di spiegare come un solo irrimediabile gesto potesse incenerire un'intera vita, qualcosa di molto simile al suicidio cui tante volte Sabina aveva pensato da adolescente. Un uomo come Dostoevskij, era questo il nome che s'affacciava alla sua mente, colui che aveva affondato lo sguardo dove nessun altro aveva osato guardare.

Clara scorre le memorie di Sabina, cerca un brano del suo diario, lo trova alla data del 19 ottobre 1910, legge:

> Quando sono rimasta sola ho pensato a quanto sia bello l'amore se ci si può lasciar andare totalmente ai sentimenti, se si può avere un uomo tutto per sé, almeno per un certo tempo, se si può avere la certezza che mediante l'amore si procura solo gioia e non si arreca dolore a nessuno, come purtroppo era nel mio caso. No, è meglio lasciare stare un uomo sposato! E se fosse possibile, averne uno con cui fondare una famiglia tranquilla! A quell'uomo darei il meglio di me stessa. Poter camminare con lui in mezzo alla natura e passare le lunghe serate invernali in una stanza calda e confortevole. Di sera mi piacerebbe stare seduta sul divano a fare la maglia, mentre lui legge un suo lavoro. Cosí, potremmo pensare e sentire insieme, cercando di coltivare in noi le cose piú elevate e sublimi.

Coltivare ideali cosí modesti nel mezzo di eventi tanto drammatici. Avrà davvero creduto di poter vivere all'interno di questa immaginaria bolla piccolo-borghese una donna come lei? Con quei maestri? In quegli anni di ferro?

Pensieri che andavano e venivano senza un fine preciso, Clara non sta piú lavorando alla sua ricerca, divaga portata da quelle correnti della notte dove le cose piú diverse sfumano le une nelle altre senza ordine né gerarchia, quasi senza ragione. Dal destino drammatico di Sabina Spielrein passa senza neanche accorgersene al pensiero di Deborah, che da poco ha cominciato a lavorare anche lei al bar: se si espande l'attività deve espandersi anche il personale. Risultati per il momento modesti, ma Clara pensava che anche quei primi incerti passi, messi in prospettiva, avrebbero potuto acquisire una certa importanza. Deborah aveva cominciato con i compiti piú elementari, quando le accadeva di rompere una tazzina gli occhi le si riempivano di lacrime, si affrettava a dire che avrebbe ripagato tutto, allora bisognava rassicurarla, ripetere che non si preoccupasse, di fare solo piú attenzione. L'aspetto piú difficile era che la ragazza dava l'impressione di essere mentalmente molto disorganizzata, come se non fosse capace di prevedere le conseguenze delle sue azioni, anche le piú semplici. In compenso sembrava contenta. Luigi per una volta era stato davvero bravo trovandole alloggio in un pensionato dove lavoravano certi amici. Roberto le mostrava con pazienza come riempire il cestello, quanto sapone mettere nel contenitore, come assicurarsi che lo sportello fosse ben chiuso prima di dare corrente. Clara però aveva su di lei un progetto piú ambizioso. Non appena si fosse impadronita di quei primi incarichi, pensava di farle imparare come si preparano caffè e cappuccini e poi di farla sedere alla cassa, al suo posto.

Il passaggio era delicato, ma se fosse riuscito sarebbe stata anche un po' la sua vittoria, un contributo importante per trasformare una ragazzina che s'era persa dietro un piccolo gangster imprudente in una giovane donna capace di badare a se stessa. Certo, se il bar fosse rimasto aperto, se Luigi e Roberto non avessero litigato, se le ambizioni non avessero appesantito troppo la gestione, se Mustafà – entrato nell'impresa, anche se per ora mancava un finanziatore – avesse davvero cominciato a far lievitare oltre alla pasta della pizza anche il fatturato, per il momento modesto nonostante alcuni segnali positivi.

Tanti «se», ancora una volta, uno dopo l'altro nel disordine della notte.

Il buio di là dalla finestra e fuori del cerchio rischiarato dalla lampada dava a quei pensieri errabondi la minacciosa prospettiva dei sogni. Uno dei «se», quello che aveva meno voglia di evocare, riguardava del resto lei stessa. Si stava lasciando vivere invece di mettere a frutto il tempo. Temeva che il suo progetto su Deborah fosse dettato non soltanto dal desiderio di vedere se fosse in grado di applicare alla realtà d'una vita nozioni e procedure, casi letti solo sui libri. Forse le sue vere motivazioni erano una specie di processo sostitutivo, una via d'uscita che si stava fornendo da sola: elevare Deborah da sguattera a cassiera per essere libera di allontanarsi senza rimorsi da una situazione falsa, stanca di fissare per ore le bottiglie piene di liquidi colorati dietro il bancone, di scambiare battute troppo cordiali con degli sconosciuti.

Suo padre sfregò in modo quasi impercettibile la porta della stanza, Clara rispose con un «sí» sussurrato.

«Ho visto la luce, – disse Luciano entrando, – non sapevo se t'eri addormentata o stavi lavorando».

Clara chiuse ancora una volta i libri accantonandoli in un angolo dello scrittoio.

«Facevo finta di lavorare, – commentò con apparente leggerezza. – Tu piuttosto, m'avevi detto che avevi cominciato a dormire meglio, invece vai sempre in giro per casa».

«Però guardo meno la televisione, è già un passo avanti».

Quando suo padre non era ancora andato in pensione, le aveva piú volte confidato di volersi mettere a studiare la storia. L'assassinio di Cesare, il Colosseo con i gladiatori, Tiberio a Capri, episodi dai quali era stato colpito. Spezzoni di letture o forse di sceneggiati. Cosa che, libero dal servizio, non aveva mai fatto.

«Assuntina ha gridato nel sonno e m'ha svegliato. È la prima volta che succede, dorme sempre cosí tranquilla».

«Hai cominciato a studiare storia, papà?»

«Mi sono iscritto all'Università della terza età... Con tutti quei vecchi però mi annoio. Io voglio conoscere certi fatti, i personaggi che mi piacciono. Qualche giorno fa ho visto un bel film in televisione...»

«Allora la guardi, bugiardo!» Risero insieme.

«Uno di quei film vecchi in bianco e nero che danno ogni tanto di notte. A un certo punto s'è visto il palazzo dove abitavo da ragazzo, un casermone, la strada vuota, senza macchine, proprio come la ricordo... Magari quando l'hanno girato stavo lí. Pensa se a un certo punto fossi spuntato io, coi calzoncini corti, magro magro, tenuto per mano da Assuntina. Magari sarei entrato nella storia del cinema...»

«La gente come noi, papà, in genere deve accontentarsi di vivere». Clara sapeva che le rievocazioni del passato sono un buon esercizio per la memoria, scaricano tensioni. I ricordi di suo padre le davano però un senso doloroso di malinconia, tornava con insistenza sugli stessi momenti, come se non potesse disporre d'altro.

«Mangiavo una fetta di pane raffermo bagnata nell'acqua con un po' di zucchero sopra. Era buona come merenda ma se togli lo zucchero ottieni il rancio dei carcerati: pane e acqua. Quando dopo la guerra è arrivato lo zucchero che potevi comprarne quanto ne volevi sembrava di stare in America».

«Adesso però quei tempi sono lontani. Se queste cose le racconti a Luigi nemmeno ti crede, nessuno se le ricorda piú».

«Per questo volevo mettermi a studiare storia. La storia è maestra di vita».

«La storia non ha mai insegnato niente a nessuno, papà. Però se ti piace studiala, fa bene avere un progetto».

Luciano restò per qualche istante a guardarsi le mani scuotendole. Esitava.

«Mi sa che non ce la faccio. Leggo e dopo due giorni non mi ricordo piú niente. Prendo le note come fai tu, quando le rileggo neanche le capisco. Non studio la storia, Clara, perdo tempo. Allora meglio le parole crociate, quelle a schema libero sono divertenti e mi vengono bene».

Nel silenzio della notte, con le finestre socchiuse sull'ampia terrazza, penetrava nella stanza l'odore resinoso dei pini rafforzato dall'umidità dello scirocco. Confuso con l'uniforme brusio della città, sembrava di udire dei ruggiti, smorzati dalla distanza.

«Sembrano leoni», bisbigliò Melania stringendosi con un piccolo brivido a Luigi.

«A Roma i leoni ci sono stati solo al Colosseo. Sarà qualcuno che fa lo scemo con la moto».

Il corpo di Melania emergeva di tanto in tanto dall'oscurità quasi totale della stanza illuminato dalla brace della sigaretta. Il debole bagliore intermittente sfumava l'immagine: un rosa indistinto interrotto dalla cascata dei capelli sul seno, dall'ombra bruna del pube. Luigi la guardava poggiato sul fianco, il capo nel cavo della mano; Melania si lasciava guardare consapevole che quei brevi momenti di debole luce giocavano a suo favore. Dopo il loro ultimo incontro, quando all'improvviso l'età di Melania si era rivelata, i loro appuntamenti si erano interrotti. Ma ora Luigi era tornato.

«Potremmo fare una crociera la prossima estate», propose il ragazzo.

«Dove ti piacerebbe andare?»

«La Spagna, il Marocco, la Turchia...»

«Piú lontano Luigi, andiamo dove non ci conosce nessuno».

«Perché, scusa, in Turchia chi ci conosce?»

Melania rispose che se dovevano partire tanto valeva andare lontano: «Ai confini del mondo, – disse con voce sognante. – Quei mari con la sabbia bianca e l'acqua trasparente».

«E se ci cade in testa una noce di cocco?»

Melania finse di arrabbiarsi, cominciò a tempestarlo di piccoli pugni inoffensivi. «Ma la vuoi smettere?» ripeteva lei offrendogli le labbra, offrendosi.

Piú tardi, Luigi andò a prendere due bicchieri e la bottiglia del whisky, ormai conosceva il percorso anche al buio. Sorseggiavano lentamente il liquore, appoggiati alla testata del letto in uno stato di diffuso torpore e di pace.

«Pensi che abbiamo esagerato?» chiese lei.

Luigi scosse il capo in un diniego.

«Tu pensi d'avere esagerato?» le chiese di rimando.

«Con te non vorrei mai smettere», sussurrò Melania arrochendo volutamente la voce. Intendeva sembrare scherzosa, ma Luigi sapeva che non c'era nessuno scherzo. Il loro rapporto cominciato per capriccio rischiava di diventare impegnativo, quasi preoccupante. Lo sarebbe stato ancora di piú se lei avesse davvero finanziato il loro angolo-pizzeria. Quella piccola cosa da nulla rischiava di diventare un peso del quale non sarebbe stato facile liberarsi. Melania era una donna sensuale, molto esperta, ma a Luigi certe volte sembrava di scorgere nelle sue reazioni, negli spasimi, il rimpianto per qualcosa che stava fuggendo. D'altra parte lui s'era vantato davanti a Roberto e a Clara che avrebbe trovato i soldi, loro esitavano, era lui il piú veloce, era lui il capo di quell'impresa e lo avrebbe dimostrato. E in fin dei conti pazienza, in qualche modo ne sarebbe venuto fuori.

«Quanto sei silenzioso, mi preoccupi, – bisbigliò Melania. – Chissà a che pensi».

«Pensavo alla crociera. Forse hai ragione tu, se dobbiamo farla, andiamo davvero lontano dove non andremo mai piú».

Melania rimase per un po' in silenzio, schiacciò la sigaretta nel portacenere.

«Dove *io* non andrò mai piú. Tu hai tanto tempo davanti».

Era la prima volta che si riferiva in termini cosí espliciti alla loro differenza d'età. Si può raggiungere la piú totale intimità della carne senza sapere nulla, o quasi nulla, dell'altro. Luigi sentiva l'orgoglio di aver sedotto una donna ancora cosí bella, cosí impudica; una volta aprendo il cassetto del comodino aveva scoperto una confezione di preservativi.

«E questi?» aveva chiesto mostrandoli.

«Per le emergenze», aveva risposto lei disinvolta, accendendo una sigaretta.

La confezione precisava che gli articoli erano al gusto di fragola.

«Alla fragola?»

«Quello è stato un errore del farmacista, in genere li prendo al mandarino».

Era finita con quella specie di rivendicazione scherzosa ma era rimasta come un'ombra sospesa, un'ulteriore domanda sommata alle altre.

Lei gli si strinse abbracciandolo, ma non era il desiderio a spingerla. Le spalle erano scosse da piccoli tremiti come se stesse trattenendo le lacrime. Lui credeva d'aver incontrato l'effervescenza spensierata di una femmina di lusso, e invece... Non aveva voglia d'affrontare una situazione del genere, non conosceva le parole per farlo. Giacevano nudi, stretti l'uno all'altra, inseguendo ciascuno la propria ansia. Poteva chiederle di quel suo marito che non c'era mai o forse era un'invenzione o forse evitava di farsi vedere. Poteva continuare il gioco della crociera, inventarsi mete lontane sparando nomi a caso. Cento pensieri si accavallavano nello stesso momento e tutti per distoglierlo dal timore di quel pianto inatteso.

«Un giorno di questi ti porto a vedere il mio bar».

Melania lo fissò stupita.

«Come ti viene in mente. Non sono sicura di volerlo vedere».

«Scusa, è normale, sei tu che finanzi il progetto».

«Io non finanzio un bel niente, i soldi li dà la banca. Io devo solo mettere una firma».

S'alzò di scatto coprendosi in fretta con la veste da camera. Accese l'abat-jour e pescò un'altra sigaretta dal pacchetto. Luigi continuava a non sapere che fare. S'alzò anche lui, la raggiunse, accennò a stringerla ma lei lo respinse.

«Lascia perdere, sto fumando, ti puoi scottare».

«Hai detto che non vorresti mai smettere».

«Oh, piantala».

Aprí innervosita la portafinestra, uscí sul terrazzo. Luigi la seguí.

«Vorrei stare un po' sola. Forse è meglio se torni a casa».

Pensava di essere il piú forte e si trovava messo alla porta, una situazione imprevista. L'afferrò per le spalle, la scosse, cercò di baciarla, sapeva di essere goffo ma era tutto ciò che riusciva a fare. Melania nuovamente lo allontanò con fastidio mentre gettava il resto della sigaretta, che cadendo descrisse un arco di scintille nel buio della strada sottostante.

Forse fu proprio quel gesto cosí maschile a fargli sentire che stava perdendo tutto. Rivide quel perdente nato di suo padre, i suoi eterni lamenti, la ricerca patetica di una dignità che non bastava a cancellare l'umiltà della sua vita. I soldi che non erano mai abbastanza, le inutili memorie sempre uguali, tutto ciò che aveva sempre odiato, compresa sua sorella che pareva volerlo umiliare con tutti quei libri: intanto gli unici soldi che Clara aveva visto in vita sua era lui che glieli stava facendo guadagnare. L'angolo della pizzeria era solo la mossa iniziale, voleva fare altro, di piú, allontanarsi dalla vergogna di quelle piccole miserie; per cambiare tutto doveva cominciare da lí, l'inizio d'una lunga strada, una donna come Melania, una casa come quella che aveva lei, dove ridere con gli amici. Allungò un braccio per cingerle le spalle, ma quando avvertí nuovamente il moto di ripulsa e lei che s'irrigidiva, insofferente, sentí montare dentro la collera come nei primi combattimenti, quando si rendeva conto della difficoltà di contrastare la forza dell'avversario e gli sembrava di subire un'ingiustizia.

Si girò di scatto, l'afferrò sollevandola di peso da terra e rientrò nella stanza. Melania lo fissava con sgomento, incapace di parlare o agire. Quando la gettò sul letto la vestaglia si aprí lasciandola nuda, impacciata dal disordine della stoffa, indifesa. La penetrò d'un colpo strappandole un grido. S'era riscossa, lo colpiva con tutta la forza che aveva ma lui le era sopra e dentro bloccandola col peso, senza baci, proseguendo nell'azione meccanica, rabbiosa, martellante. Luigi avvertí che la tensione la stava abbandonando: aveva smesso le sue ridicole percosse tradita dal suo corpo, adesso gli affondava le unghie nelle spalle. Quando udí che cominciava a gemere si sentí placato, per il momento aveva ristabilito un equilibrio.

16.

Della morte di Omar nessuno parlava piú, nemmeno Deborah. Roberto si chiedeva se il suo atteggiamento fosse dovuto a ritegno, indifferenza, alla volontà di cancellare quella parte del suo passato. C'erano momenti in cui sembrava che Deborah volesse conquistarsi il diritto di stare in quel posto, in mezzo a loro, guadagnando con le sue mani uno stipendio, forse per la prima volta nella vita. Roberto di tanto in tanto si sorprendeva a osservarla. L'intimità che avevano condiviso non aveva lasciato tracce, come se la giovane donna che si era praticamente denudata sotto i suoi occhi fosse stata un'altra da quella che ora sbrigava le piú umili incombenze. Nelle ultime settimane era un po' smagrita, nello stesso tempo sembrava diventata piú donna. Non aveva piú le rotondità quasi infantili di quando era venuta a farsi tatuare seguendo Omar come un grazioso animaletto al laccio. Arrivava al bar di primissimo mattino senza trucco, con gli occhi cerchiati, le labbra pallide. Lei e Roberto facevano colazione nel locale ancora vuoto, mentre si scaldava la macchina del caffè. Lentamente Deborah riprendeva colore, aspettavano quasi in silenzio Clara e Luigi che sarebbero arrivati, separatamente, un po' piú tardi. Luigi da qualche tempo aveva assunto un atteggiamento che Roberto non riusciva a decifrare. Era distratto, insofferente, dava risposte sgarbate. Una volta che gli aveva chiesto notizie sul finanziamento per la famosa pizzeria aveva risposto brusco: «Ho detto che trovo i soldi, sta' tranquillo che li trovo». E s'era allontanato.

C'era un paradosso nelle sue parole. Lo aveva invitato a stare tranquillo mentre era proprio la tranquillità che
sembrava mancare a lui. L'esatto contrario di quanto stava
accadendo a Deborah, che quando riusciva a cavarsela bene con un compito nuovo e piú impegnativo ricompensava
tutti con una gioia timida che la illuminava restituendole
barlumi della perduta freschezza.

Roberto a volte aveva provato a parlarle per sapere di
piú sulla sua vita precedente, sulla scelta infelice di quel
piccolo gangster che l'aveva umiliata con quel segno di pos-
sesso, che giocava a fare il duro senza averne la stoffa ed
era andato cosí velocemente incontro alla morte. Lei però
subito s'irrigidiva, ripiombava nel silenzio.

Una sera che avevano finito di riordinare il locale dopo la chiusura, Roberto d'improvviso l'aveva presa tra le
braccia e l'aveva baciata. Deborah aveva risposto al bacio,
stringendosi docile contro di lui con un certo trasporto.
Quando però Roberto aveva accennato a dirigersi verso il
retrobottega, aveva resistito sussurrandogli: «No, lascia
perdere. Fammi guarire». Roberto l'aveva sciolta dall'abbraccio, lei allora gli aveva preso il viso tra le mani come
in una doppia carezza, con un gesto che sapeva piú di ri-
conoscenza che di sensualità.

«Non è facile», aveva aggiunto mentre gli occhi le di-
ventavano d'improvviso lucidi. C'erano momenti in cui
s'intristiva, avvilita dal sapersi spiegare solo pochissime
delle cose che avvengono in questo mondo.

Un certo giorno era arrivata una lettera che misterio-
samente l'aveva raggiunta all'indirizzo del bar. Quando
Roberto gliel'aveva consegnata, Deborah era arrossita e
l'aveva fatta sparire in una tasca con fretta eccessiva. In
un'altra occasione era impallidita e poi era corsa a confabulare con Clara; avevano parlato a bassa voce fino a quando Clara aveva frugato nei ripiani sotto la cassa, afferrato qualcosa, e s'erano dirette tutt'e due alla toilette, una
questione prontamente risolta tra donne.

Roberto metteva insieme questi diversi episodi che la riguardavano spinto da un'intricata combinazione emotiva, un desiderio complesso, denso, di cui faceva certamente parte l'attrazione sessuale ma anche una specie di affetto fraterno.

Due volte s'era fatto vivo Mustafà. Si fermava sulla porta e sporgeva il capo chiedendo senza parlare, contando su una mimica di straordinaria efficacia, se c'erano novità. Roberto in genere rispondeva con lo stesso linguaggio, accennava un no accompagnandolo però con un gesto sconsolato per far capire che continuava sí l'attesa, ma anche la speranza.

Un mattino era stata Deborah a tornare sull'argomento mentre preparava i cappuccini per la loro colazione solitaria. Erano appena arrivati i cornetti riempiendo il locale con una calda fragranza di forno e di miele.

«Era di mia madre, la lettera. Voleva sapere come sto».

«Tu che hai risposto?»

«Che sto bene».

«Non è una gran risposta, si dice sempre cosí».

«Sí, ma lei lo capisce subito se è vero».

«Ti ha scritto ancora?»

«No, è un buon segno, vuol dire che sta tranquilla».

«Dove vive tua madre?»

«Giú al Sud».

Lui l'aveva fissata senza dire niente ma Deborah aveva colto ugualmente la domanda.

Veniva da una famiglia umile salita dal Mezzogiorno. Quand'era bambina, avevano alloggiato in una specie di baracca all'estrema periferia di Roma. Suo padre faceva il muratore dove capitava. Un brav'uomo senza un'idea di come funzionasse il mondo. Tornava a casa, si metteva a sedere in un angolo, non apriva piú bocca. L'unico lusso era il nome dato alla primogenita: lui avrebbe preferito «Immacolata» che era il nome della nonna; la madre, che tutti chiamavano Menica, aveva visto da qualche parte quel

nome cosí esotico, sperava di potergli affidare il riscatto di
sua figlia. Alla fine glieli avevano dati tutti e due, Immacolata Deborah, anche se l'avevano sempre chiamata solo
con il secondo. Da un giorno all'altro quell'uomo cosí mite e silenzioso era volato via. Solo dopo parecchio tempo
s'era saputo che era finito in Germania, dove aveva messo su una specie di altra famiglia. Il suo riscatto Deborah
l'aveva trovato in altro modo quando dalla baracca erano
passati a una casa popolare. Usciva senza dire niente, appena girato l'angolo scioglieva i capelli e infilava gli zoccoli
con i tacchi, poi si truccava alla cieca, inconsapevole della
maschera che applicava a un viso ancora quasi infantile.
Quando anche la madre se n'era andata, lei aveva trovato lavoro come parrucchiera. Il vero amore però era stato
Omar, che aveva una moto con una tale ripresa che quando accelerava le sembrava di essere strappata via. A lui si
era data con trasporto, per la prima volta qualcuno l'aveva fatta sentire felice. Un giorno che era stata infastidita
dal padrone del negozio, Omar vedendola piangere l'aveva costretta a confessare, poi era andato di notte con altri
due, aveva fatto filtrare chissà quanta benzina sotto la sa-
racinesca e aveva dato fuoco a tutto. «Non hai piú bisogno
di lavorare», aveva detto. Ormai lui girava in macchina.

In un certo senso Roberto se l'aspettava una vita cosí.
La conosceva prima che lei la raccontasse, perché anche
un'esistenza che rasenta il dramma può essere banale. Però era contento che l'avesse detta a lui; il silenzio e l'odore
dei cornetti freschi avevano creato una specie di intimità
nel bar vuoto dove cominciava appena ad affacciarsi il sole del primo mattino. Fu lei a prendergli la mano questa
volta, gliela strinse quasi fosse un patto.

Deborah adesso non si limitava piú a pulire il pavimento e a rigovernare le tazzine. Si muoveva con disinvoltu-
ra alla macchina dell'espresso, aveva imparato le infinite
varianti delle capricciose preferenze dei clienti in fatto di
caffè: lungo, corto, macchiato, schiumato, bollente, tiepi-

do, al vetro, in tazza grande, perfino americano ristretto, puro paradosso se preso alla lettera. Come diceva Roberto, facendo un po' il verso a De Gaulle, non si può governare un Paese dove esistono decine di varietà differenti di caffè. Deborah aggiungeva persino un tocco personale. Sulla superficie candida del caffè macchiato lasciava colare con grazia un filo di cioccolata liquida disegnandovi un fiore, il profilo di un'oca, una ramaglia di palma. C'erano clienti che esitavano addirittura a mescolare per non guastare il decoro. Ricambiavano deponendo una mancia generosa nel piattino. Tutte le mance per unanime accordo restavano a lei.

Un giorno Luigi arrivò accompagnato da una signora, non giovanissima, molto bella, molto elegante. Vistosamente elegante, notò Roberto. Grandi bracciali d'osso bordati d'argento, orecchini tintinnanti, tacchi altissimi che le slanciavano i garretti, anche troppo, facendoli apparire esili, contratti. Luigi fece le presentazioni.

«Melania, questa è la nostra piccola squadra. Clara è la mia coltissima sorella, cassiera ma con un grande avvenire. Roberto il socio che è come un fratello, anche lui un giorno o l'altro farà grandi cose. La giovane Deborah che ha aggiunto da poco il suo futuro ai nostri. Questa signora, – aveva aggiunto rivolgendosi agli altri, – si chiama Melania, forse ci darà una mano».

Melania si muoveva con impaccio, sembrava altezzosa, o intimidita. Piú o meno un sovrano europeo di fine Ottocento in visita a una tribú africana, pensò Clara. Un pensiero cattivo dettato dal sospetto. Pur non sapendo quasi nulla sul rapporto tra quella donna matura e suo fratello Luigi, intuiva quanto di ambiguo potesse esserci. Deborah invece fissava la donna con evidente ammirazione, l'avevano impressionata i gioielli, l'abito, il portamento. Era possibile che ai suoi occhi impersonasse l'immagine della vera signora.

«Molto carino», fu il commento conclusivo di Melania.

«Roberto è architetto, il progetto per la pizzeria l'ha fatto lui, – disse Luigi. – L'angolo è quello. È già tutto predisposto, rimane solo da montare il marmo e qualche altro dettaglio. Adesso non si vede bene perché abbiamo un po' camuffato le cose ma bastano pochi tocchi per far partire il tutto. Mustafà ha detto che...»

Melania lo fissò con aria interrogativa.

«Mustafà è il pizzaiolo. Viene dal delta del Nilo, bravissimo. Ha detto che se non c'è il forno a legna le pizze non vale nemmeno la pena di farle».

Luigi cercava di dare un tono entusiastico alle sue parole, esibiva una fierezza sproporzionata alla modestia dell'impresa. Melania appariva molto annoiata.

«Complimenti, davvero», non seppe trovare altre parole, fece per girarsi come se volesse tagliar corto con quella visita insensata.

«Aspetta, ti voglio mostrare il nostro gioiello segreto».

Luigi voleva aprire la porta del retrobottega ma Roberto lo fermò.

«Non è il caso, è tutto in disordine».

«Melania è di casa».

«Melania è un'ospite... La prossima volta».

S'era creata tra i due un'improvvisa tensione, sembrava una sciocchezza, Luigi però era adirato come se il deciso rifiuto di Roberto rappresentasse un oltraggio alla sua autorità. Fece per scansarlo forzando il varco verso la porta. L'altro si preparò a resistere.

Clara annunciò con voce piú alta del necessario l'ingresso della signora Lina. Il nuovo arrivo bastò a spegnere quella scintilla, per il momento. Deborah si affrettò a prendere l'ordinazione.

«Il solito, cara», sussurrò Lina con la sua voce un po' stanca.

«Adesso devo proprio andare». Melania strinse la mano a Clara, fece un generico gesto di saluto intorno. Stavano entrando due clienti intenti a parlare fitto tra loro, quando li sfiorò uscendo si volsero insieme a guardarla.

Il bar riprese il ritmo di sempre, le persone entravano, rivolgevano a Clara le solite battute, ordinavano qualcosa. Roberto lavorava alla macchina, Deborah faceva servizio ai tavolini, passandoci ogni volta uno straccio. Clara la chiamò alla cassa.

«Lascia perdere i tavolini, stai qui un attimo alla cassa, ti ricordi come si fa?»

Le mostrò velocemente i tasti fondamentali, poi s'avvicinò a Lina, e per la prima volta si sedette accanto a lei.

«Ho letto, sai, il tuo lavoro, – bisbigliò Lina mescolando il cappuccino. – Mi sembra bellissimo. È solo il parere di una vecchia signora, non conta granché, però sincero».

Clara le strinse un braccio affettuosa, in segno di ringraziamento.

«È successo qualcosa oggi?»

«Perché lo chiedi?»

«Entrando ho avuto una sensazione, non so, di tensione», sorrise per attenuare il peso delle parole.

Clara tentò di minimizzare, disse che s'era trattato di piccole incomprensioni, che per il resto, anzi, la situazione sembrava incoraggiante. Quando Lina le chiese della nuova ragazza fu tentata di dirle le cose come stavano, ma poi pensò che non sarebbe stato giusto nei confronti di Deborah e rimase sul vago.

«Te lo chiedevo, – disse Lina, – perché ho l'impressione che tu le voglia quasi bene. La guardavi come una madre».

Clara rise, ignorando che l'osservazione era stata lanciata con uno scopo e che Lina aveva scrupolosamente preso nota della sua reazione.

17

Assuntina chiamò da sotto per chiedere a Luciano di aiutarla. Quando l'ascensore era rotto, non se la sentiva di fare quattro piani con la pesante borsa d'incerata nera carica di spesa. Luciano la raggiungeva al piano terreno, risalivano insieme, lei un po' ansimando, per la fatica e per l'aria asfissiante che ristagnava nella tromba delle scale.

«Glielo dico sempre alla portiera che deve aprire le finestre, – mugugnò Assuntina. – Non ci sente, non ha piú voglia di fare niente. Un giorno o l'altro...»

Luciano, sbuffando, fece cadere la borsa sul tavolo di marmo della cucina.

«Hai comprato il giornale?»

Assuntina se ne dimenticava spesso, toccava a lui scendere, oppure farne a meno. Un giornale in meno un caffè in piú. Non si sa chi fa piú male dei due, diceva ridendo.

Assuntina sedette sfinita facendosi aria in una postura involontariamente oscena: aveva allargato le gambe, le calze tendevano a scendere sulle cosce smagrite.

«Oggi faccio pasta e ceci», annunciò con orgoglio.

«Mamma, siamo solo io e te. Non vale la pena».

«Per te non vale mai la pena. Vuoi mangiare qualcosa di caldo? Non si può vivere sempre con i panini».

Assuntina prendeva come un'offesa i tentativi di Luciano di risparmiarle la fatica di preparare piatti troppo complicati – che tra l'altro le venivano malissimo. Non si sapeva come fare a dirglielo. Ripeteva sempre che durante la guerra era riuscita a mettere la famiglia a tavola con qualcosa davanti anche quando doveva andare a raccogliere la cicoria nei prati e l'acqua toccava bollirla perché chissà che ci si poteva trovare dentro.

«Parli di sacrifici, – diceva a suo figlio. – Ma tu non lo sai che cosa sono i sacrifici. Certe volte tuo padre e io ci siamo tolti il pane di bocca per darti da mangiare e farti crescere…»

«…sano e forte», aggiungeva Luciano cantilenando.

«È inutile che fai lo spiritoso, proprio cosí: sano e forte. Non sai quanto c'è costato».

«Lo so mamma, me l'hai detto cento volte».

Il dialogo tendeva a salire di tono.

«E lo sai qual è stato il mio viaggio di nozze?» Anche questa era una vecchia storia, ma sapeva che lei aveva bisogno di ripeterla ogni volta daccapo. «Il tuo povero padre dopo il pranzo di nozze m'ha portato al cinema, poi siamo andati a fare una passeggiata, uno spuntino, e infine a dormire in albergo. La mattina ci hanno portato la colazione in camera, come i signori. Poi siamo tornati a casa».

Una volta, esasperato, Luciano aveva detto che forse era meglio se invece di fare tanti sacrifici lo lasciavano morire di stenti, considerato quello che poi aveva combinato nella vita. Assuntina, fuori di sé, gli aveva ingiunto di non bestemmiare che la vita è un dono di Dio.

«Ma io che mi ritrovo adesso, me lo sai dire?»

«Sta' zitto, che non ci manca niente. Sei stato pure in Africa con la divisa addosso, come il tuo povero nonno Rino».

«Che c'entra adesso la divisa!»

«La divisa è un onore. Si vive e s'impara».

«Ma io facevo il contabile, mamma! Un contabile in divisa. E poi stavo quasi sempre mezzo nudo dal caldo».

Potevano andare avanti a lungo, rimproverandosi sempre le stesse cose, madre e figlio stretti da anni in quell'unico nodo dove tutto si confondeva: affetto, risentimenti, nostalgie, qualche speranza.

Quella mattina, però, lo svogliato inizio di litigio sulla pasta e ceci era solo un pretesto. Assuntina in realtà aveva altro per la testa.

«Mi preoccupa Luigi, – annunciò. – Ha voluto lasciare la scuola, è uno scioperato».

«Ma che dici, mamma, a parte la mia pensione, Luigi è l'unico che guadagna qualcosa qua dentro».

«Non ha piú voluto studiare. La tua povera moglie, che riposi in pace, c'è morta per metterlo al mondo e lui ha lasciato la scuola».

«Lavora e guadagna, fa la sua vita».

«Quand'era un ragazzino mi stava sempre appresso, mi chiedeva questo a che serve, questo come si dice... Adesso non si fa mai vedere, dorme fuori, chissà con chi».

«È diventato grande, mamma, gioca la sua partita. Che dovrei fare secondo te? Non gli posso imporre di tornare come se avesse quindici anni».

«E allora io pasta e ceci non la faccio piú».

Assuntina si alzò e andò a chiudersi nella sua stanzetta. Le immaginette appese al muro la facevano sentire al riparo dalle offese di ciò che non riusciva piú a capire in un mondo diventato cosí cattivo. Le sante vergini le sorridevano mansuete rischiarate da un lumino, con le mani giunte, il capo cinto di fiori e gli occhi rivolti al cielo. Intrecciò un rosario alle dita inginocchiandosi, si chiese con angoscia che cosa sarebbe successo a quella famiglia il giorno in cui lei non ci fosse piú stata, e diede il via alle sue litanie.

Ordinarono due piatti leggeri. Clara avrebbe potuto mangiare qualcosa al bar come faceva talvolta, oppure rientrare a fare un po' di compagnia a suo padre e nonna Assunta. Corrado però aveva chiesto con insistenza di vederla. Aveva aggiunto, con una vena d'ironia, di non aver ancora capito se loro due erano o no una vera coppia.

«Certo che siamo una coppia».

«Ci vediamo cosí di rado, Clara».

«La distanza spegne i piccoli amori, fa bruciare meglio i grandi».

«Non fare la scema. T'invito a pranzo».

«Te lo puoi permettere?»

Si stringevano la mano sopra la tavola guardandosi con simpatia. Ciò che li teneva insieme ormai da quasi due anni era forte almeno quanto le ragioni che impedivano un'unione piú stabile. Non si trattava solo di difficoltà logistiche, c'era come un inespresso disagio, la resistenza a cambiare completamente vita. Quando era capitato che passassero la notte insieme, a Clara era venuto di pensare che un alloggio cosí modesto abitato da uno scapolo, nella sua approssimazione, nel suo disordine, poteva anche richiamare un'allegra idea di provvisoria bohème. Per una coppia invece avrebbe solo evocato, sgradevolmente, la stessa penuria della sua famiglia d'origine, la replica di un destino al quale stava tentando di sottrarsi.

Arrivò il cameriere con le ordinazioni e si sciolsero, con un piccolo sentimento di vergogna, dalla stretta.

«Stai sempre lavorando sul tuo papiro?»

«Sempre di piú, – rispose Corrado. – Ormai non è soltanto questione di carriera, lo studio è diventato un'indagine, la ricerca di un'identità... Il papiro è quasi una persona. Contiene del testo, in parte danneggiato, figure, abbozzi, disegni, una descrizione della Spagna. Insomma una miniera, forse troppo».

«Pensi che sia un falso?»

«Sí, penso che sia stato fabbricato nell'Ottocento. Credo anche di sapere chi potrebbe esserne l'autore, si chiama Simonidis. Se vuoi ti racconto la sua storia, è incredibile».

«Sentiamo».

«Non qui, te la racconto stasera, a casa».

Scoppiarono a ridere. «Allora era una trappola», esclamò lei.

«È un invito, Clara. Ti rendi conto che ogni volta è come se stessi cercando di sedurti? Offerta doppia comunque: pizza con birra gelata e storia avventurosa di Simonidis, meglio di un film».

Valeva la pena ascoltarla, quella storia. Un misto di avventure, astuzia levantina, amore per la classicità venato dal denaro. Sullo sfondo la storia della Grecia, la leggendaria battaglia navale di Navarino, l'ultima combattuta da vascelli a vela. Suonava davvero come un film dove tutto è pieno di movimento e di colore. Nonostante ciò, Clara non riusciva ad appassionarsi. Era piú attenta al narratore che non a quello che stava raccontando, continuava a pensare al punto mai chiarito al centro della loro relazione, un aspetto molto meno romanzesco, addirittura banale, ma in quel piccolo cuore di tenebra avvolto da una fiamma un po' barcollante c'era la sua vita. Corrado era un bell'uomo, molto dotto, a volte un po' noioso, con buone probabilità di avere un rassicurante avvenire, per sé e per chi lo avesse condiviso. Un uomo buono e retto al quale molte ragazze sarebbero state felici di affidare la propria vita. Invece era proprio alla parola vita, cosí impegnativa, che lei si fermava non sapendo piú se andare avanti. Forse, pensò, sarebbe stato meglio conoscersi da vecchi, quando le spinte dei sensi diventano piú deboli ed è meno difficile evitare i loro inganni.

Corrado stava dicendo: «Certo, se quella battaglia fosse finita in un altro modo la vita di Simonidis sarebbe stata diversa, probabilmente anche la mia... Forse anche la tua».

Doveva essere arrivato a un punto davvero cruciale, lo sguardo era acceso, aveva accompagnato le ultime parole afferrandole saldamente le mani. «In altri termini non avrebbero dovuto sparare. Invece successe che da un'imbarcazione turca partirono dei colpi di moschetto contro una lancia britannica. Immediatamente gli inglesi risposero al fuoco, e poiché, come avevano dimostrato a Trafalgar, erano formidabili artiglieri, dopo qualche ora le navi turche ed egiziane erano tutte affondate».

Quel racconto, per Corrado, doveva rappresentare una specie di dichiarazione d'amore fatta nel modo in cui riusciva a farla un uomo come lui. Cambiò idea, credette d'intuire qual era la parola chiave. Non vita, bensí amore, un termine che avrebbe dovuto suscitare un particolare incanto, una specie di nebbia luminosa collegata a sentimenti eccezionali che lei però, quasi con spavento, non provava.

«Riesce a vendere una "storia egizia" in settanta fogli niente meno che al classicista Wilhelm Dindorf, – proseguiva lui imperterrito, – autore di raffinate edizioni critiche dei classici greci. Un avventuriero greco batte sul suo terreno un filologo tedesco, capisci?»

Clara continuava a chiedersi se quel lungo racconto obbediva a una particolare logica maschile o era solo tattica. Riguardava Simonidis o invece lei? Corrado esibiva la sua competenza di studioso o metteva in maschera un'inclinazione sentimentale? O era Clara che si stava illudendo? Forse anche Corrado provava le sue stesse difficoltà di fronte alla parola amore, e la filologia rappresentava un'uscita di sicurezza. I pensieri non dovrebbero essere tanto lontani dalle condizioni in cui vengono espressi, invece un racconto come quello – emozionante, ma estraneo a quel divano su cui si trovavano entrambi – aveva poco a che vedere con il modo in cui la serata si sarebbe conclusa. In fondo, qualunque cosa pensassero della misteriosa parola amore, erano lí per quello, non per parlare di un falso storico.

«Adesso ti dovrei elencare altre prove sul perché quel papiro non è di Artemidoro ma di Simonidis. Ragioni di filologia, linguistiche...»

«Forse non adesso», lo interruppe Clara baciandolo per tagliare corto.

«Allora ti dirò solo un'ultima cosa, – insistette Corrado cingendole le spalle. – Il giro della Spagna che quel documento descrive comincia sul Mediterraneo. E sai da dove?

dal Promontorio di Afrodite... È un po' come dire Monte di Venere, non credi?»

Era finalmente atterrato su qualcosa di solido.

18.

Mustafà era magnifico. Il volto bronzeo sotto l'impeccabile bustina bianca, i gesti da giocoliere con i quali trasformava una pallina di pasta in una sfoglia leggera, di perfetta circonferenza, avevano raccolto già ben due applausi. Ruotava la pasta sulla punta delle dita, lanciandola con un gesto misurato in aria per poi riprenderla al volo e guarnirla con i condimenti scelti dal cliente.

Il bar era pieno di gente, una vera festa. Avevano acceso le lanterne di carta e aggiunto una mezza dozzina di tavolini sul marciapiedi, anche se non avrebbero potuto. Tra i clienti c'erano anche i vigili, visibilmente felici, intenti a riempire sacchetti di plastica e contenitori di cartone con i supplí e le pizze appena sfornate, brucianti. I tavolini abusivi sul marciapiedi erano l'ultimo dei loro pensieri.

«Sembra che debbano sfamare una caserma», bisbigliò Roberto.

«Hanno fatto il pieno, adesso se ne vanno», rispose Luigi sempre a mezza voce senza smettere di sorridere.

«È uno di quei casi in cui si dice che lo champagne scorreva a fiumi», commentò Corrado, che aveva chiesto di poter partecipare ed era riuscito a far sedere un attimo Clara accanto a sé.

Deborah appariva raggiante, leggermente truccata, un vestitino stretto in vita, piuttosto scollato sul busto fiorente. Correva di qua e di là carica di piatti, leggera, quasi danzasse.

«È molto carina quella ragazza», osservò Corrado.

«Stava per cadere di sotto, l'abbiamo ripresa per i capelli», spiegò Clara.

«È stato difficile?»

«In questo caso no. Anzi, ha ripreso quota con grande prontezza... Mi sono chiesta come avesse potuto ridursi in quelle condizioni, era diventata poco piú di un oggetto nelle mani di un piccolo malvivente».

Luigi era chiaramente il piú su di giri. Il forno a legna era stata una sua idea, l'aveva voluto contro il parere degli altri, era riuscito a trovare i soldi, aveva firmato lui il mutuo con la banca lasciando fuori Roberto. Aveva detto di voler correre da solo il rischio perché il socio prima o poi se ne sarebbe andato a fare l'architetto mentre lui, Luigi, aveva solo il bar e lí sarebbe rimasto. «Fare cappuccini, – aveva aggiunto con un mezzo sorriso tra compiaciuto e malinconico, – è sempre stato il mio sogno». L'unica assente a quel festeggiamento era Melania.

Roberto aveva vinto un piccolo concorso per il progetto d'un canile modello, forse gli avrebbero affidato la direzione dei lavori, intanto si era specializzato nei tatuaggi, disegnava fiori, parole, simboli tribali, personaggi di antiche saghe, una ragazza gli aveva chiesto di riprodurle sul polpaccio il ritratto di Madama Butterfly preso da una locandina. Era rimasta contenta.

Mentre stava stappando due bottiglie di prosecco gli si avvicinò Deborah con espressione inquieta.

«Non voltarti subito, – sussurrò. – C'è quel ragazzo laggiú sul marciapiedi davanti alla porta, lo riconosci?»

Roberto cercò di mettere a fuoco il tipo nella confusione del locale, ormai dilagata anche in strada.

«Non è quello che veniva insieme...?»

«Sí è lui, si chiama Romolo, stava sempre con Omar. Era quello cattivo».

«T'ha riconosciuto?»

«L'ho salutato ma non ha risposto. C'era pure l'altro giorno. Chissà perché è tornato».

Luigi li richiamò spazientito, facendo segno che i clienti aspettavano. Deborah partí con un vassoio carico di schiumanti calici di prosecco.

Corrado era rimasto di nuovo solo, Clara s'era allontanata per intrattenere dei clienti mai visti prima, li invitava a gustare le pizze di Mustafà che proseguiva instancabile con i suoi giochi di prestigio; si sentiva la star della serata, a suo modo lo era, tra i numerosi maschi presenti era sicuramente tra quelli di piú nobile aspetto.

Nel posto lasciato libero da Clara andò a sedersi Luciano.

«Sono il padre di Clara», si presentò.

Si sorrisero.

«Stavo considerando il miracolo della pizza, – attaccò subito Corrado. – Un cibo semplice che deve la sua fortuna alla neutralità del pane».

Luciano lo guardò perplesso, incerto se dovesse vergognarsi per non aver capito o se quel giovanotto lo stesse solo prendendo in giro.

«Voglio dire, – riprese Corrado, – che la pasta di pane ha un connotato debole, lo si può completare con qualunque cosa, dalle cipolle alla cioccolata, direi che è un potenziatore di altri sapori, esagerando, potrei anche dire che è un sapore parassita».

Clara s'era avvicinata non vista, in tempo per udire le ultime parole.

«Corrado, ma devi sempre fare la lezione a qualcuno? Non farci caso papà, è un professore pedante, i suoi allievi lo detestano».

«I miei allievi mi venerano signor Luciano, non creda a sua figlia. Pensi che molti di loro alla fine del corso insistono con la filologia, rovinandosi per il resto della vita».

Luciano assisteva frastornato a quella schermaglia senza capire se dovesse prenderla o no sul serio, se era un vero litigio o solo un gioco. S'avvicinò Assuntina, vestita a festa, con la bocca ravvivata da un filo di rossetto cosí fuori posto da apparire commovente. Era stanca, voleva tornare a casa.

Deborah sembrava aver perso di colpo la sua leggerezza. Roberto l'osservava vedendo palpitare sotto le palpebre abbassate un oscuro processo che lo inquietava.

Il vociare sul marciapiedi intanto s'era trasformato in un urlio confuso e concitato. Luigi lasciò il bancone per andare a controllare. Alla piccola folla s'era unito un gruppo di giovani molto eccitati appena arrivati sui loro motorini. Avevano preso dal vassoio di Deborah una dozzina di bicchieri di prosecco, giocavano a versarselo addosso, infastidendo i vicini. Luigi alzò la voce: «Adesso basta!»

Uno di quelli, forse ubriaco, gli fece il verso. Un altro aggiunse: «È arrivato Ercolino!»

Luciano aveva preso Assuntina sottobraccio e stava cercando di farle largo nella ressa; salutò con un cenno Luigi sussurrando: «La accompagno a casa». Il giovane di prima, sempre più esaltato, gridò che bisognava fare largo perché adesso doveva passare Miss Italia. Luigi lo avvicinò minaccioso, ma prima ancora che avesse aperto bocca, qualcuno, un'ombra fulminea, si scagliò sull'ubriaco assestandogli due pugni in vertiginosa successione. Il ragazzo finí a terra con un urlo, cercava di tamponare il naso ma il sangue filtrava tra le dita facendogli rosso il dorso della mano. L'aggressore intanto sembrava scomparso. Ci furono delle grida, s'invocò un'ambulanza, quello rimaneva a terra gemendo. Roberto aveva portato di corsa un rotolo di carta da cucina, s'era inginocchiato accanto al ferito cercando di arrestare l'emorragia. «L'ambulanza, l'ambulanza», si continuava a gridare. Mustafà era rimasto ritto dietro il suo bancone, immobile, con le mani intrise di farina e di salsa di pomodoro, l'espressione afflitta, la bustina bianca un po' chiazzata di sudore. Nel forno alle sue spalle il fuoco stava languendo e per la prima volta nella serata non provvide a ravvivarlo, come se pensasse che qualcuno aveva rovinato l'inizio della sua nuova vita.

I barellieri saltarono giú mentre ancora si spegneva l'ultimo sibilo rauco della sirena. Fecero una provvisoria medicazione e ripartirono. Sul marciapiedi rimase una piccola chiazza brunastra che Roberto cosparse velocemente di segatura.

Nessuno aveva voglia di continuare la festa, le lanterne di carta variopinta finirono di consumarsi per loro conto, una sfrigolò di un debole fuoco.

«Forza, che non è successo niente, – fece Luigi con eccessiva allegria indirizzandosi in giro a tutti quelli che rimanevano. – Il lancio è fatto, bravo Mustafà!»

Mentre Roberto tornava nel retrobottega per depositare il secchio della segatura, Deborah gli si avvicinò, pallida.

«Lo so chi è stato. È Romolo, te l'ho detto che è cattivo. Quando c'era da menare qualcuno che non pagava le dosi mandavano sempre lui».

Roberto s'era fermato col secchio in mano ad ascoltare.

«La sera in cui hanno ammazzato Omar, – bisbigliò ancora Deborah, – sulla macchina ci doveva stare anche lui. Invece all'ultimo momento ha detto che non poteva, Omar è andato da solo a fare il giro. E quelli gli hanno sparato».

«Pensi che...?»

«Non lo so. Quello non m'è mai piaciuto».

19

Clara era consapevole del rischio di compromettere il risultato lavorando cosí saltuariamente al progetto. D'altra parte l'esperienza diretta con persone e problemi reali le dava la possibilità di sperimentare le sue competenze.

Avvertiva i movimenti del padre nell'appartamento, quella notte meno cauto del solito quasi che volesse farle sentire la sua presenza, forse nella speranza d'essere chiamato a fare due chiacchiere. Lei però aveva appena riaperto e sistemato le carte sulla scrivania. Voleva approfondire il caso di Else, la protagonista del racconto di Schnitzler che aveva lasciato in sospeso. Intendeva misurare un prodotto letterario mettendolo a confronto con una concreta esperienza clinica. Schnitzler contro Freud.

Freud vedeva nello scrittore una specie di sosia, forse un rivale, lo ammette in una lettera del 14 maggio 1922: «Mi son chiesto tormentosamente come mai in tutti questi anni io non ho cercato la Sua compagnia [...] Penso di averLa evitata per una specie di timore di incontrare il mio "sosia" [...] È sorta in me l'impressione che Lei conosca intuitivamente (in realtà in seguito a una fine auto-osservazione) tutto quello che io ho scoperto negli altri grazie a un faticoso lavoro. Credo che Lei sia soprattutto un esploratore in profondità».

La «profondità» di cui scrive riguarda probabilmente l'universo femminile. Anche Schnitzler ha scoperto l'importanza dell'attività sessuale. Per anni, e fino alla morte (1931) tiene uno scrupoloso diario delle sue numerose esperienze, molte con prostitute, arrivando a elencare ogni singolo orgasmo. Soprattutto dà alle donne una libertà che fino a quel momento era stata negata e che perfino Freud faticava a concepire: l'immaginazione erotica, come dimostra il fenomenale racconto *Doppio sogno* (1925) fondato proprio sulle possibilità delle fantasie e dei sogni di Albertine, la giovane moglie di un medico.

Clara però sfiora soltanto quel caso, il suo interesse resta concentrato sul tema delle donne manipolate e offese. La signorina Else da questo punto di vista è esemplare; l'ha lasciata alle prese col dilemma se deve o no acconsentire alla richiesta dell'anziano signor Dorsday: mostrarglisi nuda in cambio del denaro necessario a salvare suo padre dalla galera.

Siamo nel 1924, sono passati circa sei anni dalla guerra che ha segnato la fine dell'impero austro-ungarico, i rapporti sociali ne sono stati sconvolti. Else ha diciannove anni, ed è tormentata dall'incertezza. Vorrebbe sembrare disinvolta, invece si rende conto di essere soltanto goffa, è totalmente sola e deve sottostare a quella che nelle relazioni di quel tipo sa essere la legge. Due uomini, suo padre e il signor Dorsday, l'hanno cacciata in una trappola dalla quale, divisa tra opposti sentimenti, non sa come uscire.

«No, non mi vendo. Mai. Non mi venderò mai. Mi donerò. Sí, se una volta incontro l'uomo che fa per me, mi dono. Ma non mi vendo. Sarò una sfacciata, ma non una sgualdrina».

Il telefono prende d'improvviso a squillare, nessuno risponde, Luciano deve essere tornato a dormire, gli squilli continuano stridenti, sinistri nella solitudine dell'ora, perdendosi nel buio dell'appartamento. Tappandosi le orecchie Clara cerca di continuare il suo lavoro.

È vicina al drammatico finale del racconto. Else ha deciso: si spoglia gettando poi sul corpo nudo un mantello, l'amore filiale ha vinto, si mostrerà per un quarto d'ora nuda al suo tormentatore. Lo va a cercare e alla fine lo trova in una piccola sala da concerto, ma nel gesto che fa per richiamare la sua attenzione, il mantello le scivola di dosso ed è a tutti che mostra la sua carne spogliata. La musica si ferma di colpo, Else sviene, la portano nella sua stanza dove, vinta dalla vergogna, si avvelena.

«Come Hedda Gabler di Ibsen, come la signorina Giulia di Strindberg, Else soccombe al maschilismo della società, un tema che solo un artista come Schnitzler aveva saputo individuare e sviluppare. C'è addirittura chi sostiene che la tragica fine di Else sia la risposta data da un artista all'insensibilità dimostrata da Freud nel caso di Dora».

Aveva appena finito di abbozzare quella parte del lavoro quando il telefono tornò a squillare. Suoni aspri, una minaccia imprecisata, subdola. Si decise a rispondere. All'altro capo del filo la voce soffocata di Wanda. Sembrava facesse fatica a respirare, era ansimante come se controllasse a stento una crisi peggiore del pianto.

«Che sta succedendo? Mi dica che posso fare».

Wanda si limitava a chiedere aiuto, come ritirata in un luogo dov'era difficile raggiungerla.

«Vuole che venga da lei?»

«Non qui, non qui».

«Dov'è qui? Dove?»

Non sapeva rispondere nemmeno a questo, ripeteva solo di non poterla incontrare e che aveva bisogno di vederla. Un *clic* seguito da un flebile ronzio. Ripeté due o tre volte: «Pronto Wanda, pronto», nessuna risposta. Clara chiuse le carte, indossò un abito preso alla cieca dall'armadio, afferrò la borsa e uscí nel buio.

«Adesso che hai avuto quello che volevi che farai?»

Nella voce di Melania non c'era ansia, forse una punta d'ironia. Di quell'uomo tanto piú giovane sapeva o intuiva tutto; del resto non era difficile capirne i banali desideri, i prevedibili interessi, le ragioni che li tenevano insieme, le diversità che non avrebbero mai consentito un'unione meno precaria. Ma vedeva con chiarezza anche se stessa, talvolta riusciva a osservarsi con lucidità crudele.

Tuttavia, quanto piú Luigi appariva sfuggente, tanto piú il desiderio s'impadroniva di lei quasi creando uno stato di necessità, il bisogno non solo fisico ma anche mentale di sentirsi stretta tra le sue braccia, sopraffatta dalla sua forza irresponsabile di ragazzo.

Sedevano sulle chaise-longue del terrazzo nella tiepida dolcezza della sera, sorseggiando i Martini che Luigi aveva imparato a preparare in modo eccellente.

«Che voglio fare da grande? Il barman in un grande albergo, per esempio il tuo», disse con un tono di voluta leggerezza, un po' canzonatorio, agitando il bicchiere.

«Bisogna vedere se il capo del personale è d'accordo».

«Potresti mettere una buona parola».

Melania accese una sigaretta lasciando che il fumo si disperdesse verso l'alto.

«Bisognerà valutare se l'avrai meritata».

Il loro rapporto s'era come stabilizzato intorno a quelle schermaglie agrodolci, a degli amplessi cosí accesi da ridurli boccheggianti a contare i graffi e le lividure.

«L'altro giorno ho visto il direttore della banca, m'ha detto che i primi pagamenti sono stati regolari».

«Infatti la pizzeria va benissimo. Sto pensando di ridurre il bar a un angolo per i cocktail e allargare la pizzeria. Voglio cominciare a pensare in grande».

«L'hai detto ai tuoi soci?»

«Mia sorella Clara non conta, Roberto fa quello che dico io».

Melania s'era alzata e percorreva pigramente la terrazza continuando a fumare. Alle ultime parole si fermò fissandolo.

«Questo vale anche per me, immagino».

«Dài Melania, piantala, tu sei la mia donna».

«Io sono quella che ha firmato la fideiussione. E che ti fa scopare come non hai mai fatto».

Luigi le andò vicino. Sentiva il pericolo di quelle parole. Estrasse una bustina dalla tasca con un mezzo sorriso d'intesa e stese due strisce sul vetro del tavolinetto. Arrotolò una banconota e gliela porse. Melania si chinò ma invece di aspirare usò la banconota a mo' di cannuccia e soffiò via la polvere.

«Ma che, sei matta? Ma lo sai quanto costa?»

«Lo so benissimo, la pago io».

«Allora vuoi litigare, dimmelo subito che me ne vado».

«Volevo solo dire che hai trovato dei bei vantaggi alla tua età: questo posto, questa roba, questa donna... Tu che ci metti?»

«L'hai detto tu: l'età».

Melania lo aggredí senza preavviso. Uno schiaffo a mano aperta, sonoro, bruciante. Luigi reagí d'istinto, con la velocità del professionista, colpendo duro alla mascella. La donna alzò le braccia in un tardivo gesto di protezione, cadde comunque all'indietro preda di singhiozzi isterici, involontari. Luigi si precipitò su di lei abbracciandola, carezzandola, cercando le sue labbra. Melania però sbottò con vera violenza.

«Guarda che non attacca piú, – ripeteva cercando di graffiarlo. – Va' via, vattene, stronzo».

Luigi però non lasciava la presa, le stringeva il volto tra le mani cercando di costringerla a un bacio.

«Lo so che mi vuoi, – le sussurrava all'orecchio. – È inutile, noi due siamo fatti per stare insieme, fare a botte, scopare... Dài, che piace pure a te».

Lei seguitava a ripetere che se ne andasse via, via, singhiozzando senza lacrime, mentre lo percuoteva, graffiandogli le mani, le guance. Fino a quando Luigi ancora una volta non la sollevò in un solo slancio senza fatica apparente, entrò nella camera e l'abbandonò sul letto.

«Questa volta non funziona... Vattene, porco, figlio di puttana», continuava a ripetere la donna con voce sempre piú incerta.

Quando Clara raggiunse l'alloggio di Wanda il sole cominciava a schiarire il cielo al di là d'una bassa catena di colline. Fermò la macchina nella strada rigata dai solchi delle piogge, deserta in quell'ora tra la notte e il giorno. Udí il trillo del campanello risuonare con un'eco come di casa vuota. Invece ci furono i passi e Wanda socchiuse cauta la porta. Era irriconoscibile, un'ecchimosi bluastra le copriva quasi per intero la guancia sinistra.

«Stavo dormendo. Che vuole?»

«Mi ha chiamato lei. Pensavo che avesse bisogno di aiuto».

«Per adesso altro che aiuto, mi ha portato solo un gran casino».

Clara continuava a fissarla sbalordita.

«E tolga la macchina da lí, non dobbiamo farlo sapere a tutti che m'è venuta a trovare... La nasconda da qualche parte».

Andò a sistemare l'auto in un vicolo, al ritorno Wanda si fece da parte per lasciarla passare. Prima di chiudere gettò un'occhiata intorno, nella via deserta.

Anche la stanza era diversa rispetto alla volta precedente. L'armadio appariva sfondato, alcune delle suppellettili erano finite in pezzi sul pavimento. Rovesciata la poltrona, nell'angolo opposto era stato trascinato un materasso; sulla parete affiorava una grossa macchia scura formata da una materia vischiosa che seguitava a colare. Wanda raddrizzò la poltrona con un gesto rabbioso, sedette di schianto. Alcune mosche, forse attirate dall'odore, svolazzavano ronzando e battevano ciecamente contro il vetro della finestra, ingannate dalla luce.

«Le sono venuti dietro», disse finalmente.

«Chi m'è venuto dietro, dove?»

«Quand'è stata qui l'altra volta l'hanno seguita, cosí hanno scoperto dove sto».

Aveva pronunciato le ultime parole con voce rotta, e cominciò a gemere ondeggiando leggermente. Entrava e usciva dal cerchio di luce fioca della lampada, di tanto in tanto sembrava sul punto di vomitare. Clara notò le unghie spezzate, il colorito terreo.

«Ma è possibile, ma è possibile... pure lei mi doveva capitare».

«Wanda come faccio a capire, come posso aiutarla se non mi dice che cos'è successo».

La donna non smetteva di gemere, la mano contratta stringeva un fazzoletto davanti alla bocca. Lasciava filtrare qualche parola, diceva di toglierselo dalla testa di poterla aiutare, che quando non si sanno le cose non bisogna andare a complicare la vita delle persone, che aveva trovato quel rifugio e lei glielo aveva fatto scoprire, che adesso non sapeva piú dove andare, e che quelli erano venuti in tre e l'avevano quasi ammazzata, anzi peggio che ammazzata, peggio peggio...

Mostrò a Clara il braccio destro, una vasta macchia verdastra lo copriva quasi per intero all'altezza della piegatura del gomito. «Nemmeno le iniezioni sanno fare, guardi qua, m'hanno massacrato».

Nel tentativo di cacciarle l'ago in vena le avevano provocato una piccola lacerazione dalla quale continuava a uscire un po' di sangue.

«Wanda, dobbiamo chiamare subito un medico, e i carabinieri».

«E pure Biancaneve e Cappuccetto Rosso –. Aveva smesso di dondolarsi e di gemere, la stava fissando con odio. – Ma dove vive lei, ma di che parla? Perché è venuta? È meglio che se ne vada».

«Non me ne andrei nemmeno se lei fosse una sconosciuta, nemmeno se l'avessi incontrata adesso per strada».

Le sedette di fronte stringendole le gambe tra le proprie, poggiò le mani sulle sue spalle fissandola negli occhi.

«Adesso ho capito Wanda, avrei dovuto controllare, vedere se qualcuno mi seguiva. Ma sono cose strane, non potevo immaginare che succedessero davvero, a una come me...»

«Succedono a una come me, Clara».

Le raccontò che la sera prima erano arrivati in tre, due uomini e una donna, erano entrati e da quel momento aveva smesso di vivere. Era stata drogata. Alzò la gonna per farle vedere un'altra lividura sulla coscia. «Al braccio e qua», disse. Quello che era successo dopo lo sapeva e non lo sapeva.

«Mi stavano addosso in due mentre quell'altro filmava tutto. M'hanno fatto girare un film porno, lui, lei, tutt'e due insieme. Ore è durato, ore... Sono rimasta buttata lí, – indicò il materasso, – tutta la notte, quando loro sono andati via».

Aveva ripreso a piangere mentre cercava di staccare il cerotto malamente attaccato al braccio. Guardava la striscetta di plastica macchiata di sangue e piangeva piú forte.

«Non c'era bisogno di farlo, capisce? Non c'era bisogno... Voglio andare a chiedere la grazia alla Madonna».

Clara non capiva che cosa volesse dire che non c'era bisogno di quel massacro. In quello sfacelo, intravide un piccolo elemento positivo. Quando l'aveva chiamata, Wanda si trovava in uno stato alterato della coscienza. Nel momento d'agonia era a lei che aveva pensato per un aiuto; diventava spiegabile anche l'aggressivo rifiuto con il quale l'aveva accolta, una reazione diretta piú che altro contro se stessa.

«Wanda, mi deve raccontare come stanno le cose... Mi deve dire perché degli estranei possono entrare in casa, farle quello che le hanno fatto e lei non può nemmeno avvertire la polizia. Resterà tutto tra noi, però me lo dica. Mi parli di suo marito, di com'è morto... Era guardia giurata, vero?»

Wanda rispose che sí, era guardia giurata, ma aveva

cominciato come un piccolo balordo. Erano stati insieme per un bel po' di tempo e poi s'erano sposati, lei aveva l'abito bianco e il bouquet e gli invitati tutti eleganti gettavano il riso.

«Dopo un po' di tempo mi sono accorta che era forte di fisico ma non tanto di testa. Si lasciava trascinare, credeva di comandare, invece a comandare erano gli altri... Quando finalmente l'hanno assunto come guardia giurata, per un po' s'è salvato».

«A suo modo è stato onesto, – replicò Clara. – Quando vi siete sposati sapeva tutto di lui».

«Mi sono pentita cento volte. La mia era una famiglia per bene, non come la sua che s'arrangiava anche rubando. Mia madre m'ha convinto... È stata mia madre».

Pareva che stesse per ricominciare a piangere. Clara cercò un appiglio: «Mi ha detto che anche lei, come me, ha fatto la cassiera in un bar».

«Proprio quando facevo la cassiera è cominciato il casino. È stato come andare a sbattere contro un treno, lí per lí non me ne sono accorta, e nemmeno lui».

«Saprebbe riconoscerli?»

Wanda fece un cenno vago all'ambiente che poteva significare qualunque cosa. Il solo aspetto evidente era l'intollerabile intensità della sua sofferenza. Non rispose, ma era come se avesse detto che riconoscerli non serviva, non era quello il vero problema.

La storia sembrava non stare in piedi. Perché non poteva essere denunciata una violenza del genere? Clara si sentiva confusa e turbata quanto lei, assalita da una tale quantità di domande che non osava rivolgerne nemmeno una.

«Vorrei che si sentisse meno sola, è un risultato piccolo però possiamo raggiungerlo».

Non riuscí a dire altro. Aveva avvertito di colpo quale abisso separava il caso di Else e la povera donna disperata che aveva davanti.

20

Assuntina se ne andò com'era vissuta, in silenzio. Una mattina che alle sette e mezzo non era ancora in cucina a preparare la colazione, Luciano andò a bussare alla sua stanza e la trovò morta, minuscola, il volto ingiallito come di vecchia cera, un rosario intrecciato alle dita. La fine l'aveva colta durante una delle tante preghiere che rivolgeva al Signore; cosí rigida, gracile, quasi senza rilievo sotto le coperte, sembrava essersi composta da sola per la bara.

Durante il funerale, Clara osservava la piccola folla che aveva voluto partecipare: gruppetti isolati che non legavano tra loro, volti straniti dall'ora, dalla distanza, dagli impegni che li attendevano. Sembrava non esserci molto spazio per il raccoglimento, gli sguardi vagavano per la nuda volta della cappella cercando invano un ornamento sul quale potersi soffermare. Luciano era l'eccezione, il solo che apparisse sconvolto. Rivelava un turbamento cosí profondo che le stesse lacrime, se fosse riuscito a piangere, sarebbero state un sollievo.

Luigi aveva salutato la sorella da lontano mandandole un bacio con le dita. Se ne stava sul fondo, in piedi all'estremità di un banco ed era evidente, o almeno Clara lo capiva, che aveva fretta e non vedeva l'ora di correre chissà dove. Per l'ennesima volta si ripeté che avrebbe dovuto parlare con suo fratello, cercare di scoprire che cosa gli stava succedendo. Si aspettava che il successo della pizzeria lo calmasse. S'era addirittura parlato di passare stabilmente Deborah alla cassa e di assumere un'altra came-

riera per i tavoli. Invece non s'era calmato affatto, anche
quando gli avevano detto che Assuntina era morta, aveva
fatto una breve visita, s'era segnato un paio di volte ed
era scappato via.

Quando Luciano aveva scoperto la madre morta, aveva
chiamato Clara. Piú che chiamarla aveva emesso un grido
al quale lei era accorsa con il cuore in gola senza nemmeno togliersi lo spazzolino di bocca. Aveva tenuto stretto
suo padre che tremava incapace di articolare parola, poi
però s'era sorpresa a osservare la spoglia della nonna con
freddezza: nemmeno lei era riuscita a trovare davvero un
posto per il dolore, sentiva solo che la sua assenza per un po'
le avrebbe pesato. Le sarebbe mancato quel ciabattare,
quando si aggirava per casa rimuginando a mezza voce i
suoi logori pensieri.

Se mai le parole «riposo» e «pace» avevano avuto un
senso per alludere alla tragedia della morte, questo era il
caso di Maria Assunta. Assuntina, come tutti l'avevano
chiamata fin da bambina. Ogni volta che l'aveva sentita
rimproverare Luciano raccontando per l'ennesima volta la
penuria che aveva accompagnato l'intera sua vita, aveva pensato che su quella scena si sarebbe potuto organizzare un
seminario in facoltà, un classico della sindrome nota come
«invidia dei figli». Una madre cresciuta nelle ristrettezze
può invidiare i privilegi di suo figlio anche se si tratta di
vantaggi modestissimi, quali sicuramente erano quelli di Luciano. Nei casi estremi l'invidia verso un figlio è una scia-
gura; Assuntina s'era limitata a quegli ingenui rimbrotti,
resi via via piú deboli dalla loro stessa ripetitività. Aveva
sempre accettato ciò che la sorte le aveva riservato: chiusa
nella sua minuscola stanza, nei suoi riti, in una fede sulla
quale non s'era mai chiesta nulla e dalla quale nulla aveva mai preteso. Forse quella fede l'aveva protetta, in essa
aveva trovato un rifugio sufficiente a ripararla dai flebili
tumulti di una vita familiare sempre uguale, quando c'era
stata la guerra, quando era arrivata la pace, quando aveva

cominciato a vedere un po' di benessere, fino alle piccole preoccupazioni per i nipoti, quasi sempre inutili. In ogni caso, anche quelle modeste occasioni d'inquietudine erano finite, era arrivato il riposo. Eterno.

Il prete concluse dicendosi certo che mentre parenti e amici erano riuniti nella Casa del Signore a rendere l'estremo saluto alla sua spoglia, Assuntina dall'alto dei Cieli li benediceva. Perché in quel giorno non era morta, ma era nata alla vera vita che è quella della comunione con Dio e con tutti i suoi santi a cominciare dalla sua santissima Madre. Amen.

Assuntina aveva chiesto di essere seppellita nel paese dal quale era arrivata tanti anni prima, portata dai suoi genitori. Ricordava che da bambina le piaceva salire con le compagne di giochi a sbirciare le tombe col viso appoggiato alle sbarre di un cancello cigolante, però restando fuori perché a entrare avevano paura e s'accontentavano di quel breve brivido prima di fuggire via ridendo. Il cimitero era antico, stava in alto, su una collina che aveva le rive coperte di olivi; quando tirava vento di maestrale sembravano d'argento, digradavano a sbalzi verso il lontano violetto del mare.

Luciano l'avrebbe accompagnata perché non aveva niente da fare, perché voleva dare a sua madre un ultimo omaggio e in definitiva perché gli faceva piacere rivedere il paese d'origine. Sul sagrato era già pronta l'auto dei necrofori; sistemarono un paio di corone sulla bara, sembravano impazienti anche loro, c'erano quasi seicento chilometri da percorrere. Nel piccolo gruppo dei dolenti s'intrecciò qualche frettoloso saluto e Assuntina sparí per sempre.

Quasi senza che se ne rendesse conto, i passi avevano portato Clara nella strada dove abitava Corrado, non molto lontana dalla chiesa. Quando se ne accorse, anche se non s'era annunciata, decise di salire, chiedendosi se lo avrebbe trovato in casa. Ognuno affronta il lutto a modo suo: pur non essendo particolarmente addolorata, Clara sentiva però bisogno di un po' di raccoglimento. Il caldo abbraccio fraterno con cui Corrado l'accolse la mise un po' a disagio. Ancora di piú perché l'abbraccio si fece insistente, i baci consolatori si scaldarono avvicinandosi alle labbra, le mani irrequiete le serrarono la nuca nel tentativo di scioglierle i capelli.

«Corrado, torno dai funerali di nonna».

«*Tod und Leben*, morte e vita sono due facce inseparabili, ricordi Tristano?»

Clara si allontanò con un moto d'impazienza. «Per favore, oggi non mi sembra il caso di fare lezione».

Andò a sedersi sul divano dopo averne liberato un angolino dalle carte sparse dappertutto.

«Speravo che saresti venuto anche tu».

«Volevo farlo, poi ho pensato che non sapevo dove mettermi. Accanto a te sarebbe sembrato un po' invadente forse».

«È stata una bella cerimonia. Non c'era molta gente, il prete è stato abbastanza bravo, ha ragionato parecchio sul nome Maria Assunta».

«L'avrei fatto anch'io. Un dogma ti dà una buona base, anzi una base direi indiscutibile, su cui costruire un'orazione funebre».

«Mi ha colpito quando ha detto che mia nonna non è davvero morta, anzi che adesso ha cominciato la vera vita... La capacità consolatoria delle religioni è fantastica. Hai lí una povera salma che si corrompe nella bara e dici che quella non è morte ma vita».

«Sono assolutamente d'accordo, è uno scarto geniale, – replicò Corrado. – È la vecchia idea platonica dell'immortalità dell'anima adattata alla nuova religione. Nietzsche la chiama "il colpo di genio del cristianesimo". La cultura cristiana supera la dimensione tragica della grecità e cosí vince la sua partita. Sai però che cosa raccontano gli *Atti degli Apostoli*?»

Clara avrebbe fatto volentieri a meno di un'altra citazione ma non voleva dispiacere Corrado.

«A proposito di che?»

«Della resurrezione. Raccontano che quando Paolo di Tarso andò a predicare la resurezione dei morti nell'Areopago di Atene, lo trattarono come un ciarlatano. Tanto quelle "cieche speranze", come le chiama Eschilo, suonavano assurde per la loro cultura».

Clara era rimasta a fissarlo con un'espressione perplessa, Corrado s'imbarazzò, perse il filo.

«Non vorrei che mi ritenessi un povero scemo annegato nei libri. Sotto l'erudizione c'è un uomo che sta cercando di scavarsi un posticino nella vita. E che ti ama».

Clara non raccolse, temendo il possibile seguito.

«Ti ho interrotto, mi dispiace, stavi lavorando?»

«Stavo solo scrivendo una lettera al professor Canfora».

«Sempre su Artemidoro, suppongo».

«Quello è il mio impegno al momento».

«In conclusione ti ho interrotto».

Lo scambio semiserio aveva allentato la tensione.

«Ma che dici, lo sai quanto mi fa piacere vederti, il lavoro può aspettare... Con questo abito nero sei bellissima».

«Non mi sento mai bellissima, tanto meno oggi».

«Sulla bellezza lascia giudicare a me. Lo conosco bene il dolore della perdita, mia madre è morta quand'ero un bambino. Conosco quel senso di vuoto: poggi contro una colonna e di colpo la colonna non c'è piú. Si può finire a terra e farsi molto male».

«Per me non è stato cosí. Mia madre è morta di parto quand'è nato mio fratello, ma nonna Assunta ebbe buon intuito, mi caricò d'incombenze, che badassi il piú possibile a Luigi anche perché Luciano in quel periodo stava in Africa ed eravamo soli. Poteva sembrare una crudeltà affidare a una bambina piccola compiti a volte pesanti, invece avermi fatto sostituire in tante cose mia madre m'aiutò a farmi sentire meno la sua mancanza».

La conversazione aveva preso l'andamento consueto di
uno scambio tra amici. Pur amando Corrado e sapendo bene
quanto lui la ricambiasse, Clara continuava a chiedersi da
dove venissero i contrastanti sentimenti che le suscitava.

Di Corrado detestava la saccenteria, le piaceva invece il suo sapersi perdere in una ricerca filologica quasi arrivando ad abitarla, come se quello fosse il vero mondo,
l'unico in cui aveva davvero voglia di vivere. Nello stesso
tempo diffidava della sua perenne astrazione, forse perché ne conosceva una simile in sé. Ritenendo se stessa non
del tutto affidabile sul piano pratico, tendeva ad attribuir-
gli l'identica fragilità. Non le era dispiaciuto del tutto lo
slancio con cui l'aveva accolta, sapeva che il tubino nero
aderente, il piú adatto che avesse per una cerimonia funebre, avrebbe fatto un certo effetto. In fondo sarebbe piaciuto anche a lei cedere, liberarsi di quella guaina luttuosa
senza preavviso, per una volta lasciandosi semplicemente
andare. Non la trattenevano né il dolore né il ritegno, né
l'odore d'incenso che probabilmente si portava ancora addosso. Guardava Corrado cercando di immaginare come
se la sarebbe cavata alle prese con le difficoltà della vita
reale, gli urti, le ferite, la violenza, le umiliazioni di cui lei
stava facendo esperienza per la prima volta. O anche solo con l'incombenza di andare a comprare un chilo di fa-
giolini possibilmente freschi e senza filo. Il colloquio con
Wanda stuprata e ferita, incapace di una qualunque difesa
per ragioni che ignorava, aveva avuto su di lei un effetto
sconvolgente. Rincasando aveva pensato che avrebbe dovuto occuparsi solo di storia delle idee, non era abbastanza attrezzata a reggere urti di tale violenza con realtà che
avrebbe preferito ignorare.

Corrado intanto continuava a parlare di quanto fosse
facile falsificare anche un inchiostro a base di nerofumo:
sia Vitruvio sia Plinio ne avevano descritto la composizione, dunque non era difficile farne uno praticamente iden-
tico a quello antico.

Si fermò come se volesse ascoltare un suo parere. Clara non aveva sentito una parola e non avrebbe saputo che cosa dire. Sedendosi sul divano, la gonna stretta era risalita scoprendo le gambe. Cercò invano di farla ridiscendere. Lui dovette interpretare l'inutilità del tentativo come un richiamo delle sue intenzioni iniziali; abbandonò ogni ulteriore spiegazione sull'inchiostro.

21

Senza dire niente a nessuno, Luigi aveva ripreso con regolarità gli allenamenti di lotta. Ogni giorno faceva due o tre ore di palestra: aveva chiesto a Carmelo, il gestore, di organizzargli un combattimento. Carmelo l'aveva soppesato, perplesso. Aveva detto che era presto, che lo vedeva un po' giú di forma: in quelle condizioni combattere non serviva a niente, anzi, rischiava pure di farsi male.

«Non avere fretta, lavora coi pesi e a corpo libero, quando ti vedo pronto te lo trovo io uno adatto». S'era fermato un attimo, dopo un'altra occhiata aveva aggiunto: «Non sei piú un ragazzino».

Era la prima volta che Luigi si sentiva dire una frase del genere. Francamente non pensava di essere ancora arrivato a quel punto, ma se Carmelo aveva detto cosí voleva dire che avrebbe dovuto pensarci: era da quasi quarant'anni che quello batteva le palestre, gli allievi aveva imparato a valutarli con gli occhi prima ancora che si spogliassero. Quelle parole l'avevano innervosito, aveva caricato i bilancieri con un'altra ventina di chili tanto per far vedere che con la pura forza era a posto. Da quando il tempo aveva cominciato a stiepidire, indossava spesso magliette aderenti a maniche corte che davano risalto a pettorali e bicipiti. La prestanza fisica gli dava sicurezza, il senso di una sfida vinta anche senza combattere, la certezza che se qualche stronzetto lo avesse infastidito ci avrebbe pensato lui a stenderlo, questa volta.

I rapporti con le persone piú vicine avevano cominciato a farsi difficili. Melania in certi momenti era un peso; perfino con Clara erano ormai frequenti i momenti in cui preferivano tacere perché se avessero cominciato a parlare non si sapeva bene dove sarebbero finiti. Soprattutto doveva affrontare Roberto, comunicargli il progetto di smantellare del tutto la zona bar per dare ulteriore spazio alla pizzeria. Era sempre piú convinto che l'intuizione fosse giusta, gli incassi erano cresciuti, il margine di guadagno su pizzeria e piatti freddi era molto piú alto, buona parte della redazione del quotidiano ormai pranzava da loro. Secondo il commercialista, se l'andamento si fosse confermato, si sarebbe potuto estinguere il mutuo in anticipo. Pura indicazione teorica, perché in realtà conveniva mantenerlo il piú a lungo possibile per ragioni fiscali.

Una sera si decise finalmente ad affrontare l'argomento con Roberto. Era stata una lunga giornata, faticosa, con il locale pieno di gente fin dalla mattina. Mustafà aveva già pulito la sua parte, messo a posto gli attrezzi, portato fuori i rifiuti ed era uscito diretto verso certi suoi misteriosi giri notturni. Clara stava trafficando nel retrobottega. Deborah cadeva dal sonno, dopo aver rassettato e spazzato aveva appoggiato la testa sulle braccia incrociate e s'era addormentata a un tavolino in attesa di rincasare.

Roberto sembrava contento, erano cominciati i lavori del canile, per di piú aveva consegnato il progetto di ristrutturazione di un appartamento illustrandolo con cura sulla pianta: camere, disimpegni, servizi, una piccola soffitta; il cliente aveva detto che era proprio come l'aveva sognato.

Luigi tirò fuori le carte del commercialista con i conti delle ultime settimane.

«Molto bene, – commentò Roberto. – Volendo potremmo addirittura pensare a un investimento».

«Era proprio quello che ti volevo dire; pensavo di allargare la pizzeria».

«Veramente stavo pensando a un investimento diverso... Se allarghiamo la pizzeria dove lo mettiamo il bar?»

«Appunto, toglierei il bar, solo pizzeria. Possiamo fare i cocktail, una cosa chic».

Roberto sembrava perplesso, obiettò che in quella zona del quartiere il loro era il solo bar aperto, che avevano una clientela affezionata, che svolgevano una specie di servizio pubblico. Indicò sui fogli contabili gli incassi della parte caffetteria, tutto sommato modesti, però in netto e crescente attivo. Luigi non rispondeva direttamente, erano obiezioni ragionevoli ma si limitava a far cenno di sí, come se acconsentisse, salvo tornare a insistere sulla sua proposta sicché la discussione restava sempre allo stesso punto. Alla fine ruppe gli indugi, lo disse chiaro e tondo:

«Senti Roberto, il bar lo voglio chiudere, voglio guadagnare di piú, voglio pensare in grande... Ti rendi conto che Mustafà è una miniera? Non c'è nessuno che fa le pizze come lui qua intorno, dobbiamo sfruttarlo il piú possibile. Finché dura».

Roberto non rispose subito. Si guardò intorno, lanciò un'occhiata a Deborah addormentata cosí profondamente che un sottile filo di saliva riluceva all'angolo della bocca semiaperta. «Non mi convince il progetto, Luigi –. Non era d'accordo e non voleva nasconderlo. – Ci siamo appena sistemati, abbiamo un forte debito, fare il passo piú lungo della gamba potrebbe...»

L'altro non gli lasciò finire la frase.

«Roberto, ragioni da vecchio. Bisogna andare avanti, osare».

Anche se manteneva la voce bassa, aveva indurito il tono, suonava ostile.

«Non mi piace quello che hai detto, – replicò Roberto. – Anzi, visto che ci siamo, da un po' di tempo non mi piaci nemmeno tu, mi tocca dirtelo».

Roberto parlava con apparente calma, a bassa voce come per non svegliare Deborah. Anche nelle sue parole si sentiva però vibrare una nota contenuta di risentimento. Disse di aver intuito da dove venivano i soldi che aveva-

no permesso i lavori, e quando Luigi rispose con tono ri-
soluto che venivano dalla banca rispose: «Sí, certo, dalla
banca». Le carte le aveva viste anche lui, ma riferí le parole beffarde che gli aveva sussurrato il direttore nel dargli una copia degli atti: «Certo che voi due avete una bella
santa in paradiso».

«Io queste figure non le voglio fare», ribadí Roberto.

«Figure di che?»

«Dài, ci siamo capiti».

«Sei fuori strada, Roberto. Se ti riferisci a Melania, è
una donna sana di mente. Né tu né il direttore dell'agenzia potete dire una parola su questo. Domani vado lí e
chiudo i conti».

«Luigi, non puoi affrontare un argomento cosí delicato
in questi termini... E poi è inutile che stiamo a discutere
a quest'ora».

«Hai paura ad affrontare il problema?»

«È tardi, la scelta è difficile. Siamo tutti stanchi... Guarda Deborah, possiamo riprendere domani».

«Tranquillo che Deborah te la sistemiamo comunque,
– fece Luigi di rimando come se volesse rimettere in paro
i conti. – Potrebbe imparare a fare i cocktail, carina com'è
qualche cliente lo porta».

S'erano fermati appena in tempo, ma quelle quattro
frasi dette con un crescente livore avevano spezzato qualcosa. Forse Luigi se ne rese conto, volle apparire ragionevole anche per non essere accusato d'essere stato lui a
causare la rottura.

«Ne ho parlato a lungo con il commercialista, proprio
per essere sicuro. L'azienda sta attraversando una fase di
crescita. Ora dobbiamo scegliere. O ci assestiamo su questi livelli, che significa restare fermi, o andiamo avanti. Sai
che ha detto il commercialista? "Statici o dinamici, dovete
scegliere", cosí ha detto. Io mi sento dinamico».

Su quelle parole sciolsero la trattativa. Roberto svegliò
Deborah, Luigi badò a tirare giú le saracinesche e a chiu-

dere, s'avviarono ognuno per la sua strada salutandosi sulla porta a mezza bocca.

Roberto aveva capito benissimo che c'era poco da discutere: anche se le quote che avevano versato all'inizio erano di pari importo, la gestione l'aveva sempre curata Luigi. Nei fatti il socio piú forte era lui, anche perché era chiaramente quello piú interessato. Una piccola azienda come la loro si reggeva a patto che i rapporti si mantenessero amichevoli, se si doveva creare un conflitto era meglio lasciar perdere. Quella volpe di Mustafà, chino a impastare la farina, aveva già fiutato l'aria: un giorno gli aveva sussurrato strizzando l'occhio che la vecchia signora non gli piaceva. Si riferiva a Melania, che ci sarebbe rimasta male a sentirsi chiamare «vecchia signora».

La discussione riprese la mattina dopo con toni che erano insieme fiacchi e ostili, quasi che entrambi dessero per scontata l'inutilità di tornare sull'argomento. Roberto insisteva a dire che la cosa piú saggia, dopo tanti affanni, sarebbe stata godersi per un po' il successo, assestarsi economicamente, riflettere con calma sulle scelte future.

«Non sono decisioni che si possano prendere solo perché per qualche settimana gli affari sono andati bene. E se il vento cambia? Se apre un altro bar piú grande e ci porta via i clienti? Allargarsi ora è prematuro... Peggio: è imprudente».

«E chi ti ha detto che voglio essere prudente? Se te la fai sotto non dovevi fare questo mestiere!»

«Cosa, il barista?» esclamò Roberto stupito. Aveva sempre considerato il locale, i tatuaggi, l'idea di riempire in quel modo i mesi vuoti dopo la laurea, un periodo sospeso in attesa di una scelta sicura.

«Luigi, non ho mai considerato il bar una decisione per la vita. E nemmeno Clara, mi pare».

«Lascia perdere mia sorella».

«La sorella vorrebbe dire la sua, visto che si parla di lei». Senza che se ne fossero accorti Clara s'era avvicinata e aveva ascoltato le ultime frasi. «Non voglio fare la sorella maggiore di tutti e due, ma forse una parola la posso dire».

«Clara lascia perdere...» obiettò Luigi.

«No, lascia perdere tu! E stammi a sentire. Vi racconto una storia che può aiutare tutti, anche me. Si trova in un libro di James Hillman che s'intitola *Il codice dell'anima*. Hillman racconta...»

«Clara, che palle!» esclamò Luigi spazientito.

«Mi dispiace, ma se stai a sentire forse impari qualcosa pure tu».

«A te t'ha rovinato quell'altro rompi di Corrado».

Clara si rivolse a Roberto ignorandolo.

«Hillman racconta che una sera una bambinetta nera di New York salí sul palco per un piccolo saggio di fine anno. Il presentatore annunciò con enfasi che l'avrebbero ammirata in una prova di danza. Lei però gli tirò la giacca e disse sottovoce: "Voglio cantare". E cantò. Si trattava di Ella Fitzgerald, di colpo diventata consapevole di ciò che voleva fare nella vita».

Adesso i due la guardavano non molto sicuri di aver capito il senso dell'aneddoto, che date le circostanze aveva il tono di una parabola. Quei mesi erano serviti a maturarli, pensò Clara, li avevano fatti diventare piú consapevoli e proprio questo ora creava contrasti perché una maggiore coscienza spingeva verso mete differenti. Mentre loro stavano per trovare un orientamento definitivo, lei aveva l'impressione di perdere il suo.

Il commento di Luigi fu sgarbato: «Ha parlato la maestrina».

«Volevo solo dire che potreste avere ragione tutti e due, Roberto a non voler investire qui tutto il suo futuro, tu che credi di avere finalmente trovato qualcosa che ti appassiona... Hillman dice che ognuno ha dentro di sé un *daimon*, una vocazione, il tuo evidentemente abita da queste parti».

Luigi chiuse la discussione tagliando netto. «Roberto

può fare quello che gli pare, tu pure, io pure, la pizzeria andrà benissimo».

Tornarono ciascuno ai propri incarichi. Per una volta Clara si sentiva contenta di sé. Non per aver messo una ragionevole – anche se forse inutile – parola di distensione, ma perché le sembrava di aver visto con lucidità la questione. Roberto e Luigi facevano bene a tenere ciascuno il punto, a costo di litigare. Nulla sarebbe stato peggio che invidiare un giorno la vita che non erano riusciti a vivere: scaricare la delusione, o il rancore che sicuramente ne sarebbe derivato, su chi gli stava accanto. O su se stessi. Tra le prime cose che ogni individuo vuole avere per sé c'è sicuramente una vita che aderisca il piú possibile ai desideri della giovinezza, compresi quelli forse poco confessabili che sembravano agitare Luigi.

22

«Dire che cosa? Quello che è successo in quei giorni? I fatti che hanno portato alla strana morte di mio marito? O tutto quello che c'è stato prima che è in definitiva la mia vita, segnata dalle rughe che ogni sera sento sotto le dita quando vado a letto. Il modo in cui una donna sposata riesce a diventare una cosa tutta diversa da quello che pensava. In tanti anni e con tante amicizie anche intime che ho avuto con donne, non ne ho incontrata una, dico una, che non abbia provato una sensazione di ghiaccio nel collo il giorno in cui s'è accorta che lo sguardo degli uomini passava attraverso il proprio corpo come se al suo posto ci fosse un mobile o un gatto. L'ho imparato presto. Il marito di Giacinta, sorella di mia madre, si chiamava Gianluigi, in famiglia lo chiamavamo zio Gino. Aveva una piccola impresa edile, s'era preso una cotta tremenda per una certa Lulú, una che da giovane cantava canzoni napoletane nei varietà poi s'era messa a fare l'entraîneuse, che sappiamo alla fine che vuol dire. La copriva di regali. Nei rari momenti in cui stava a casa, non diceva una parola, guardava attraverso il corpo di zia Giacinta nemmeno fosse stata una finestra aperta».

Clara riordinava gli appunti del primo vero colloquio avuto con Wanda. Tendeva l'orecchio di tanto in tanto per sentire se Luciano stesse girando per casa. Da quando Assuntina era morta c'era un tale silenzio che, al di là di due

porte chiuse, arrivava nella sua stanza il ticchettio debole della pendola del salotto. Era turbata, non sapeva bene
come avrebbe potuto utilizzare le cose che Wanda aveva
cominciato a raccontare. Sembravano importanti, sinistre
e improbabili, anche se lontane dai problemi che al momento l'affliggevano. Proprio mentre evocava la figura di
suo zio Gino, Wanda le aveva chiesto se stava parlando
troppo, se voleva che si limitasse agli ultimi fatti. Aveva
dato la risposta classica: non è necessario ricordare con ordine, poteva cominciare da quello che le veniva in mente,
ciò che serve è parlare. Si può cominciare da dove si vuole, pure da episodi lontani – anche se in certi casi diventa
uno stratagemma per difendersi dal disagio del presente.
Poco dopo, Wanda aveva detto qualcosa che forse spiega-
va perché avesse cominciato rievocando la storia dello zio
con la ballerina Lulú: quella vicenda era stata la sua unica vittoria in una vita dove di vittorie ce n'erano poche.
La chiave di quel primo colloquio si nascondeva probabilmente in quelle parole, sarebbe stato utile approfondirle.

«Nel caso di zio Gino credo che la novità di quella ragazza giovane e disinvolta, di quella carne profumata
di cipria mezzo nascosta e mezzo offerta dai vestiti da
sera che indossava sul lavoro, sia stata la ragione principale per la quale ha perso la testa. Almeno, l'ho creduto fino a quando non ho saputo la verità. Il divorzio
in Italia è venuto molti anni dopo e la povera zia Giacinta che non aveva una lira doveva continuare a in-
goiare l'umiliazione di quelle partenze improvvise che
tutti sapevano dov'erano dirette, sfogandosi a rompere
qualche piatto dopo aver urlato. Succedeva in genere
di domenica, credo che non ci sia stata nemmeno una
domenica senza una scenata, in casa nostra. Stavamo
tutti a tavola e non s'era ancora finita la minestra che
si sentiva zia Giacinta che urlava in cucina e poi il rumore dei piatti che finivano a pezzi.

Alle sorelle, Giacinta e mamma, era andata in eredità la casa divisa in due, una metà ciascuno. Uno di quei fabbricati lunghi con il tetto di tegole e la scala al centro che per fortuna si possono dividere bene. Mio padre Orlando lavorando come un negro, e lo zio Gino trafficando con case vecchie e nuove, erano riusciti a sistemare i due appartamenti facendo costruire i bagni che prima non c'erano e dividendosi il pianerottolo in cima alla scala in modo che ognuna delle due famiglie avesse una sua entrata.

La morte di zio Gino me l'hanno raccontata almeno dieci volte, ogni volta in un modo diverso e nascondendo sempre la verità. Fino a quando un giorno ho voluto incontrare Lulú, che aveva aperto un negozio di parrucchiera. M'ero appena sposata, mi sentivo una donna fatta, m'ero illusa di poter essere padrona di me stessa. Sono entrata nel negozio, lei ha alzato gli occhi dalla cassa dietro la quale sedeva fumando, e ha compreso, con l'intuito sveglio che possiedono le donne che hanno fatto il mestiere, che io non ero una vera cliente, anche se avevo un bel cappotto e un paio di scarpe nuove molto care.

Ha capito subito che ero in qualche modo legata a lei sotto la mia aria da signora borghese, col vantaggio indiscutibile d'avere almeno dieci anni di meno e di essere anche piú bella. Avevo prenotato per telefono, ho salutato con un cenno del capo e mi sono seduta in attesa. Alle pareti erano attaccate tre o quattro locandine dei suoi spettacoli con le foto in costume. Lulú in scena portava un testone di capelli neri e ricci, qualche volta raccolti a fatica dentro un cappellino di paglia appoggiato all'indietro in modo sbarazzino, da monella. Adesso invece, seduta alla cassa del suo negozio, aveva un caschetto di capelli lisci e platinati come una tedesca: finalmente aveva tutte quelle lavoranti a disposizione per farsi stirare e pettinare come voleva.

In un'altra foto le mani di Lulú, poggiate sull'impugna-
tura di un ombrellino, erano rivestite da guantini di filo
bianco come in certe stampe dell'Ottocento.

Mi guardava cercando di ricordare dove c'eravamo incontrate. In realtà non c'eravamo mai incontrate, io
però la guardavo in un certo modo che l'aveva messa in
soggezione. Al momento di pagare le dissi chi ero, senza
alzare gli occhi. Vidi la mano stringere per un attimo il
biglietto da diecimila che stava infilando nel cassetto.
Ci fissammo, cercavo di sorridere ma dovevo sembrare
solo indisponente. Lei si stava sicuramente chiedendo
quali guai annunciavo, se ero andata lí per fare una scenata e magari umiliarla davanti al personale. Andammo
a prendere un aperitivo senza dirci molto. Parlò dello
zio con cautela, dicendo sempre "il signor Gino" come
se fosse un estraneo. Chiaramente stava aspettando che
scoprissi io le mie intenzioni.

Io però facevo apposta a tenerla sulla corda, giravo intorno. Mi divertivo mentre cercava di non mostrare la
sua ansia, tanto non avevo niente da perdere. Comin-
ciammo a camminare, anche se le scarpe nuove mi facevano male. Dissi a Lulú che zia Giacinta stava in un
ospizio per anziani dove in pratica la mantenevamo noi
della famiglia, che però era meglio se quelle spese cerca-
vamo di dividercele un po' fra tutti quelli che avevano
conosciuto Gino e gli avevano voluto bene. Questo lo
dissi di proposito. Il mio tono doveva averla rassicura-
ta, però quando parlai di soldi si fermò di botto, l'anti-
cipai prima che avesse il tempo d'aprire bocca. "Lulú,
– dissi, – guardiamoci in faccia, nessuna di noi può per-
mettersi di perdere quello che ci siamo guadagnate. Ma
tra noi due quella che può perdere di meno perché ha
meno tempo davanti sei tu. Quindi niente chiacchiere:
giochiamo onestamente, altrimenti sono guai". Stavo
bluffando perché Lulú era una donna libera e io, come
poi le dirò, mi illudevo solo di esserlo; tra le due ero

io in realtà quella che rischiava di piú. Lei però non lo sapeva, e poi mi faceva troppa rabbia. Comodo prendersi i soldi dello zio Gino e lasciare quella poveraccia della vedova in un ospizio dove l'aveva fatta accettare il parroco. Troppo comodo.

Eravamo arrivate davanti a un giardino, chissà dove. Lulú s'appoggiò a una colonnetta senza dire piú una parola, sembrava sfinita. Restò un bel po' zitta a fumare, poi mi raccontò cos'era veramente successo tra lei e Gino. Disse che a quell'uomo arrivato alle soglie della vecchiaia lei aveva finalmente insegnato cosa vuol dire fare davvero l'amore. Lulú parlava fumando in continuazione, sostenendosi alla colonnetta come se avesse paura di cadere. Ero cosí presa dal suo racconto che avevo perfino dimenticato il male ai piedi. Mi stava dicendo che i soldi di Gino se li era guadagnati perché la vera moglie era stata lei, non Giacinta che in tanti anni di matrimonio mai una volta era stata capace di far godere suo marito. Era a lei che veniva a confidare le pene, gli affari che andavano bene e quelli che invece lo facevano soffrire. Questa era la sua versione, o forse ripeteva ciò che Gino le aveva davvero confidato, chi lo sa. E poi alla fine anche se non me l'ha proprio detto, io ho capito lo stesso che zio Gino l'ha ammazzato lei, succhiandogli via la vita. Era questa la ragione per cui in famiglia, appena qualcuno accennava all'argomento, si cambiava subito discorso.

Lulú aveva cominciato a piangere senza far rumore, ma non mi faceva nessuna pena. Aveva tirato fuori un fazzolettino perché le lacrime le colavano piú dalla punta del naso che dagli occhi, mi voleva dare a intendere che lei una pensione per la vecchiaia se l'era guadagnata piú di zia Giacinta.

Quale delle due era stata la vera moglie? Non sono tipo da rispondere a domande cosí difficili. Preferisco le decisioni prese d'istinto, a caldo, e non pensarci piú.

Non sapevo che dire, quello che Lulú m'aveva rivelato aveva stabilito dentro di me una situazione di parità. Stavo per lasciar perdere ma è stata lei a darsi la zappa sui piedi: forse aveva capito d'aver quasi vinto e volle affondare l'ultimo colpo. A mezza voce, come se si vergognasse, aggiunse che era un passato che voleva dimenticare, o qualcosa del genere. Allora mi sono arrabbiata. Una che vuole dimenticare non attacca alle pareti del negozio tutte quelle foto di scena con i guantini di filo, il tutú troppo stretto, il cappellino sulle ventitre, il vestito da sera, che poi era il costume con il quale, dopo qualche bottiglia di finto champagne, si portava in albergo gli scemi come il povero zio Gino. Dovetti minacciarla, però senza esagerare perché sapevo di non avere alcun diritto. La retta del cronicario non volle dividerla lo stesso, comunque riuscii a farle mandare un po' di soldi a zia Giacinta. Un paio di settimane di attività del negozio di parrucchiera, tolte le spese vive, e sempre ammesso che nel retrobottega di soldi non ne mettesse insieme altri facendo qualche trucchetto con le lavoranti».

Fino a quel punto Clara non sapeva come utilizzare il racconto di Wanda. Quelle lontane memorie, che erano probabilmente solo una premessa alla vera storia, suonavano totalmente scollegate da ciò che ora la spaventava, dalla terribile aggressione che aveva subìto, dall'inchiesta sull'assassinio di suo marito. Del resto Wanda era stata chiara quando l'aveva chiamata al telefono: «Al punto in cui sono, – aveva detto, – ho deciso di parlare e di dirle tutto... Se mi succede un guaio saprà come stanno davvero le cose». Parole che l'avevano lasciata sgomenta. Stava passando da una situazione in cui non sapeva bene nemmeno di che cosa si stesse parlando, a una, opposta, in cui rischiava di saperne troppo.

E perché quelle confidenze le faceva a lei e non al suo avvocato, che avrebbe saputo come utilizzarle? E l'aveva poi scelto un avvocato, come Serafino le aveva consigliato? S'era data questa risposta: ciò che aveva cominciato a dirle avrebbe potuto giocare a suo danno. Certo non gli sfumati ricordi dello zio Gino, ma i fatti che probabilmente sarebbero seguiti; se questo era vero, la difesa dell'avvocato ne sarebbe stata psicologicamente indebolita. Lei invece era una testimone neutrale, un orecchio disposto ad ascoltare, a comprendere, a tacere, che soprattutto non aveva alcun obbligo di riferire.

Udí i passi incerti di suo padre che s'aggirava per l'appartamento. Da un momento all'altro si sarebbe affacciato alla porta per fare le solite due chiacchiere. Da quando era tornato dal paese dove aveva seppellito sua madre, Luciano era precipitato nel buio dell'apatia. Sembrava aver perso ogni slancio, passava la maggior parte del tempo a letto facendo finta di leggere, dormendo o fissando il soffitto. Un paio di volte, entrando nella sua stanza, Clara aveva visto che se ne stava con gli occhi aperti e che li aveva subito chiusi, fingendo di dormire, per non dover rispondere ai suoi inviti ad alzarsi, a fare qualcosa, almeno a radersi. Si faceva raramente la barba, girava per casa in ciabatte con il volto coperto da un'ombra bianca che lo faceva sembrare uno di quei vecchi che chiedono l'elemosina.

Clara ne aveva parlato con lo psichiatra del reparto dove aveva fatto pratica. «Ci vorrebbe un gerontologo, – aveva detto. – Da quello che mi dici mi sembra un attacco depressivo post-traumatico... Cerca di farlo muovere, l'inattività è perniciosa. Moto, un po' di ginnastica; cerca di tenerlo mentalmente in esercizio, qualunque cosa, i quiz, i solitari, perfino le parole crociate».

Lei non aveva avuto il coraggio di dirgli che le parole crociate le faceva quando stava bene e che adesso anche rispondere alla domanda «fiume che attraversa Torino, due caselle» era diventato un problema.

I passi non s'udivano piú e la porta non era stata aperta. Il silenzio era piú inquietante dell'incerto procedere di poco prima. Clara accantonò gli appunti, spense del tutto il registratore che aveva lasciato in pausa e uscí a vedere. Le lampade del corridoio erano spente, una lama azzurrina di luce veniva dalla porta della cucina. Luciano era sdraiato a terra, per metà sotto il tavolo: cadendo doveva aver battuto, un grumo di sangue macchiava lo zigomo. Clara trattenne l'urlo. Parlò con voce che voleva sembrare calma.

«Papà, che fai sdraiato sotto il tavolo? Ti senti bene?»
Luciano la fissò, contento di riconoscerla.

«Clara, ciao, come sei bella... Stanotte dormo qui. Sarai stanca, vai a dormire pure tu».

«Ma non puoi dormire in cucina. Alzati che ti accompagno, dài, tirati su. Ti sei pure fatto male».

Luciano la fissò smarrito, chiese perché diceva cosí, dove s'era fatto male. Intanto si toccava il torace, le spalle. Clara ne guidò la mano verso lo zigomo, quando la ritrasse le dita erano leggermente sporche di sangue. Le guardò prima sorpreso, poi quasi compiaciuto.

«Tutto qui? Ma non sai che cosa ho visto in Africa, altro che queste quattro gocce».

«Domani mi racconti tutto, adesso però hai un bellissimo letto che ti aspetta. Vieni, andiamo»

«Non voglio andare a letto, ci sono stato tutto il giorno».

C'erano in lui alcuni momenti di lucidità, improvvisi e brevi, durante i quali sembrava rendersi conto della situazione in cui era precipitato, ma erano solo sprazzi dopo i quali cadeva di nuovo nella sua abulia.

Riuscí penosamente a farlo alzare, quasi cedendo sotto il peso. Trattenendo le lacrime lo sorresse fino alla camera da letto, dove l'uomo si lasciò andare con un sospiro. Asciugò e pulí lo zigomo con un batuffolo di cotone.

«Va' a dormire che sei stanca», bisbigliò Luciano.

Ormai era diventato impossibile lasciare il padre da solo in casa, quella minima ferita doveva essere presa come un segnale d'allarme. Luigi forse non se ne accorgeva, essendo ormai andato ad abitare per conto suo. Gliene avrebbe parlato appena possibile.

Accarezzò la fronte del padre con mano leggera, lui sembrava gradire il contatto lieve, parve rasserenato, tenendo gli occhi chiusi sorrise. Clara lasciò accesa una debole luce sopra il comò e tornò nella sua stanza.

Riprese gli appunti sul racconto di Wanda. Voleva leggerli da capo ma un moto di ripulsa glielo impedí. D'altra parte non aveva nemmeno voglia di riprendere il suo saggio. Mai come in quel momento s'era sentita sospesa tra l'analisi astratta di casi vecchi di decenni e gli urti violenti con cui la vita la stava colpendo. La signorina Else, Wanda, il dramma di suo padre, sventure senza relazione tra di loro che trovavano però nella sua inesperienza il loro vertice, duro e aguzzo come una punta di ferro. Si vergognò ad ammettere che non ne poteva piú, che voleva fuggire da una somma di problemi che le pesavano addosso tutti insieme. Questione di un attimo. Strinse i denti, doveva solo cercare di andare avanti evitando di fare troppo danno agli altri o a se stessa.

«Tutto ciò che le ho detto fino a ora è per farle capire meglio quello che è successo dopo, quando anche zia Giacinta ormai era morta e io che credevo d'essere viva in realtà cominciavo a morire a mia volta senza nemmeno sapere perché».

Chiuse il registratore con un moto di stizza. Non ce la faceva, non gliene importava niente di quello che era successo a Wanda, del perché era stata cosí stupida da andarsi a cacciare in una situazione tale per cui tre bruti potevano entrarle in casa e ridurla in quelle condizioni. Che andasse al diavolo.

S'avvicinò alla finestra. C'erano in alto una falce di luna crescente e una stella che riusciva a prevalere sul bagliore della notte cittadina. Dischiuse le imposte. Una delle po-

che superstizioni che si concedeva era quella che non bisogna guardare la luna da dietro un vetro. La raggiunse il
furioso miagolio di un gatto, il lontano ululato di una sirena. Versi disumani, un sollievo.

Si rese conto che non aveva piú guardato il cielo da tanto di quel tempo da provarne quasi nostalgia.

23

L'avvocato Vettori si presentò inappuntabile, come al solito: l'abito sobrio ravvivato dai colori squillanti del papillon, la severità degli occhialini tondi cerchiati di metallo. Lina s'incaricò di riscaldare un po' l'atmosfera con gli aperitivi, le fluttuava intorno un lieve profumo di cipria; il pranzo, ancora una volta ottimo e frugale, era pronto su un carrellino dalle ruote gommate. Non ci fu quasi imbarazzo a riprendere la conversazione, anche perché Lina si affrettava a coprire le inevitabili pause con qualche commento appropriato. L'avvocato era già stato informato del primo vero colloquio che Clara aveva avuto con Wanda.

«Dal suo punto di vista, avvocato, e anche dal mio, potrebbe trattarsi di parole insignificanti. Voglio dire non utili ai fini dell'inchiesta e nemmeno per una valutazione psicologica del soggetto, bisognerà vedere quali sviluppi avranno queste premesse nei prossimi incontri... Se ci saranno. È sicuramente una donna molto provata, ho avuto l'impressione che le desse sollievo raccontare di sé, del suo passato, arrivando addirittura a sfiorare la sua infanzia».

L'uomo obiettò che si doveva cercare di concentrare il lavoro sugli avvenimenti piú recenti, in particolare sull'assassinio del marito; c'era un'indagine in corso, la donna era indagata e quei colloqui avevano lo scopo di accertare, nel suo interesse, come si erano svolti i fatti.

«Gli interessi di Wanda, – replicò Clara, – sono due. Il primo, naturalmente, è uscire il piú in fretta possibile dall'inchiesta. Il secondo sarebbe poter dimostrare che suo marito è stato ucciso per ragioni di servizio. Ma questo interesse contrasta col suo, avvocato, che è di tutelare la compagnia assicuratrice».

«Gentile amica, il mio interesse è di tutelare la verità dei fatti –. Serafino sembrava infastidito dall'osservazione di Clara. – Per questo, la invito a stringere sulle circostanze dell'omicidio».

«Vorrei essere chiara. Il nostro è stato un colloquio, non un interrogatorio. Io le ho solo detto che doveva avere fiducia. Sono stata io a invitarla a parlare lasciando correre liberamente il flusso dei ricordi senza cercare un ordine o una coerenza. Vorrei continuare cosí, avvocato, del resto non sarei capace di fare altro».

Serafino continuava ad apparire contrariato. Lina cercò una diversione distensiva rivolgendosi a Clara:

«Se ho capito bene dalle poche parole che m'hai detto, anche Wanda da giovane è stata una cantante... che curiosa coincidenza».

Clara la fissò senza capire. Questione di un attimo.

«Ma no Lina, non è cosí. La cantante non era lei, ma l'amica del cuore di un suo zio. Mi pare che si esibisse nell'avanspettacolo con un repertorio di canzoni napoletane, niente di paragonabile con quello che facevi tu».

«Non credere, tra il repertorio napoletano dell'Ottocento e l'operetta non c'è poi una gran distanza, anzi ci sono parecchi legami, anche melodici. Non saprei dirti quale dei due generi debba considerarsi piú impegnativo dal punto di vista musicale. Già con *Fenesta ca' lucive* attribuita come sai a Bellini...»

Serafino mostrò di non apprezzare il prolungato fuori tema. Dette alcuni ripetuti segni d'impazienza prima di intervenire.

«Si è chiesta almeno perché Wanda abbia cominciato da ricordi cosí lontani nel tempo?»

«Mi sono fatta anch'io questa domanda, certo. Ho immaginato che mi abbia raccontato l'episodio di suo zio perché la vicenda si chiude con una sua vittoria».

«La trova una spiegazione? E che cosa intende con vittoria?»

Clara non voleva riferire troppo sul contenuto di ciò che Wanda le aveva detto. Se era vero che Serafino lavorava nell'interesse delle assicurazioni, era anche vero che una sua disposizione benevola avrebbe potuto giovare a Wanda.

«S'intende che è riuscita a recuperare un credito, come dite voi avvocati, a favore di una sua zia rimasta vedova. Il merito della storia comunque non ha molta importanza. Importante è che lei lo racconti, che abbia aperto il nostro incontro dandomi questa immagine vincente di sé».

«Perché lo considera importante, dottoressa? Quale sarebbe lo scopo?»

«Di rivalutarsi, per esempio... Di apparire ai suoi stessi occhi con maggiore dignità data la penosa situazione in cui si trova. Nello stesso tempo, però, confesso di avere un timore. Potrebbe aver cominciato con una sua immagine vincente per equilibrare ciò che in seguito intende raccontare di sé».

«Come le ho già detto la volta scorsa, gentile dottoressa, – riprese l'avvocato, – il nostro obiettivo è accelerare il piú possibile. Il procuratore non mi sembra ostile ma deve mandare avanti l'inchiesta. Sto cercando di rallentare per quanto consentito dalla procedura ma nemmeno io posso tirare troppo la corda. Il mio primo dovere, come lei mi ha ricordato, è l'interesse delle assicurazioni».

«Qualche piccolo passo lo abbiamo fatto».

«Speriamo che altri seguano, piú spediti, piú significativi».

Nella conversazione s'era insinuata una nota ostile che non accennava a spegnersi. Clara non voleva parlare dell'aggressione subita da Wanda anche se era quello il vero punto dirimente, l'episodio che connotava la situazione di pericolo in cui si trovava la donna, i rischi connessi alla vicenda. Si chiese se l'avvocato stesse giocando la stessa partita, se aspettava cioè che fosse lei a fornire maggiori dettagli, allo stesso modo in cui lei si augurava che fosse Serafino a dire qualcosa di piú sulle indagini.

«Quando incontrerà Wanda per un altro colloquio?» chiese l'avvocato.

«Non lo so, aspetto una sua chiamata, se vorrà farla».

«Speriamo che si decida a dire la verità».

«Forse lei e io non abbiamo la stessa idea di verità, avvocato», ribatté Clara.

Di colpo ebbe la percezione del vero crinale che la divideva da quell'uomo freddo e cortese. Non si trattava né della sua inesperienza, né della fretta che l'altro aveva di concludere. Era l'idea di verità a dividerli. Per un uomo di legge e di tribunali, come del resto per uno storico, per verità s'intende il resoconto piú fedele possibile dei fatti come si sono svolti. Una cronaca che, quando si trasforma in procedura, viene addirittura consacrata da un giuramento solenne: la verità, tutta e nient'altro che la verità. Per la psicologa invece, come per lo scrittore, anche la menzogna può contenere una verità, anzi può arrivare a esporla meglio proprio perché si tratta d'una verità menzognera. È possibile che ci sia piú verità psicologica, cioè umana, in una menzogna che non nel fedele resoconto degli eventi. Anche un'opera di finzione può diventare una fonte collaterale, poiché una menzogna rende sempre, a suo modo, testimonianza, cosí come un termometro non può evitare di misurare la temperatura anche chiuso in un cassetto. Lo stesso termine «storia» indica in ogni caso un resoconto; sia la letteratura sia la descrizione d'un caso clinico si fondano sulle parole, sono in ogni caso un racconto.

«È chiaro che ci possono essere interpretazioni differenti della verità, si può avere un problema a definirla, – tentò di sdrammatizzare Lina, poiché suo fratello sembrava un po' offeso dal commento di Clara. – Perfino il sublime maestro si sentí rivolgere la domanda *Quid est veritas?*»

«Le circostanze erano diverse, – obiettò secco l'avvocato irritato da quella citazione. – Noi parliamo di un'inchiesta penale».

«Anche quella di Pilato lo era, difficilissima».

«Sui generis, Lina. Da parte del procuratore di una potenza occupante».

I toni s'erano fatti taglienti, tutti sembravano sempre piú innervositi. Fu Clara questa volta a tentare un intervento distensivo.

«Secondo Agostino, alla domanda di Pilato "Quid est veritas?", Gesú avrebbe risposto anagrammando la frase del procuratore "Est vir qui adest", è l'uomo che hai davanti. Vero o no che sia, mi sembra bellissimo».

«Certo che è bellissimo, Clara. Dove l'hai letto?»

Esitò un attimo, ma senza arrossire: «Me l'ha raccontato il mio amico Corrado, è un filologo classico».

Qualche sera prima, parlando con Corrado, Clara aveva evocato una frase di Karen Blixen: «Ogni pena può essere sopportata se la si narra, o se se ne fa una storia».

«Vorrei diventare una di quelle persone capaci di tirar fuori la cosa non detta, – gli aveva confidato. – La cosa che tutti pensano ma nessuno osa dire».

«Ci sono gli scrittori per questo, – aveva risposto lui. – Tocca a loro dare un contenuto di verità anche alle piú fantasiose menzogne. Il mio Artemidoro ci dice molte cose sul mondo antico ma anche Petronio nel *Satyricon* ce ne dice altrettante. Il primo è un geografo, l'altro un romanziere».

Erano queste le parole sulle quali Clara aveva continuato a rimuginare, le osservazioni di Serafino sull'uso della verità gliele aveva riportate alla memoria.

Il breve convivio si concluse con una cordialità sufficiente a rendere possibile un ulteriore incontro. «Faccia presto», fu l'ultima raccomandazione dell'avvocato.

Non ho alcuna intenzione di fare presto, si limitò a pensare Clara.

24

«Certe volte mi stupisco che un uomo possa ancora desiderare di sdraiarsi al mio fianco, mi sento cosí stanca che devo fare proprio un brutto effetto. Prima che succedesse questo casino pensavo che fosse finalmente arrivato il momento di mettermi da parte, lasciarmi vivere, buttarmi in giornate tutte uguali. Se avessi piú coraggio, in certi momenti m'ammazzerei. Invece chiedo aiuto ai ricordi. La prima volta che mia sorella si è sposata non aveva nemmeno vent'anni. Sposarsi giovani ai miei tempi era la fierezza delle madri, l'invidia delle compagne. Oggi qualunque ragazzina sogna l'amore libero, lo chiamano cosí. Il tempo tra stringersi la mano e mettersi a letto è ridotto a pochi minuti. Chi ha detto che il matrimonio è la tomba dell'amore?
Per come la vedo io, una mezza puttana come Lulú è una specie di libera professionista. Niente stipendio, né posto fisso. Bisogna darsi da fare, varietà e competenza. Igiene, anche. Imparare a non aver mai l'emicrania o giorni difficili. Quando ci sono tenerseli per sé. Col tempo si diventa buone attrici. I pensieri che girano per la testa delle ragazzine non li ho mai avuti. Anche mia sorella era cosí. Parlava, parlava, la sera al buio. Non s'accorgeva nemmeno che intanto io m'addormentavo, lasciandola sola a raccontarsi le favole.
Le mani nelle mani, il calore della pelle. Talmente vicini che la tenerezza li avrebbe tenuti insieme; e questo, proprio come nelle favole, sarebbe durato per sempre.

Poteva passare ore in queste fantasie senza rendersi
conto che si stava cucendo addosso le parole di qualche canzonetta, o la trama di uno di quei romanzi con
la copertina lucida che comprava in edicola, scritti apposta per far venire alle ragazze questi pensieri scemi.
Eppure, ci crede dottoressa? Certi pensieri scemi sono
venuti pure a me. Ho disprezzato mia sorella, però dopo l'ho capita. Sognare il matrimonio come una serie
di giornate tranquille, la sera magari con i ferri da calza in mano davanti alla televisione, qualche scopatina
non troppo impegnativa, mezzi addormentati, anche se
poi magari resti incinta. Adesso, con tutto quello che
m'è successo mi sembra addirittura il paradiso, perché
è andato tutto in un altro modo, che peggio di cosí...»

Clara a quel punto era sobbalzata. I ricordi di Wanda, i
sogni di sua sorella, le avevano riportato alla mente le parole lette nel diario di Sabina Spielrein alla data del 19 ottobre 1910. Gli stessi ideali di vita sembravano informare
quelle esistenze, tutte a loro modo drammatiche però cosí
lontane: donne vissute in luoghi e tempi diversi e diverse
in tutto, per condizione sociale, cultura, consapevolezza,
relazioni e amicizie. Se cosí stavano le cose, la confessione
di Wanda rifletteva un'aura di verità su quella di Sabina,
faceva intravedere un analogo fondo umano, aprendo un
filone parallelo d'indagine. Quale rapporto si poteva stabilire tra la drammatica esistenza di Sabina, l'isteria, la terapia traumatica con Jung, l'adulterio, e il fatto che proprio
sull'adulterio pensasse di poter costruire un quieto ménage
borghese, con una scena degna di una pubblicità di casa-
linghi? Wanda si poteva capire, ma Sabina!
   Turbata dalle analogie aveva completamente dimenticato che la sua paziente intanto continuava a parlare.

   «...la prima volta in cui sono stata veramente sedotta
da un uomo, successe quando io avevo sedici anni e lui
piú di settanta. Rimanevo a bocca aperta ad ascoltare la

sua intelligenza, cultura, esperienza. Andavo alle scuole commerciali, non capivo una parola di quello che s'affannavano a insegnarmi: bilanci, partita doppia, tassi d'interesse, roba che allora mi spaventava. Pensavo che mi sarei sempre imbrogliata con tutti quei numeri, oggi poi sono cose che mi danno la nausea solo a sentirle. Lui si chiamava Marco, era nobile – credo conte, barone, insomma nobile; zio di una mia compagna di classe. Un pomeriggio che passavo sotto casa sua, lo vidi pieno di pacchetti che non riusciva a tirar fuori le chiavi del portone. Per gentilezza mi offrii d'aiutarlo. Aprí il portone e m'invitò sorridendo ad andar su con lui. In casa era solo, mi disse: "Fermati per un tè". Lo preparò lui stesso mentre io sedevo su una bella poltrona dallo schienale alto e guardavo i voli delle rondini fuori della finestra senza pensare a niente. Mi piaceva quella stanza immensa, un po' oscura, che odorava di cera e di vecchi libri. Anche il cuoio della poltrona che mi scricchiolava sotto mi piaceva, e il colore del pavimento. Mi piaceva il tipo di vita che quella stanza suggeriva, non solo il presente ma anche gli anni che tra quelle mura erano passati. Guardando le rondini come ubriache là fuori, pensavo che quella era proprio la vita che avrei voluto. Avevo sedici anni e non immaginavo quanto potesse costare arrivarci.

Non mi ricordo bene quale volta fu, la seconda o la terza forse. Perché la prima bevvi il tè che era troppo caldo, mi scottai il palato e scappai via. M'aveva detto: "Torna quando vuoi", infatti tornai. Lui aveva capito che ero il tipo adatto e sapeva fin dall'inizio dove arrivare. Intuivo qualcosa, sapevo cosa voleva, ma ero soprattutto curiosa di vedere che cosa sarebbe successo con un uomo di quell'età.

La seconda o la terza volta che andai da lui, avevo una sbucciatura al ginocchio perché ero caduta. Mentre bevevamo il tè continuava a fissarla, finché disse che bisognava medicarla meglio. Mi fece accomodare su un divano, s'inginocchiò davanti a me con una cassettina piena di medicinali. Tolse la garza, lavò la piccola ferita con acqua ossigenata, mise sopra un po' di polvere antibiotica, applicò una benda pulita, mi baciò il ginocchio. Durante tutta l'operazione aveva sbirciato sotto la gonna e muovendomi il ginocchio per medicare aveva fatto in modo di farmi aprire un po' le gambe. Avevo ammirato le sue mani che davano un'idea di grande forza, sembravano piuttosto mani da giovane che fa lavori pesanti. Finita la medicazione rimanemmo un attimo fermi a guardarci. Lui sorrideva per farmi capire che la scelta spettava a me, lasciare o proseguire. Io mi sentivo un buco nello stomaco e non sapevo che fare, abbandonai la testa contro lo schienale del divano e chiusi gli occhi, forse cacciai un sospiro. Subito dopo sentii la sua mano che risaliva lungo la gamba. A un certo punto i nostri volti vennero a trovarsi quasi a contatto. Avevo il suo viso a pochi centimetri, potevo vederne ogni ruga, le venuzze rosse negli occhi, i capelli sottili che lasciavano intravedere la cute, le labbra un po' vuote ripiegate verso i denti. In quell'attimo ebbi la prova della sua intelligenza, perché seppe fermarsi sulla soglia del disgusto. Quando si mosse di qualche millimetro verso di me, io chiusi di nuovo gli occhi e spostai il viso di lato. Capí immediatamente, si ritrasse, m'abbassò la gonna. Mentre m'aiutava ad alzarmi disse allegro: "Ecco signorina, adesso sei come nuova". Non ha mai piú provato a baciarmi.

Ho continuato a frequentare casa sua per qualche mese, fino alla fine dell'anno scolastico. Marco m'aspettava occhieggiando dietro il portone socchiuso del palazzo, quando ero a un metro o due apriva quel tanto da permettermi di infilarmi svelta dentro.

Passavamo il pomeriggio in camera da letto, sdraiati, con le luci basse e un po' di musica dalla stanza accan-

to. Mi portava in bagno, dov'era già pronta la vasca
con la schiuma. Indossava un grembiule e senza dire
una parola mi lavava tutta salvo i capelli. Trattava ogni
zona del mio corpo con la stessa cura, senza morbosità.
Una volta che avevo le mestruazioni, appena si accorse
dall'ingombro sotto le mutandine volle subito che mi
rivestissi, mi fece mettere comoda sulla poltrona con un
plaid sulle gambe e mi serví la cioccolata come se fossi
un'ammalata grave, una nipote, una moglie.
Ci sdraiavamo fianco a fianco, lui sempre tutto vestito,
io nuda. Mi guardava continuando a parlare, poggiato sul
fianco mentre io stavo sul dorso. Le sue carezze, quando
mi carezzava, erano sul seno, oppure sulla rotondità del
ventre, lungo la linea di una gamba. La verità, ci creda
o no, è che voleva davvero parlare con me: mi guardava
e mi parlava. Mi disse una volta che ammirare il trionfo
della mia carne di adolescente – disse proprio trionfo,
pensi un po' – gli dava una grande pace, che dalle mie
gambe, dal ventre, si levava una specie di luminosità di
seta, e che perfino il boschetto del pube ai suoi occhi
esperti assumeva, osservato con quella luce, sfumature
multicolori. Solo un giorno, giocando con certi oggetti
che aveva tirato giú dal comò, forse a causa di un mio
movimento inaspettato mi tolse a mezzo la verginità.
È per questo che, volendo raccontarle del mio matrimonio, m'è venuto di ricordare quegli strani pomeriggi
passati nella stanza da letto del vecchio Marco. Anche
da sveglio sognava spesso, disse. Mi confidò che aveva
disgusto per il proprio corpo che io non vidi mai: odiava
l'opacità della pelle, le macchie marroni sul dorso delle mani e in faccia, la vista che diminuiva, la debolezza delle gambe, lui che in gioventú era stato quasi un
atleta. Mi diceva frasi che mi impressionavano molto:
"Non diffidiamo mai abbastanza di noi stessi". Oppure: "Ti credi un'adulta perché te ne stai nuda sul letto
accanto a un uomo maturo. Ma sei immatura, e un erro-

re oggi potrebbe esserti fatale. Ecco perché sono cauto con te e cerco di metterti in guardia". Che lui dicesse queste cose non da una cattedra ma tenendo la mano rugosa al riparo tra le mie gambe non toglieva valore ai suoi insegnamenti, anzi è servito a farmeli ricordare meglio, e tutto sommato è stato anche piú divertente. Uno dei problemi di avere cosí tanti anni, confessò, era nel rendersi conto che c'è ancora in noi l'ombra di una misteriosa crudeltà ereditata da quando eravamo belve, rimasta anche se ormai è diventata inutile. Mi diceva queste piccole cose, mi dava qualche consiglio: mi piacerebbe ancora averlo accanto il vecchio Marco che mi dicesse che cosa devo fare, invece sono sola nella disperazione».

Arrivata a questo punto nella revisione delle note, Clara si soffermò sulla singolarità di quell'esperienza. Sembrava collocarsi a metà tra la nostalgia del padre e una notevole propensione ai rapporti liberi: anche troppo, considerata la giovanissima età della ragazza, l'assoluta mancanza di tabú. Il seguito della storia avrebbe probabilmente reso evidente quale fosse l'ipotesi da preferire, quali conseguenze una concezione cosí disinvolta della sessualità – dell'esibirsi nuda senza consumare un vero rapporto – avrebbe avuto sulla sua vita da adulta.

Che cosa separava Wanda dal pudore della signorina Else? Solo la differenza dei tempi, dei luoghi e dei costumi? Else si avvelena per essere stata vista nuda in pubblico; Wanda costruisce sulla sua precoce nudità uno dei ricordi piú gratificanti della sua vita.

«Alle nozze mi spinsero tutte insieme mia madre, mia sorella, le amiche. Io non ne avevo molta voglia, pensavo di lavorare e di mantenermi da sola scegliendomi un ragazzo che mi piacesse, magari non per tutta la vita. Fu un matrimonio povero, finito poveramente. Lui si chiama, si chiamava, Ignazio, era siciliano. Faceva molti mestieri, guadagnava poco e l'idea di volersi sposare in quelle condizioni era già una stupidaggine. Un giorno venne da me tutto eccitato. Eravamo d'inverno, avremmo dovuto sposarci qualche mese dopo, in primavera. Disse che aveva trovato un lavoro vero, che avrebbe guadagnato un sacco di soldi. Non era vero niente, per lui quella era un'ossessione, stava sempre a pensare ai soldi. "Non abbiamo una lira, Wanda mia", me l'avrà ripetuto non so quante volte, guardandomi con i suoi occhi buoni e le palpebre scure un po' socchiuse, lo sguardo umido che sembrava un arabo. Era bello, a suo modo, e sembrava sano. Per tutto il tempo del fidanzamento a ogni mio rifiuto aveva nascosto il disappunto con un sorrisetto di superiorità. Ero influenzata da mia madre e da mia sorella, dallo stupido mito della prima notte.

Qualche tempo dopo il matrimonio, venne assunto da un'agenzia di sorveglianza. Non erano i soldi che aveva sognato, però almeno avevamo uno stipendio tutti i mesi. Lavorava fino alle due, il pomeriggio girava per casa, la maggior parte del tempo guardava la televisione. Saltava da un programma all'altro, pochi secondi là pochi qua, senza interessarsi a niente. Una volta provò ad alzare le mani perché m'ero messa a leggere un giornale e il sugo della pasta s'era attaccato. Urlai, mi dibattei, riuscii a restituirgli un paio di schiaffoni e qualche graffio, insomma feci un tale casino che non ci ha più provato. Almeno le botte me le sono risparmiate. Qualche volta andavamo a passeggio, sottobraccio, guardavamo le vetrine del corso senza poter comprare niente. Ho avuto fortuna, a mio modo. M'ero resa conto abbastanza presto della nullità che era, e ho fatto in modo di non farmi mettere incinta. Mai che m'avesse chiesto "Vuoi figli? non li vuoi?" Cominciai a frequentare un consultorio. Per una ragazza nelle mie condizioni e della mia cultura, a quei tempi, si trattava di conquiste quasi eroiche. Capii presto le cose che nessuno m'aveva mai spiegato: come funziona il ciclo mestruale, l'eiaculazione, i diversi sistemi anticoncezionali. Capii soprattutto che se non ero rimasta incinta era stato un miracolo. Della pillola allora si favoleggiava soltanto. Una ragazza che conobbi al consultorio se la faceva comprare in Svizzera, a un'altra la passava l'amante che era ginecologo all'ospedale civile, ci crede? Non potendomi permettere la pillola, scelsi il pessario. Infilata quella specie di museruola, spalmati i bordi con una pomatina che m'aveva consigliato un'infermiera, cominciai a stare piú tranquilla.

Mia madre m'aveva mandata al matrimonio senza farmi una sola domanda sui miei sentimenti. Tutto quello che fu capace di dirmi era che dovevo pensare a sistemarmi, e quant'ero fortunata perché avevo un'altra sorella, di due anni piú grande, che uno straccio di marito non l'aveva ancora trovato. Non gliene faccio una colpa, poveretta.

Mia madre apparteneva alla generazione nella quale le donne non si ponevano nemmeno il problema di essere indipendenti. Libere erano solo quelle nate ricche e le puttane. Tutte le altre si sposavano con chi se le pigliava. Si fa presto a dire che le femministe sono ridicole. Lo so anch'io che sono un po' ridicole, ma bisogna capire come stavano le cose, prima di fare tanto i difficili. Sí, mi sono sposata in chiesa, con un abituccio bianco e mia sorella maggiore che piangeva come una fontana pensando piú a se stessa che a me. Avanzavo nella navata sotto gli occhi dei pochi invitati, avvertendo quasi un senso di sfida per quell'abito verginale cosí inadatto alle circostanze. Sentivo anche, per la verità, che quella cerimonia si sarebbe portata via ciò che restava della mia giovinezza. Sarebbe facile, ma anche ingiusto, chiedermi oggi: ma perché, se ti sentivi cosí, hai accettato di sposarti? La risposta è facile: perché non facevo niente, non sapevo niente e non immaginavo nemmeno che potesse esserci una vita diversa.

Il matrimonio andò avanti senza sussulti per parecchi mesi. L'estate lui voleva tornare in Sicilia, e a me toccava affrontare quindici ore di treno, stretta fra tizi tutti sudati pieni di bambini e di pacchi. Passata Napoli, mentre guardavo quel mare fuori del finestrino, a tutto mi veniva da pensare meno che alla sua bellezza. Dentro quell'azzurro senza fine mi sembrava d'annegare, per consolarmi calcolavo mentalmente che non era la fine del mondo, che nello stesso numero di ore avrei potuto tornare dalle parti mie.

Alla stazione ci venivano ad aspettare i suoi parenti col vestito buono, i baffetti lustri, e una vecchia millecento bianca di polvere. Grandi mangiate, un lettone bello e scomodissimo, un sacco di gente addosso tutto il tempo, affettuosa e invadente, che mi frugava nella valigia commentando ogni piccola cosa. Si può immaginare che cosa poteva esserci nella valigia d'una sventurata come me. Trovarono anche la scatolina del pessario. Gliela strappai di mano, fu l'unico gesto sgarbato, tutto il resto me lo tenni dentro, mai una parola, aspettavo solo che i giorni passassero e che la pena finisse.

Trascorrevamo le giornate chiusi dentro casa con le finestre sbarrate contro il caldo, mezzi nudi. Giravamo con le vestagliette sbrindellate, le ciabatte, le canottiere, appesantiti dall'ozio, dal cibo buonissimo ma inadatto al clima, un'aria di povertà, di ospedale, di umanità coatta. Ho ripensato spesso al gesto del pessario: feci bene? feci male? Forse, mi sono detta, avrei dovuto spiegare alle donne di casa a che serviva, magari far vedere loro come s'infilava. Poi però ho concluso che avevo fatto bene. Le avrei scandalizzate e basta. Se a nessuna era venuto in mente che si poteva scopare senza rischiare ogni volta di restare incinta, voleva dire che a loro andava bene cosí.

So che quelle donne quando andavano a farsi bucare dalle mammane con un ferro da calza sul tavolo della cucina a volte rischiavano la setticemia o la morte per emorragia. Sapevo anche che qualche anno prima c'era stata una ragazza di Alcamo, Franca Viola, che aveva preferito rimanere "disonorata" pur di non sposare un mafioso locale che l'aveva rapita e presa con la forza. Protetto dal codice penale. Lei lo sa, dottoressa, che cosa diceva quel codice? Se l'uomo sposa la donna che ha violentato, il reato non sussiste. Franca Viola però era un'eroina, io no. E poi avevo un equilibrio difficile da tenere in piedi. I soldi che guadagnava mio marito erano tutto ciò di cui potevo disporre. In quelle due estati nella campagna di Gela, mi sono sentita morire ogni giorno dal caldo, dall'estraneità, dalla paura, ma era la mia vita, la sola che in quel momento potessi fare.

Dal vicolo cieco mi fece uscire uno che aveva un bar. Ci andavo a prendere il caffè, e quando vidi che s'era messo lui alla cassa perché la ragazza che c'era prima era andata via, gli chiesi se voleva assumere me. Fu una specie di miracolo: disse di sí senza chiedermi niente in cambio. Mio marito fece un po' di storie, non lo trovava dignitoso, gli risposi a muso duro di piantarla e la piantò. Cominciava una nuova vita. Purtroppo cominciarono anche i miei guai. Uno dei clienti abituali era un giovanotto bellissimo di nome Franco che somigliava un po' all'attore americano Alan Ladd, e doveva saperlo perché si pettinava allo stesso modo. A pensarci bene, i capelli erano la sola cosa che lo faceva assomigliare a quell'attore, perché per il resto la somiglianza non era poi tanta. Cominciò a farmi qualche regalino, stupidaggini da quattro soldi, ma era per farsi notare, per stabilire un rapporto. Un giorno, non so bene perché, quando lo vidi entrare in negozio mi tolsi la fede. "Che è successo a suo marito?" chiese lui con aria di canzonatura fissandomi la mano. Non gli risposi nemmeno, sbuffai e gli diedi il resto.

Però intanto il ghiaccio era rotto, dopo quella domanda il nostro non era piú un rapporto tra cliente e cassiera, e poi Franco insisteva con quei regali. Una volta che avevo una camicetta coi taschini e sopra un golfino sbottonato, il regalo me lo infilò direttamente nel taschino della camicetta, facendomi arrossire. Avrei dovuto dargli uno schiaffo, non lo feci, lo prese come un segnale. Un altro giorno mi disse che aveva appena comprato la macchina nuova, se volevamo andare a fare una passeggiata. "Sono sposata", risposi secca. "Lo so, potremmo andare domenica con tuo marito e Rita la mia fidanzata, ci potremmo divertire tutti insieme". Non feci troppo caso al tono con cui l'aveva detto. Fu un grosso errore».

Clara finí a notte fonda di riordinare gli appunti del secondo colloquio. Wanda finalmente aveva parlato a lungo, per la prima volta senza apparenti reticenze, anzi coinvolgendola nel suo racconto al punto da farle quasi dimenticare lo scopo dell'incontro. In pratica le stava mettendo sotto gli occhi la sua biografia, probabilmente con l'aggiunta di un po' di vittimismo, quasi volesse prepararsi la strada verso ciò che avrebbe dovuto dire arrivando all'assassinio del marito. Wanda non aveva risparmiato dettagli sulle sue esperienze, a volte cosí intimi che Clara, riascoltando la registrazione, non si era sentita di trascriverli pur sapendo di dover essere il piú possibile «oggettiva». Era stato piú forte di lei, anche perché non aveva ancora capito bene quale uso avrebbe potuto fare di quelle confidenze; l'avevano cosí profondamente turbata da farle vedere la sua stessa vita con occhi diversi. Le era sembrato per esempio che la conclusione del racconto sul conte Marco, quando Wanda aveva rimpianto di non poter disporre dei suoi consigli, fosse stato un momento di assoluta sincerità. Era stupefacente che le chiacchiere di quel vecchio che probabilmente solo per incapacità fisica non l'aveva stuprata, fossero rimaste fissate cosí in profondità nella sua memoria. Massime melense – un repertorio preso dal buon senso piccolo borghese – sciorinate in circostanze torbide, erano state accolte come autorevoli precetti di vita. E chissà cos'era l'oggetto che il vecchio aveva tirato giú dal comò con il quale, volontariamente o per un movimento maldestro, le aveva quasi tolto la verginità. Su quell'incidente Wanda non s'era dilungata e lei s'era ben guardata dal chiedere particolari. La descrizione della famiglia del marito, annegata nel caldo di un'estate isolana, le era parsa di maniera: probabilmente Wanda era rimasta influenzata dalle immagini di qualche film. Interessante invece trovava l'ammirazione, risuonata sincera, per la vicenda di Franca Viola che aveva osato, sola contro tutti, ribellarsi ai costumi ancora barbarici vigenti allora, non solo in Sicilia.

Poi c'era il particolare della fede che aveva sfilato dal dito quando era entrato quel Franco che stava cercando di sedurla. Era un cedimento, anzi un invito. Andava collegato ai pomeriggi passati col vecchio conte?

In quei dettagli si riusciva a vedere solo il deserto nel quale la vita di Wanda s'era svolta, le torsioni profonde che l'avevano segnata e ferita. Tutto si sarebbe chiarito meglio, probabilmente, alla luce della conclusione degli eventi. All'avvocato Vettori interessava solo il finale della storia, per Clara era diverso.

Nell'ascoltare il resoconto di quell'esistenza, aveva intuito ciò che verosimilmente l'aspettava nel prossimo colloquio. Nello stesso tempo aveva nuovamente misurato la profonda differenza tra lo studio dei testi e una cronaca raccolta dalla viva voce della protagonista. La differenza non riguardava solo i particolari. Certo, né Freud con Dora, né Jung con Sabine e nemmeno Schnitzler con la sua Else, avevano troppo indugiato sui dettagli. Presentavano uno schema, esponevano il problema, analizzavano le conseguenze. Forse anche loro avevano volutamente omesso certi particolari come aveva appena fatto Wanda. Ma la differenza piú importante non era questa. La vera differenza era dentro di lei, Clara. Con Wanda, per la prima volta, s'era sorpresa a immedesimarsi nella vita di un'altra persona. Con le note sotto gli occhi, poteva valutare meglio le sue reazioni e si stava chiedendo se non avesse sperimentato quel controtransfert le cui descrizioni teoriche aveva letto tante volte.

Allontanò con fastidio l'idea. Con tutti i problemi che aveva, l'idea di complicarsi ancora di piú la vita le riusciva intollerabile. Si ricordava una frase dell'*Arte poetica* di Aristotele: il racconto letterario si differenzia da quello storico per l'opposizione che c'è tra vero e verosimile. Lo storico espone i fatti reali nella misura in cui è stato capace di ricostruirli; il poeta invece racconta fatti che possono, che potrebbero diventare veri. Nel caso di Wanda, non aveva ancora capito fino a che punto il racconto che l'aveva cosí turbata fosse di natura storica o, per dir cosí, poetica.

25.

Luciano s'era rasato per l'occasione, messo l'abito buono che gli ballava un po' addosso, tenendo comunque le vecchie, comode pantofole perché i piedi lo tormentavano. Girava per casa impaziente aspettando l'ora della cena, con un'espressione nello stesso tempo allegra e desolata quasi temesse una delusione all'ultimo momento. A Clara, che stava completando i preparativi, aveva già domandato due o tre volte se poteva dare una mano. Aveva lavato la frutta e piegato in quattro i tovaglioli di carta: imprigionato com'era nella sua esistenza minima – con i gesti divenuti malfermi e il passo vacillante – non era il caso di fargli fare altro.

«Luigi arriverà in tempo?» continuava a chiedere.

Clara rispondeva mentendo che ne era sicura, che Luigi arrivava sempre in orario soprattutto se c'era da festeggiare suo padre che compiva gli anni.

Senza troppo crederci, aveva detto la verità. Luigi arrivò all'ora stabilita, suonò alla porta nonostante avesse ancora le chiavi, ed entrò festoso riempiendo l'ambiente con i suoi modi ruvidi, la bellezza pesante da legionario romano. Baciò suo padre porgendogli il regalo che aveva nascosto dietro la schiena. Luciano aprí subito la scatola fissando perplesso la confezione di cd.

«Sono dischi, papà, – spiegò Luigi. – Musica. I dischi adesso li fanno cosí. Ho scelto la musica di quand'eri giovane cosí la senti e ti ricordi tante belle cose».

Il cofanetto conteneva sei cd. Clara li fece scorrere leggendo i nomi dei cantanti:

«Mina, Lucio Battisti, Sergio Endrigo, Gino Paoli, Umberto Bindi... Quest'altro arriva agli anni Trenta: Natalino Otto, Arturo Rabagliati, il Trio Lescano... Ti ci vorrà un bel po' di tempo, papà, per ascoltare tutta questa bellissima musica».

Luigi l'aveva salutata con un bacio sulla guancia e un pizzicotto al sedere. Continuava a mostrare una spensierata familiarità con la vita, sotto la quale riusciva a nascondere tutto ciò che non andava, e non era poco. Piú volte, osservandone il comportamento spavaldo, Clara s'era chiesta se la capacità di non dare troppo a vedere i propri affanni desse davvero un beneficio, o se reprimere gli stati d'animo non finisse invece col nuocere.

Luciano sedette a capotavola, i figli ai lati. «Come quando c'era la povera mamma, – disse contento. – Adesso siamo un'altra volta in tre».

Fu Luigi a proporre di mettere su un disco. «Cena con musica», esclamò con allegria esagerata. Scelsero Gino Paoli, cantarono insieme: «Quando sei qui con me | questa stanza non ha piú pareti | ma alberi»; anche Luciano ricordava qualche parola, le altre le rimpiazzava mugolando un riempitivo con tale partecipazione che grosse lacrime cominciarono a scendergli lungo le guance.

«Toglila, Luigi, mettine un'altra».

«No, ma perché, è cosí bella».

«Ma non vedi?» esclamò Clara spazientita indicando il padre.

Era una canzone nata in un bordello, tra le piú ispirate dei suoi anni, incredibile che un'occasione simile avesse suggerito parole cosí belle.

Appena cessato il motivo, Luciano si riprese. I suoi stati d'animo erano ormai volatili, come se nulla lo toccasse davvero.

«Vi ho mai raccontato quando tirammo giú uno dei nostri? – domandò, animato dal ricordo improvviso. – C'era stata una tempesta di sabbia, gli artiglieri avevano incap-

pucciato tutte le bocche da fuoco. Il comando aveva se-
gnalato la possibilità di un attacco... A un certo punto si
vedono tre sagome in avvicinamento da ovest. Il sole era
al tramonto, quelli si trovavano in controluce e non si capiva bene chi erano. Nella fretta, nella paura, liberano le
mitragliere dai cappucci e cominciano a sparare. Un tiro
preciso, non era mai stato cosí preciso, una delle tre sagome comincia a fumare e viene giú proprio nella nostra direzione con un rumore spaventoso –. Il racconto l'aveva
eccitato: – Gli uomini continuavano a sparare come pazzi,
tutti corrono ai ripari perché se quello esplodeva a terra
erano guai seri. Non ci crederete: erano aerei nostri che
arrivavano con i rifornimenti! Sarebbero dovuti arrivare
da est ma data la tempesta avevano fatto tutto il giro ed
erano arrivati dalla parte sbagliata».

Continuò a evocare i dettagli dell'incidente di cui i quotidiani avevano parlato per giorni. «Tragica fatalità, ab-
battuto per errore un cargo dell'aeronautica, aperta una
duplice inchiesta, incidente o attentato» – la consueta enfasi, la solita voglia di alimentare emozioni forti per vendere qualche copia in piú.

«Fuoco amico, lo chiamano gli americani con un'e-
spressione un po' troppo gentile, – osservò pacatamente
Clara. – La verità è che le azioni pericolose si dovrebbero
fare con calma»,

«Come la fai facile, non è possibile sempre, – intervenne Luigi. – Ci sono momenti in cui si tira come si può,
sperando di colpire per primi e che vada bene». L'obiezione era stata secca, quasi irritata, come se avesse colto
quel momento per confermare la sua concezione della vita.
Clara lo fissò stupita, suo fratello aveva assunto d'improvviso un'espressione imbronciata e nervosa, da bambino.

«Quando non va bene però sono tragedie», rispose lei.

Luigi si limitò ad alzare le spalle. Luciano continuava a
rievocare i suoi giorni in Africa dimenticando il cibo che
aveva nel piatto.

«Mangia papà, che si fredda tutto».

Per il resto della cena, Luciano fu allegro come non accadeva piú da molto tempo. Clara lo guardava con apprensione carezzandogli la mano per placarlo, temeva che a un eccitamento cosí forte seguisse una depressione piú profonda del solito.

«Tienigli compagnia tu», disse alzandosi in fretta. Sparí in cucina, riapparve poco dopo con la torta sulla quale aveva acceso una candelina.

«Chiama tua madre, – diceva Luciano inquieto non si sapeva a chi. – Ogni volta che c'è una cosa da fare sparisce chissà dove».

I due fratelli si scambiarono un'occhiata, preoccupati. Clara distrasse il padre stappando lo spumante, il fiotto schiumoso gli fece subito dimenticare la moglie morta da anni. Batterono le mani quando riuscí a spegnere la fiammella soffiando una sola volta senza nemmeno alzarsi. Mangiarono il dolce in silenzio, poi Luciano andò a sedersi in poltrona portando con sé un bicchiere di spumante.

«Non bere troppo, sai che ti fa male», lo ammoní Clara.

«Tu fa' finta di non vedere», rispose brusco mentre si accendeva una sigaretta. Con il bicchiere in una mano e la sigaretta nell'altra si mise comodo dandosi arie da gran signore.

«Luigi, che stai combinando adesso? Assuntina dice che dovresti continuare a studiare. Le ho spiegato che sei l'unico che porta a casa un po' di soldi... Largo ai giovani, però mi sa che non ha capito».

Luigi sorrise senza allegria, si limitò a indicare Clara col bicchiere, sussurrando che di studiosi in famiglia ne bastava uno.

«Assuntina adesso dov'è, già chiusa nella stanza a recitare il rosario?» domandava Luciano con tono canzonatorio, mentre fumava con aria beata.

Clara si chiedeva se era stata davvero una buona idea organizzare quella cena di compleanno. L'insolita animazione, lo spumante, la festa, avevano risvegliato nella mente di Luciano i fantasmi prima della moglie e ora della madre. Non c'era rimpianto nei suoi commenti, aveva evocato le due figure dandole presenti, cancellandone la morte.

Lo psichiatra che aveva consultato aveva suggerito di lasciare Luciano il piú possibile tranquillo. Superata una certa età, forme di declino psicofisico sono irreversibili anche se talvolta i medici credono di poterle attenuare con continue stimolazioni. Il suo parere era che si trattasse di un errore, che certi tentativi hanno solo l'effetto di rendere l'anziano consapevole della propria condizione d'invalidità. «Nulla è piú penoso, – aveva aggiunto, – di quelle festicciole da ballo organizzate nelle case di riposo con i festoni di carta e le trombette».

Arrivò il momento di accompagnare Luciano a letto. Lo aiutarono ad alzarsi, resisteva giurando che non era stanco per niente, che aveva voglia di uscire, «Vi invito tutti a prendere un gelato...» Intanto però l'avevano sollevato dalla poltrona in cui si era rifugiato. Sorreggendolo verso la camera, avvertivano il peso sbilanciato del corpo sulle gambe vacillanti.

«Papà, – diceva Clara, – domani hai una giornata tremenda, piena di lavoro, meglio se ti riposi qualche ora... Tanto adesso andiamo tutti a letto».

«È stata una bella festa», aggiunse Luigi.

«Bella sí, bella, – riconobbe Luciano. – Il gelataio all'angolo fa un cioccolato buonissimo».

«Ci possiamo andare domani papà, tanto è sempre aperto».

Clara sciolse una buona dose di tranquillante in mezzo bicchiere d'acqua, invitandolo a bere.

«Che fai, l'avveleni?» domandò Luigi con tono sarcastico.

Il volto di Luciano era tornato inespressivo; al momento di bere, per un attimo, era stato come attraversato da un pensiero, poi era ricaduto nell'indifferenza.

Finalmente si mise a letto, piú tranquillo, il sedativo avrebbe fatto il resto.

«Papà è un problema, ormai, – disse senza mezzi termini Luigi, – che pensi di fare?»

«Che *pensiamo* di fare?» lo corresse Clara.

Sapeva benissimo che l'accudimento degli anziani può alterare i rapporti tra i familiari, incrinare le relazioni affettive. Nel mondo antico, dove erano abituali le vecchiaie brevi, era piú facile considerare la «senectus» il periodo di massima saggezza, quello in cui la maturità e l'equilibrio del giudizio, uniti all'esperienza, potevano dare risultati notevoli perfino in termini creativi. Anche i romani però sapevano che dopo subentra, ultima lamentevole età, la «vetustas», nella quale s'accentua il decadimento psicofisico, spesso la perdita di controllo e di dignità. Tutte cose lette e studiate che adesso però Clara doveva, ancora una volta, affrontare nella vita pratica, nei rapporti già non facili con suo fratello.

Pensò di scansare l'argomento presentando un diverso problema: «Mi dicono che frequenti persone pericolose. Non vorrei…»

«Senti Clara, se sta per partire la predica, lascia perdere. Sono maggiorenne, guadagno, ti pago pure uno stipendio, quindi… ci siamo capiti».

Nella sua espressione era apparso un rossore che – accadeva spesso – gli aveva conferito un aspetto insieme brutale e infantile.

«Non è una predica, Luigi… Compri droga da tipi pericolosi, metti in pericolo te stesso e noi, compreso nostro padre».

«Sono dei poveracci, Clara, me li gioco con una mano sola. E comunque papà non c'entra, non lo mettere in mezzo… A te, piuttosto, chi l'ha detto?»

Non aveva smentito l'affermazione, si limitava a indagare la fonte.

«Si dice in giro, se l'ho saputo anch'io vuol dire che si dice molto».

«Lo so chi te l'ha detto. Domani mi sentono».

Era furente, scaricò la tensione dando un pugno alla porta.

«Non fare scenate, svegli papà».

Sedette, traspariva dall'atteggiamento una furia compressa che metteva in risalto il massiccio volume dei muscoli sotto gli abiti.

«Ma tu non dovevi andare in America?» chiese di punto in bianco con tono sbrigativo.

«Non ho ancora avuto la risposta. Intanto do una mano in casa e al bar, come vedi».

«E se ti prendono in America a papà chi ci pensa?»

Aveva riportato la discussione su Luciano, sui suoi traffici era inutile insistere tanto non serviva a niente.

«Dobbiamo parlarne, Luigi. Facciamolo adesso».

Ne parlarono. Clara escludeva una casa di riposo, ne conosceva la malinconia. La domanda era se il figlio maschio si sarebbe potuto dedicare un po' al genitore nel caso lei fosse partita per gli Stati Uniti. Con l'assistenza di una badante, ovviamente, forse anche di un'infermiera per la notte. Discussero le varie ipotesi: sbollita la furia, Luigi difese con ragionevolezza il suo punto di vista:

«Ti rendi conto della mia posizione qua dentro? Assuntina se n'è andata; papà è ridotto in quelle condizioni; Roberto sogna di lasciarmi appena può, vuole andare a fare lo schiavo in uno studio di architetti; Deborah l'abbiamo raccolta in mezzo alla strada e mi sa che ci torna».

«Non dire cosí, mi pare che si sia inserita molto bene, invece».

«Tu sarai psicologa ma io certe cose le capisco al volo. Mustafà l'ho trovato io e ha dato una bella mano a lanciare il locale quando nessuno ci credeva. Tu devi continuare a studiare vita natural durante, sei brava e va bene cosí. Ti rendi conto che è tutto sulle mie spalle? Che con la povera pensione di papà tu e io non ce l'avremmo mai fatta?»

A mano a mano che proseguiva nella sua perorazione,

Clara vedeva sempre piú chiaramente quanto fosse difficile valutare la verità degli altri. Suo fratello aveva ribaltato la prospettiva, quello che aveva detto era indiscutibile. Però non era tutto.

«Lo so benissimo, Luigi. Per questo non vorrei che corressi pericoli inutili... Ci sono troppe persone che dipendono dalla tua capacità di organizzatore. A cominciare da me che gioco a fare la cassiera aspettando di andarmene. Tu invece ci stai mettendo tutto l'impegno là dentro, è la scommessa della tua vita. Non ti chiedo se ti fai di qualcosa. So solo che quei rapporti sono pericolosi, gente che quando ti ha preso non ti molla piú. E tu in fondo sei solo».

«Lasciami in pace, sono sempre stato solo, ormai ho imparato come si fa».

La conversazione andava avanti e indietro sui due poli di un inquieto presente e di un incerto avvenire; non c'era molto da aggiungere, anche se nessuno dei problemi affrontati era stato risolto. Clara in fondo apprezzava la determinazione di suo fratello. C'è bisogno di passione, qualunque cosa si faccia, senza incanto non si riesce a vivere.

26.

«Penso che la vita di molte donne sia stata come la mia, che basterebbe raccontarla come sto facendo, per capire che per le donne la faccenda è ancora piena d'incertezze e di tranelli. Oppure di noia.
Con Ignazio, nei primi tempi del matrimonio, prima che lui si rivelasse in pieno per un mascalzone, non ho mai avuto un orgasmo. Lui però o non se n'è mai accorto o se ne fregava. Io odio le persone che si lasciano andare, e lui trovato quel posto non s'è piú mosso. Ogni tanto andava a sparare al poligono perché gli piaceva. Lo pagavano pure: era un "aggiornamento professionale". Quando Franco, il cliente del bar, mi propose quella gita a quattro, lo dissi a Ignazio che rispose: "Perché no?" Cosí, due domeniche dopo, Franco e Ignazio davanti, la fidanzata Rita e io dietro, salimmo in auto e andammo a mangiare in un ristorante vicino al mare. Ignazio fece ridere tutti, facendosi da solo la caricatura del siciliano. Non l'avevo mai visto cosí spiritoso, doveva fargli effetto Rita che s'era messa tutta in tiro. Faceva il bullo davanti a lei, e appena rientrati a casa, la sera, m'alzò le sottane e volle fare l'amore in piedi nel corridoio. Rita lo aveva eccitato perché portava una camicetta che ogni tanto si slacciavano un paio di bottoni e sotto si vedeva un bel po' di roba. Sarei disonesta a dire che avevo già capito tutto, non avevo capito proprio niente. Sapevo solo che c'era qualche cosa che stonava, che Franco e Rita erano troppo allegri, che avevano riso troppo alle

modeste spiritosaggini di Ignazio, che lo scopo di quella gita non era solo d'andare a mangiare i gamberi con una coppia squinzia come noi due.

Nei giorni successivi Ignazio ogni tanto mi chiedeva se avevo visto Rita, se erano venuti al bar, rispondevo che no, non li avevo più incontrati. Un giorno fu lui a dirmi rientrando che aveva visto Franco. Stava di guardia alla tesoreria tutto bardato e Franco gli era andato incontro perché aveva una pratica da sbrigare proprio lí. Cosí avevano combinato di tornare domenica a mangiare in quella trattoria dove facevano i gamberi. "Sei contenta?" domandò.

In macchina fin dalla partenza ci sistemammo in modo diverso. Franco fece andare Ignazio dietro con Rita, mentre io sedevo davanti accanto a lui. Guidava in modo spavaldo, affrontando le curve a tutto gas per far fischiare le gomme e anche perché Rita andasse come per gioco a sbattere contro Ignazio che aveva subito ripreso la macchietta del siciliano stranito dal continente. Questa volta però rideva solo Rita, mentre Franco al volante era freddissimo e a un certo punto mi ritrovai la sua mano poggiata sul ginocchio con due dita già infilate sotto l'orlo della gonna. Avrei dovuto dargli subito la borsetta in faccia, lo so. Invece non l'ho fatto, anche se sembra buffo dirlo cosí, un po' per coraggio e un po' per timidezza. Se gli avessi dato uno schiaffone avrei mandato a monte la gita e l'unica amicizia che avevamo. E poi Ignazio mi avrebbe rimproverato, magari dicendo che quella mano me l'ero immaginata. Mi chiesi quale sarebbe stata la mossa successiva, dopo quel tentativo rustico di sedurre una giovane sposa sotto gli occhi del marito.

Mangiammo in una baraonda indescrivibile con i camerieri che sbattevano sui tavoli delle brutte fritture già fredde che schizzavano da tutte le parti, milioni di bambini che strillavano eccitati correndo tra i tavoli, facendo a pezzi le orecchie di tutti. Dopo il caffè Ignazio aveva le guance tutte rosse, avevamo bevuto parecchio, si carburava per tenere il ritmo delle battute. Nemmeno Rita adesso rideva piú. Lo guardavo e mi faceva quasi pena, per la prima volta. Intuivo che stava per succedergli qualche cosa e che non sarebbe stato bello. Se gli avessi voluto un po' bene, se solo fossimo stati un po' amici invece che solo marito e moglie per caso, gli avrei fatto segno di smetterla e di tagliare la corda, a costo di tornarcene in treno.

Invece nemmeno mi guardava, passeggiava lungo la riva raccontando a Rita qualche sciocchezza, agitava le mani precedendo di qualche passo me e Franco che li seguivamo. A un certo punto Franco mi prese per il braccio e mi spinse o mi trascinò in una piazzola che s'apriva dietro una specie di macchia. Tipico posto di coppie, si vedeva che l'erba calpestata aveva quasi la forma di un corpo umano, come se lí fosse stato commesso un delitto. Si chinò verso di me e mi baciò. Fu colpa del vino? Della pena che provavo per Ignazio? In qualche modo risposi. Lo fermai solo quando tentò di tirarmi su la gonna. Non cosí in fretta pensai, non con questa gonna. La gonna era molto stretta, non adatta a una gita al mare, forse l'avevo scelta proprio perché immaginavo che sarebbe successa una cosa del genere. Ricominciammo a passeggiare come se niente fosse. Rita e Ignazio erano andati avanti e non si vedevano piú. Franco m'aveva preso sottobraccio come se fossimo vecchi amici, mi parlava con grande familiarità di tante cose, mostrandomi la baracchetta d'un pescatore, un grosso tronco che le onde avevano trascinato sulla spiaggia, chiedendomi i programmi per i giorni futuri. Come se non sapesse che programmi poteva avere una cassiera come me con un marito come quello. Niente di personale, nessun riferimento a ciò che era successo, mentre io sentivo che il cuore in petto mi batteva ancora forte.

Improvvisamente Franco si fermò stringendomi il braccio e mettendosi un dito sulle labbra. Sorrideva in modo furbo come per dirmi: ma guarda un po' che scherzo ci hanno combinato. Sempre facendomi segno di tacere, scostò appena alcune frasche e mi fece cenno: Ignazio stava sdraiato sopra Rita. Sentii che stavo per svenire e m'allontanai di scatto. Anche se m'aspettavo quello che stava succedendo, lo spettacolo m'aveva sconvolta. Tanto piú che nell'immagine di quei due c'era stato un dettaglio che m'aveva colpito anche se in quel momento ero troppo agitata per capire quale, sapevo solo che era un dettaglio che dava senso all'intera scena, che non doveva esserci e invece c'era.

"Hai visto?" chiedeva Franco bisbigliandomi all'orecchio. Mi tirò indietro: "Vieni, vieni". Le gambe mi tremavano, se ne accorse anche lui e mi sostenne, forse con una certa amicizia, o pietà, lungo il sentiero pieno di radici. Mi teneva una mano intorno alla vita, mi ritrovai senza sapere come nella piazzola di prima, seduta per terra con Franco inginocchiato alle mie spalle che mi baciava il collo, mi passava le mani sul petto. Mi fece sdraiare e si sdraiò al mio fianco. Ho la gonna troppo stretta, pensavo, non ce la farà mai perché dovrei sfilarla, e questo non voglio farlo, c'è ancora troppa luce e può arrivare qualcuno da un momento all'altro. Lui però aveva in mente tutt'altro. Non sto cercando scuse, ero davvero stordita, nauseata da ciò che avevo visto, mezzo ubriaca dall'aria aperta piú che dal vino, sfinita. Ero vinta prima ancora di cominciare, giuro che è la verità. Aprii la bocca senza sapere che affidavo a quel gesto buona parte del mio futuro.

Quando ci ritrovammo alla macchina, Rita s'era ricomposta, cercava di non guardarmi, Ignazio si teneva un po' da parte. Precedendo tutti, presi Ignazio per mano e lo spinsi a sedere sui posti dietro mettendomi subito accanto a lui. C'era una gran coda lungo la strada e andavamo piano, senza parlare. D'improvviso mi venne in mente il dettaglio stonato: nell'attimo in cui avevo osservato la scena, avevo visto benissimo che Rita aveva gli occhi aperti e guardava verso di noi. Insomma, era chiaro che s'aspettava che spuntassimo da quella parte, era chiaro che doveva essere tutto combinato. Rita sapeva che noi due li avremmo visti. Guardai l'imbecille che mi sedeva accanto, fissava la fila di lucette rosse davanti a noi ancora frastornato dall'avventura che credeva d'aver avuto. Rita fumava, Franco guidava in silenzio, ognuno di noi era preso dal gioco, qualunque fosse. Strinsi le gote d'Ignazio tra le mani, lo feci girare verso di me e lo baciai con una passione che mai gli avevo dimostrato prima d'allora. Volevo dirgli, ma non lo senti che sapore ho in bocca, cretino? Non ti sei accorto che è tutta una presa in giro e che siamo caduti in qualcosa di piú grande di noi? E questi due chissà che vogliono. Una mattina, cinque o sei giorni dopo quella sporca gita, Franco venne addirittura a casa. Apro la porta e me lo trovo davanti col suo sorriso furbo. Ignazio era appena uscito e sono sicura che Franco si era appostato per aspettare quel momento; io non m'ero nemmeno lavata. Faccio per chiudere ma lui infila il piede in mezzo, poi comincia a spingere la porta dicendomi piano: "Non fare la scema, dài". Ero terrorizzata, non volevo che gli altri inquilini vedessero. Franco entra, s'appoggia con le spalle alla porta d'ingresso, e come se niente fosse mi fa: "Ciao amore, come stai?" Nemmeno gli rispondo. "T'ho portato questo". Uno dei soliti regalini, quelli con i quali si presentava al bar e a poco a poco era entrato in confidenza: "Non lo voglio, portatelo via", risposi dura. Appoggiò il pacchetto su un mobile dell'ingresso. Pensai subito che Ignazio m'avrebbe chiesto cos'era. La finestra era aperta, lo presi e lo buttai di sotto. Non avevo ancora finito di ritirare il braccio che Franco mi rifilò uno schiaffo che mi fece sbattere contro il muro.

Una sberla a piena mano, con l'anello al dito, un gesto da mascalzone, da fare male sul serio, infatti mi girava la testa e sentivo la guancia come se l'avessi appoggiata sul fornello. Cominciai a piangere, erano lacrime che scendevano per conto loro e non potevo far niente per trattenerle.

"Vattene, figlio di puttana", dissi tenendomi la faccia. Gli girai le spalle col pensiero d'andare a chiudermi in bagno. Mentre gli passavo davanti, lui prese la cinta della vestaglia e la tirò aprendomela. Sotto avevo soltanto la camicia da notte. Franco scoppiò a ridere: "Ma che, si fa cosí quando un amico ti fa un regalo?" Risposi: "Guarda che quando torna Ignazio..." Lui tira fuori un cartoncino dalla tasca e me lo porge. Era una foto d'Ignazio, nudo a letto con Rita. "Fagliela vedere, che cosí non succede niente..."

Capii in quel momento che ci avevano incastrati tutti e due, me e Ignazio, che era lí che volevano arrivare, a furia di regalini e di gite, io semisvestita con in mano quello stupido pezzo di carta dove mio marito, nudo e peloso, stava scopando con Rita. La mia attenzione si concentrò sulla parete alle loro spalle, dove c'era una grande macchia lasciata dall'umidità.

Non sapevo che fare, gettai per terra la foto e mi misi a correre verso il bagno, lui mi seguí, e arrivati davanti alla camera, mi buttò sul letto ancora disfatto come fossi una valigia. Ho resistito, quella volta ho resistito, ho cominciato a prenderlo a pugni mentre gli urlavo in faccia: "Vattene porco, vattene". Gli menavo, gridavo e piangevo e lui si faceva menare come se niente fosse, quasi ci fosse un altro al posto suo a prendersi tutti quei pugni in faccia e sul petto.

A un tratto sentii un dolore fortissimo al ginocchio: m'era salito di peso sopra una rotula e spingeva con tutte le forze. Urlai e un attimo dopo m'accorsi che aveva vinto lui. Piangevo tenendo la testa di lato per non guardarlo e tra le lacrime vedevo i soldi che Ignazio aveva lasciato sul comò prima d'uscire: a quell'ora avrei già dovuto essere a fare la spesa.

Potevo solo piangere, non mi veniva in mente altro, solo la pena che mi facevo, ridotta in quel modo, con quell'uomo addosso. Non aveva fretta, mi obbligò ad assecondarlo, dimenticai me stessa e venimmo insieme. S'incamminò verso il bagno con calma. Faceva il signore, mi chiese se volevo andare prima io. Ero troppo agitata per quello che era successo, certe cose le avevo solo lette sui giornali mai pensando che potessero succedere a me. Potevo dire di essere stata violentata? Un uomo m'era venuto addosso a casa mia, sul mio letto. Era sicuramente violenza. Però mi aveva anche provocato un piacere mai provato prima, cancellando qualunque altra cosa. Ero una ragazza semplice, con esperienze limitate, soprattutto monotone.

Franco uscí dal bagno tutto sorridente, stringendosi la cinghia dei pantaloni. M'ero perfino dimenticata di ricoprirmi, stavo ancora sdraiata con la camicia da notte tirata su fino al collo. Me ne accorsi dal modo in cui sorrideva guardandomi. Poi disse: "Sei proprio un bel pezzo, peccato che ti vesti male". Mi coprii di colpo con il lenzuolo e m'alzai cosí di scatto che la testa prese a girarmi come una trottola. La foto di Ignazio stava ancora per terra, vicino alla porta d'ingresso. La raccolsi e lentamente la feci a pezzi e la buttai nel secchio della spazzatura: volevo fargli chiaramente capire che quella roba là per me non contava, che casomai me la sarei vista io con mio marito e che lui non ci provasse a metter bocca.

Franco non disse niente. Poi si cacciò una mano in tasca, prese una sigaretta e l'accese. Rimanemmo in piedi in cucina, lui che fumava, io che guardavo la signora dell'appartamento di fronte che stendeva i panni. Pensavo che io stavo in cucina col mio amante, che ero

una donna sposata che s'era fatta un amante. Tutto qui.
Dalla tasca tirò fuori dei soldi e disse: "Stavano sul comò, che ci devi fare?" Erano proprio quelli che Ignazio m'aveva lasciato e risposi: "Servono per la spesa".
Mentre lo dicevo pensavo che era quella la ragione per
la quale era venuto. Non ero la sua amante, ero la donna che era venuto a violentare e derubare. Pensavo anche
che in casa non c'erano altri soldi e che Ignazio tornando alle due non avrebbe trovato niente da mangiare. Di
nuovo m'accorsi che stavo per piangere.
Franco buttò i soldi sul tavolo di cucina, poi tirò fuori
dal portafoglio altre banconote, parecchie, saranno state
quattro o cinque volte quelle che Ignazio aveva lasciato, e ce le mise sopra con un gesto deciso, come si fa al
poker. Disse: "Comprati qualcosa. La prossima volta te
lo voglio vedere addosso". Mi venne vicino, mi dette
un bacio sulla bocca, poi mi prese la testa tra le mani e
mi disse fissandomi: "Ma non hai capito che ti amo?"
Non sapevo che cosa rispondere, infatti non risposi.
Quando sentii il rumore della porta che si chiudeva,
ero ancora ferma in piedi pensando che se fosse rimasto mi sarebbe piaciuto rifare l'amore. Pensai anche che
non ero stata derubata né violentata, e che forse non
avevo nemmeno un amante. Forse ero solo una donna
sposata che nel giro di mezz'ora era diventata quasi una
puttana. Però lui aveva detto che mi amava. Insomma
non sapevo piú chi ero, ecco.
Mi creda, le ho raccontato l'incontro di quella mattina
proprio come me lo ricordo. Oggi so che nessuno dei
pensieri che mi giravano per la testa mentre Franco stava lí e dopo che se n'era andato, era la verità. La verità
doveva essere un insieme di tutte quelle cose, perché i
soldi lasciati sul tavolo di cucina mi facevano sembrare
una puttana, però, per aver goduto in quel modo, potevo essere uguale a una delle tante donne che avevano
detto di sí per i motivi piú diversi: per sopravvivere,

per bisogno di tenerezza, per debolezza, per curiosità o perché, semplicemente, non sapevano dare un'altra risposta. Che forse è quello che era successo a me.

A quale categoria appartenevo? Se volessi cercarmi delle scuse, oggi per allora, potrei dire che la disperazione è come un sonnifero, ti prende e ti culla, t'addormenta con giorni sempre uguali, con quel marito, quella vita che facevamo ognuno per conto suo anche quando uscivamo insieme. Probabilmente tutti quelli che mi conoscevano si accorgevano subito che la mia situazione era disperata e che sarebbe bastato poco per consolarmi o anche farmi fare quello che volevano loro. Sicuramente se n'era accorto Franco e per questo era venuto con la fotografia. Voleva spingermi a vendicarmi. Invece non fu per quello che mi sono fatta trattare in quel modo. Un po' sicuramente l'ho voluto, Ignazio e Rita c'entravano poco. Quel bacio, quelle parole, non riuscivo a dimenticarle.

Uscii, feci la spesa, preparai da mangiare, Ignazio non s'accorse di niente. Io non dissi niente. La sua foto stava nella pattumiera, sepolta sotto i rifiuti del pranzo. I soldi li nascosi sotto la fodera di un cassetto. Nei giorni seguenti ogni tanto lo aprivo e con la mano, senza guardare, sfioravo il rigonfio. Il pensiero che con quei soldi potevo comprarmi ciò che volevo, senza render conto a nessuno per la prima volta nella vita, mi dava una gioia come poche cose m'avevano dato. Perfino Ignazio che girava oziando per casa tutto il pomeriggio, mi sembrava di poterlo reggere meglio».

Gli ultimi due incontri erano stati organizzati in un appartamento protetto messo a disposizione dall'avvocato Vettori. Wanda veniva accompagnata fino alla porta da un professionista della sicurezza. A Clara era stato raccomandato di osservare alcune cautele. Cambiava repenti-

namente direzione, controllava nello specchietto le auto
dietro la sua, compiva dei giri tortuosi come aveva visto
fare al cinema.

Inizialmente la novità aveva creato in tutte e due un certo disagio; poi però la comodità dell'ambiente, la garanzia
di parlare in un luogo sicuro, sembravano aver addirittura
favorito il flusso dei ricordi. Parlavano sedendo su due pol-
trone poste una di fronte all'altra, Wanda di tanto in tanto
beveva dell'acqua. Senza nulla dire ma senza sotterfugi,
Clara metteva in funzione un piccolo registratore. Wanda
la prima volta aveva sorriso con approvazione: «Almeno
resta qualcosa, se m'ammazzano».

«È chiaro che si sta precisando una strategia. Potrebbe
essere la prima volta che questa poveretta (mi fa una
grande pena) riferisce ad alta voce – anche a se stessa –
le vicende nelle quali si è trovata coinvolta. Tutte sof-
fuse da una cosí forte penombra drammatica che forse
sarebbe piú appropriato dire: dalle quali è stata travol-
ta. Come vittima. Della società, dei costumi, dell'indi-
genza, di una cultura insufficiente, di un matrimonio
sbagliato, di una serie di circostanze sfortunate. Probabilmente di una congenita debolezza di carattere.
Dalla riluttanza iniziale si è passati a questa rievocazione
fluviale che non risparmia nulla né a lei né a chi ascolta. Wanda dà l'impressione di voler sfidare se stessa, il
suo pudore, i rischi che corre nel continuare a vedermi. Abbiamo adottato tutte le precauzioni che ci sono
state suggerite ma suppongo che dei veri criminali non
faticherebbero molto a farle saltare.
Wanda ha avuto anche poca fortuna, oltre al resto. Talvolta mentre parla penso che anche la nostra Deborah,
nonostante i tempi siano cosí cambiati, abbia rischiato
di fare una fine simile. Invece il caso, o forse l'intuito
che talvolta aiuta le donne, l'ha fatta arrivare da noi,
dove ha trovato un mestiere e un bravo ragazzo come

Roberto (anche se non ho capito bene a che punto sia arrivato il loro rapporto).

A Wanda invece tutto è andato male nell'intreccio sensuale e tortuoso tra cose, persone, risentimenti, frustrazioni che ora riemergono. L'episodio dello stupro è terrificante per il modo in cui è avvenuto, per quel delinquente che l'ha dominata psicologicamente prima di approfittare di lei, avvantaggiandosi della sua miseria e d'una debolezza che deve aver studiato osservandola, prima di entrare in azione. Ha capito che la sua fragilità ne avrebbe fatto una preda perfetta, calcolato che possedendola avrebbe finito per coinvolgerla sensualmente perfezionando il dominio in vista di altri scopi. Vedremo se Wanda vorrà riferirli prima di arrivare al punto conclusivo rappresentato dall'assassinio del marito. Continuerò, come fatto fin qui, a non porre domande, non premere, mi limiterò a registrare. Il tocco finale quel Franco lo ha dato quando le ha "dichiarato il suo amore". Dopo lo schiaffo, lo stupro, il godimento sessuale, la corda del sentimento. Ha coperto l'intero spettro delle emozioni, dalla paura all'amore. Un vero professionista.

Questo dunque è il primo piano. Sotto il quale ne esiste però un altro che nella parte conclusiva (so bene che stiamo parlando di un omicidio) potrebbe addirittura ribaltare la prospettiva per diventare l'aspetto piú importante. Nell'accavallarsi dei ricordi, il racconto delinea anche, per sprazzi e per accenni, la personalità dei due uomini che hanno dominato la sua vita: il marito e l'amante – impiego un termine improprio, in questo caso, per comodità.

Il marito debole, l'amante forte (anche troppo); il marito sessualmente monotono, l'amante un esperto; il marito eccitabile e ingenuo, l'amante freddo e astuto; il marito con un reddito modesto, l'amante che dispone largamente di denaro; il marito che si accontenta del suo posto e non fa niente per migliorare, l'amante che mostra un'aggressiva intraprendenza. Il fattore piú importante di tutti: il marito che alla prima occasione la tradisce senza rendersi conto della trappola in cui sta cacciando se stesso e sua moglie. Gli elementi che qui elenco (sarebbe possibile individuarne altri), delineano una situazione conflittuale potenzialmente esplosiva. Il marito e l'amante – cosí diversi – sono entrambi partecipi di un conflitto di cui Wanda è la vittima. Nei loro confronti la donna non può non nutrire un profondo risentimento, forse addirittura odio che, almeno per il marito, sembra confermato dall'assenza di una qualsiasi parola anche di semplice rammarico per la sua morte. Verso Franco invece è chiaro che l'odio si mescola all'attrazione o forse a qualcosa che Wanda ha scambiato per amore.

Secondo l'avvocato, l'alibi di Wanda per la sera del delitto è solido, tanto che la si indaga unicamente per eventuale complicità. Dal mio punto di vista, però, appaiono evidenti i sentimenti intensi e contraddittori verso entrambi gli uomini. Possono essere considerati motivazioni tali da aver avuto un peso nel delitto?

Notazione personale: Da quando ho cominciato a seguire questo caso ho abbandonato completamente la ricerca sull'età dell'inconscio. Dovrei sentirmi in colpa, invece non ci riesco, penso anche che il vero studio sia proprio questo penoso misurarsi con la vita».

27

Nell'appartamento di Corrado ritrovò l'odore che aveva imparato a conoscere: dopobarba, tabacco, sentore di vecchie pagine, di polvere. Un plaid logoro gettato sul divano, un cuscino ammaccato, pile di libri che si alzavano dal pavimento in barcollanti colonne.

Corrado l'abbracciò stretta, cullandola mentre le baciava i capelli. Una forcina scivolò con un tintinnio leggero sul pavimento, lei se ne tolse un'altra, i capelli ricaddero pesanti sulle spalle. Clara s'era messa scarpe col tacco, avvolta dalle sue braccia aveva uno sguardo sorridente, vagamente canzonatorio e allo stesso tempo soddisfatto, come se quello fosse esattamente il tipo di accoglienza che s'aspettava, di cui aveva bisogno. Baci leggeri, senza profondità, senza insistenza, un preludio alla Chopin, al quale nulla sarebbe seguito. Calore, amicizia, affetto, la passione per una volta non entrava in gioco.

«Allora, come va il tuo caso?»

«Proseguono l'indagine e le mie sedute. Sono cose lunghe, è inutile cercare di andare di corsa».

«Sempre inquieta?»

«È inevitabile. Tu lavori con vecchie cose morte, è piú facile».

Corrado gettò via il plaid liberando il divano, sedettero.

«Sai, – proseguí Clara, – le persone in genere sono contente d'incontrare qualcuno che s'interessa alla loro vita, che la passi al microscopio. Forse la vera pena d'invecchiare è non incontrare piú nessuno che s'interessa a te».

Non aveva in mente Wanda, ma suo padre che avanzava appoggiandosi al muro del corridoio nel timore di cadere. Due giorni prima la donna delle pulizie l'aveva trovato riverso in sala da pranzo; aveva avuto l'impressione che si fosse lasciato andare volontariamente. Con molta fatica l'avevano convinto a rimettersi in piedi.

«Ci sono molte definizioni possibili della psicoanalisi, – riprese Corrado. – Quella irridente di Nabokov: una terapia che consiste nello spalmarsi dei miti greci sui genitali».

«Riduttiva, se permetti. Anche volgare, adoro *Lolita* ma qui...»

«Rimedio subito con Karl Kraus: una malattia che pensa di essere la terapia. E ce n'è una ancora piú drammatica, l'autore non lo ricordo: la diagnosi della disperazione. Preferisco quest'ultima anche se c'è in tutte un po' di vero, dipende dal metodo, soprattutto dalla qualità di chi ascolta. Parlare di sé non è difficile, dargli un significato, interpretarlo correttamente, è lí il problema».

«I seguaci delle neuroscienze lo semplificano: pensano di spiegare tutto controllando l'attività di particolari aree del cervello. Va benissimo, figurati. Però mi chiedo, se facciamo tutto a pezzetti, la famosa "mente" dove va a finire?»

Corrado sorrise: «Risposta: non lo so. Domanda: per una volta non potremmo fare discorsi un po' normali come fanno tutti?»

«Secondo te che vuol dire normali?»

«Che ne so: andiamo al cinema, hai visto che caldo, la Juventus ha pareggiato, tutto aumenta, le mezze stagioni, quelle cose lí... Non saremo un po' malati?»

«Guarda che sei tu che hai cominciato con la storia della psicoanalisi, io nemmeno ci pensavo, – replicò Clara. – In ogni caso, se sei malato sono qui per curarti. Ti prego di evitare *medice cura te ipsum* perché farebbe terza media».

«Va bene, d'accordo, fine del primo tempo, – esclamò Corrado. – La conclusione è che siamo due creature faticose, amore mio».

«Diciamo pure noiose. Forse è piú appropriato».

Il fatto era che si divertivano cosí. Quelle schermaglie erano il loro passatempo, si fingevano pedanti per sottrarsi almeno un po' alle inquietudini che la vita scaricava loro addosso.

Mentre Corrado scherzava, Clara continuava comunque a chiedersi se sarebbe stato in grado di darle un consiglio sul caso di Wanda. Scartò l'ipotesi, troppe cose da riferire, troppo complicato. Sarebbe dovuta arrivare ai dettagli per dare un senso alla richiesta, sarebbe diventata indiscreta e non poteva farlo. Tornò a raccontare di Luciano.

«Mio padre ormai parla solo del passato, ma come se fosse il presente, è come se stesse rivivendo episodi lontanissimi nel momento in cui li racconta... Deve dargli un senso di sollievo».

«Non c'è niente di male, direi».

«Il male non è nelle memorie, anche se sono sempre le stesse. C'è chi pensa che coltivare la nostalgia faccia addirittura bene, che sia un buon antidoto contro routine, noia, ansia».

«Permetti un'altra pedanteria? Nostalgia significa "dolore del ritorno", il primo grande nostalgico è Ulisse che riesce a superare prove inverosimili sorretto dal pensiero della casa e della famiglia».

«Piú che pedante, sei fuori strada, il paragone non regge. A mio padre manca non solo il futuro ma anche il presente, quel po' di vita mentale che conserva è tutta nel passato. L'altra sera con Luigi abbiamo messo su la canzone di Gino Paoli *Il cielo in una stanza*. Mentre la canticchiava è scoppiato a piangere...»

«Perché vorresti ridargli un presente che quasi certamente lo rattristerebbe; lui si trova bene cullandosi nei suoi ricordi».

«Anch'io ho studiato che alimentare la nostalgia può essere un modo per sfuggire alla depressione, quella dove il passato può diventare un incubo che svuota il presente...

La nostalgia guarda all'indietro però non svuota la vita, al contrario la riempie di emozioni. Fin qui siamo d'accordo. Quando però vedi tuo padre che piange mentre canticchia una canzone ogni considerazione teorica va per aria, rimane solo il dolore della scena, non ci sarà piú un ritorno. L'uomo che hai conosciuto e amato, che hai considerato una guida quando eri piccola, è perduto per sempre».

La voce di Clara aveva tremato nel pronunciare le ultime parole. Corrado le passò un braccio sulle spalle tirandola a sé.

«Il fatto che ogni vita si chiuda con la morte non vuol dire che non abbia valore –. Esitò un istante prima di proseguire. – Ma è solo tuo padre che ti turba in questo modo o c'entra anche quella tua paziente?»

«Non lo so, in certi momenti sono tentata di mollare tutto e andarmene, non ad Atlanta, dovunque. Oppure mettermi a fare la cassiera a tempo pieno. Se si battono scontrini tutto il giorno forse non si pensa».

«Prima o poi dovremmo interrogarci seriamente sul senso dell'esistenza, potremmo fare qualche scoperta interessante».

«Non ricominciare a fare lo scemo, cerca di capire, ti prego».

«Scherzavo, anzi no. Vuoi sapere il colmo del pessimismo? Dicono che a Samuel Beckett, mentre passeggiava per Parigi in una stupenda mattina di primavera, un amico chiese se giornate cosí non lo facessero sentire felice di essere vivo. Rispose: "Non esageriamo"».

Aveva cercato di farla sorridere e in parte c'era riuscito. S'alzò avvicinandosi alla scrivania, prese una busta.

«Ho anch'io una novità, Clara, – disse estraendone la lettera. – Ho appena ricevuto questa dall'Università di Gottinga».

«Di che si tratta?»

«Il Seminar für Klassische Philologie mi offre un corso semestrale».

«Niente meno! Su quale argomento?»

«La lingua dei geografi greci anteriori a Strabone di Amasea».

«A chi può interessare una cosa del genere?»

«A una delle migliori università tedesche, per cominciare. Ne ho parlato con il professor Canfora».

«Che t'ha detto?»

«Non si è sorpreso. Sai com'è fatto, ha risposto con una perifrasi: quando gli studenti tedeschi conoscevano ancora il latino dicevano: *Extra Gottingam non est vita*».

«Tradotto nella lingua che usano i comuni mortali t'ha detto che dovresti andare. La paura è che il tuo prof sia piú pazzo di te. La canfora è una sostanza bianca di odore aromatico, si usa contro le tarme»

«Questo che c'entra?»

«Niente. Dicevo cosí per dire. Però consolati: viene anche considerata uno stimolante cardiaco».

«Io lo considero uno stimolante cerebrale, il prof voglio dire».

«Vedi a che servono le scienze umane di cui straparlavi poco fa? Su una questione del genere non esiste una risposta razionale. Bisogna correre dietro al proprio *daimon* e basta. Sperando che il tuo Canfora non prenda una cantonata».

«Figurati, uno come lui. È capace di stare tra noi a discutere la crisi del comunismo, ma anche ad Atene nel v secolo a sentire Pericle, a Roma in quel celebre 15 marzo, acquattato dietro la statua di Pompeo a contare le pugnalate. È fatto cosí e mi suggerisce di andare. E tu?»

«Conta davvero il mio parere?»

Era uno di quei momenti in cui si smette di giocare con le parole. Anche Clara pensava che dovesse accettare. Del resto era la sua stessa speranza, uscire, cambiare scenario, lingua, ambiente, lavoro. Forse sarebbe stato meglio, forse peggio, ma l'aria nuova poteva diventare di per sé un balsamo. O un anestetico. Per un periodo, almeno. Poi si sarebbe visto. Si limitò a chiedere:

«E se ci perdessimo?»

«Se ci perdessimo per cosí poco, – rispose Corrado, – vorrebbe dire che questo amore non vale granché. Io però ci credo, quindi non ci perderemo. Sai come diceva mia nonna?»

«Certo che lo so. Lo diceva anche la mia, per secoli le nonne non hanno detto altro. La distanza in amore è come il vento, spegne le piccole fiamme, alimenta le grandi».

Corrado propose di uscire.

Scesero in una trattoria lí vicino che costava poco e dove la mediocrità del cibo era a malapena compensata dalla ruvida simpatia dei proprietari, due anziani coniugi di notevole stazza, lui ribattezzato «Zi' Umberto», per via dei capelli grigi ritti come fil di ferro tagliati a spazzola.

Tovaglie di carta, posate gettate sul tavolo alla rinfusa, mezzo litro di pessimo vino bianco.

«Come vedi, – disse Corrado, – non manca niente, qui tutto è un tacito invito alla sobrietà. Meno si mangia meglio si sta».

«Durante l'ultimo anno di corso ho fatto alcune esperienze nei reparti psichiatrici», riprese Clara. Il discorso di prima li aveva spaventati, avevano bisogno di ritornare sui territori consueti. «Sono stata a Maggiano dove c'era Tobino. Ho visto malati di tutti i tipi, i miti, i queruli, gli agitati, gli ossessivi, i malinconici, gli osceni. I piú penosi, quelli che mi hanno davvero stretto il cuore, erano i dementi. Fermi in un angolo, la bocca semiaperta, lo sguardo nel vuoto. Nei cosiddetti matti si può vedere una forza, perfino un'inventiva, stravolta, eccessiva, disperata però anche vitale... Sono tornata a Maggiano quando c'è stata la famosa polemica con Franco Basaglia, volevo salutare Tobino, dirgli che aveva ragione quando parlava di "carità continua e di aspetto umano" della psichiatria, che i malati vanno curati e amati».

Per tutto il tempo Corrado era rimasto in silenzio, intervenne solo quando l'oste rientrò in cucina dopo aver preso le loro ordinazioni. «Ci sono medici di quel tipo, è vero, capaci di curare e di amare. Ma non puoi fondare una riforma sull'amore, ci ha provato Gesú e come vedi i risultati non sono granché... Se non sbaglio Basaglia disse che la posizione di Tobino gli sembrava "čechoviana"».

«Disse proprio cosí, senza rendersi conto di avergli fatto un gran complimento. Anton Čechov è stato un ottimo medico oltre che un genio del teatro, e un poeta».

«Hai ragione Clara, se parli del rapporto medico-paziente hai certamente ragione. Basaglia però aveva in mente una riforma politica del sistema manicomiale, quella non la puoi affidare alla poesia. In un caso del genere la politica deve contrastare abitudini, tradizioni, soprattutto forti interessi».

«La politica, amore mio, nega la radicale dimensione umana della follia», disse lei versandosi da bere.

Corrado la fissò stupito. Erano sempre stati cosí discreti nelle loro effusioni e nel linguaggio e ora, nel pieno d'una polemica vivace, lei se n'era uscita con «amore mio». Da dove veniva quell'inaspettata tenerezza?

Clara riprese immediatamente. «In psichiatria i sintomi sono in realtà esperienze vissute, narrazioni che si trasformano secondo il rapporto che si stabilisce con quel dolore. Non si può aver cura di un altro se non ci si mette direttamente in gioco. Dici che mio padre è inconsapevole del suo stato. Hai ragione, è cosí. Io però lo vedo, lo so e soffro due volte, per lui e per me. Il punto focale non è la malattia, è il dolore».

«Hai ragione, scusami. "La cognizione del dolore", stai parlando di questo, amore mio».

Le aveva rimandato la palla, Clara riuscí a sorridere, evocando il dolore però i suoi occhi s'erano inumiditi proprio mentre Zi' Umberto portava in tavola i supplí. L'astuto trattore stava per dire una delle sue gioviali battute, notò quell'incerta luce negli occhi di lei e s'arrestò interdetto. Corrado gli fece un sorriso per dissipare il suo imbarazzo: «Colpa delle cipolle...»

«Mi dispiace che tu vada in Germania per tanto tempo».

«Tu del resto te ne vai negli Stati Uniti».

«Questo ancora non si sa, anzi temo che ormai la cosa sia sfumata, non mi hanno mai risposto... Volevo dire che sono contenta per te, può essere davvero una possibilità».

Corrado le strinse la mano sopra la tavola.

«Il vero amore è quello che a un certo punto diventa anche amicizia. Grazie Clara, amica mia».

«Sai qual è la mia pena piú grande? Che papà debba morire cosí, senza saperlo».

«Non sono sicuro che le morti epiche siano meglio. Bruto, Seneca, perfino quella pazza canaglia di Nerone, quelli che si aprono le vene o che si lanciano sulla daga tenuta da uno schiavo. Personalmente preferirei morire nel sonno, forse addirittura nel sonno della demenza».

«Freud invece è morto in modo stoico, anche per questo lo amo. Sai come andarono le cose?»

«So che era malato e soffriva molto ma ignoro il resto».

«La cosa era cominciata quando morí sua madre a novantacinque anni: lui scrisse al suo biografo Ernest Jones di essersi finalmente guadagnato la libertà di morire. Era ossessionato dall'idea di andarsene prima di chi l'aveva messo al mondo, – raccontò Clara eccitata. – Quando pensò che fosse arrivato il momento costruí, nel senso letterale, una morte come quella di Socrate o di Seneca. Al suo medico Max Schur disse piú o meno: "Ricorda il nostro patto? Adesso soffro senza interruzione, non ha piú senso. Ne parli con Anna e facciamola finita". La figlia Anna all'inizio ebbe qualche incertezza che poi vinse. Schur gli iniettò due centigrammi di morfina che lo fecero sprofondare in un sonno senza dolori. Il giorno dopo gli iniettò quella definitiva. Morí nel corso della notte».

«Se le circostanze lo chiederanno è quello che farò anch'io. Decidere di morire e poi, al momento del trapasso, essere già altrove».

«Prima vai a organizzare questo corso in Germania. E ringrazia Canfora, ho l'impressione che ci abbia messo una buona parola».

28

Piú o meno verso le undici, in una giornata in cui il bar era piú affollato del solito, la signora Lina entrò dirigendosi direttamente verso la cassa.

«Pranziamo insieme oggi?» sussurrò avvicinandosi.

Clara la interrogò con lo sguardo, come per chiedere se c'era una qualche ragione particolare per una convocazione cosí repentina.

«Serafino ha detto che avrebbe bisogno di parlarti. Pare che ci siano novità».

Clara annuí, batté direttamente lo scontrino e incassò la somma per mascherare lo scopo di quel breve scambio.

Luigi, Roberto, Deborah, tutti meno Mustafà che arrivava nel pomeriggio, erano impegnati a sbrigare il flusso dei clienti. S'affacciò anche Romolo, il socio in affari di Omar: da qualche tempo era diventato una presenza abituale. Entrò col suo passo indolente, l'espressione e l'andatura svogliate, si guardò un attimo intorno poi s'appoggiò al bancone. Sorrise a Luigi che aveva già cominciato a preparargli il solito caffè al vetro schiumato.

«Vi vanno proprio bene le cose, – esclamò cordiale guardandosi intorno. – Quasi quasi mi metto in società con voi».

«Per il momento stiamo bene cosí», ribatté secco Luigi. Poi fece cenno a Clara di non far pagare la consumazione. Quello capí al volo e parve inalberarsi.

«Che, mi vuoi offendere?»

Bevve il caffè, evitò il gesto abituale di raccogliere la schiuma col cucchiaino e si diresse alla cassa. Appoggiò sul

piano una banconota di grosso taglio. Quando Clara gli
porse il resto disse ad alta voce che poteva tenerlo. «È
per il personale», aggiunse.

C'era un forte brusio, non tutti afferrarono le parole,
non tutti ne colsero il sottinteso. Roberto rimase per qualche secondo perplesso prima di avvicinarsi a Deborah.

«Secondo te che vuol dire? Perché quella scena?»

«È una sfida».

«Sfida per cosa? Il caffè è ottimo, il prezzo standard, il
servizio impeccabile…»

«Non lo so, Roberto. Ha lanciato una sfida, fanno sempre cosí».

Luigi, rimasto alla macchina dei caffè, aveva seguito da
lontano chiedendosi anche lui la ragione di quel fare arro-
gante, in stile mafioso. Deborah era turbata, agitatissima.
Prima che glielo ammazzassero come un cane aveva imparato molte cose da Omar: i collegamenti, i metodi di consegna, il taglio, soprattutto il linguaggio, il valore delle parole
ma anche quello dei messaggi affidati al comportamento,
ai gesti, alle allusioni. Per questo adesso era preoccupata
per la scena fatta da Romolo alla cassa. Sapeva che voleva
dire che qualcosa sarebbe successo. Presto, probabilmente.

L'aspetto dell'avvocato Serafino Vettori era meno bo-
nario del solito. Arrivò con un leggero ritardo. Lina aveva appena cominciato a dire a Clara che doveva farle una
proposta, quando suonò alla porta. Si scusò, chiese di potersi lavare le mani prima di sedere a tavola. Cercava di
apparire cordiale, ma era evidente che stava facendo uno
sforzo per nascondere la tensione. Solo quando annodò al
collo il tovagliolo se ne uscí in un vero sorriso, consapevole
dell'aspetto ridicolo che gli dava quel bavaglino.

«Tra due ore ho un incontro in procura, non vorrei
macchiarmi».

C'erano delle novità nell'inchiesta, ma prima voleva sa-

pere se Clara era arrivata a qualche conclusione. Lei rias-
sunse le considerazioni che aveva annotato dopo l'ultima
seduta. Si limitò agli aspetti psicologici, omise i dettagli
personali. Una donna dalla giovinezza difficile, una personalità immatura, un matrimonio imposto con un uomo che
non amava, sbiadito, privo di ambizioni, della cui morte
Wanda non aveva eccessivamente risentito.

«Vuol dire che potrebbe aver favorito, o almeno desiderato quella morte?»

«Voglio dire soltanto che non ne ha provato dolore. Aveva una posizione direi passiva nei confronti del marito, una
specie di commiserazione, sentimenti blandi, comunque».

«Pare che la situazione economica fosse notevolmente
migliorata negli ultimi tempi. Ne avete parlato?»

«No, questo punto non è stato toccato».

«Secondo i carabinieri i rapporti tra i coniugi non erano buoni».

«Sono stati pessimi in passato, ma credo che negli ultimi tempi avessero finito per trovare un certo equilibrio
anche a causa dell'indifferenza cui accennavo».

Non disse su quale sordido patto questo equilibrio era
fondato. L'avvocato però continuava a chiedere ragguagli
esattamente su quel punto.

«Di recente la donna è stata oggetto di una grave violenza a scopo chiaramente intimidatorio. L'ha saputo?»

Cercò di eludere la domanda diretta. «So che ha provato un grande spavento».

«È stata una vera aggressione, dottoressa. Con il chiaro
scopo d'imporle il silenzio. Ha qualche idea al riguardo?»

Era un punto sul quale Clara non aveva particolari informazioni. Anche se le avesse avute non le avrebbe date.
Comunque non dovette mentire.

«Non ho nessuna idea, avvocato».

Serafino la fissò perplesso, chiedendosi come avessero
trascorso il tempo nello studio che lui aveva messo a disposizione. Lina aveva ascoltato in silenzio limitandosi a

passare le portate di un pasto come sempre frugale. Avevano praticamente terminato, chiese se gradivano un caffè.

«Ci sono delle novità, – disse l'avvocato dopo che fu
servito il caffè. – Le indagini hanno messo in luce un rapporto anomalo, molto intenso, tra il defunto Pantano Ignazio e un certo Rizzo Franco, di professione imprecisata.
Lui si definisce imprenditore, ma di quali imprese non si
sa... I due sarebbero implicati in un giro di faccendieri e
malavitosi con lo scopo di favorire o alterare licenze edilizie, cambi di destinazioni d'uso, rilasci fraudolenti di licenze. Operavano all'interno del Comune con la complicità di impiegati e addirittura dirigenti di grado elevato».

L'avvocato aggiunse che di fronte ad accuse di tale rile-
vanza, l'inchiesta cominciata con l'assassinio di una guardia giurata poteva arrivare a mettere in luce uno scandalo
di notevoli dimensioni.

«Mi sembra una buona notizia, certo non per il Comune, ma per Wanda sí», commentò Clara.

«In un certo senso ha ragione. Conoscevamo già il suo
alibi per l'ora del delitto, se l'inchiesta sulle licenze prende davvero consistenza la figura della donna diventa marginale. Per questo sarebbe importante sapere qualcosa di
piú sui rapporti con questo Rizzo Franco, se ci sono stati».

Clara avrebbe potuto dire molte cose su quel rapporto,
ma non lo riteneva giusto e non ne aveva voglia. Wanda
aveva sofferto enormemente, forse sarebbe riuscita a rial-
zarsi anche se non era certo.

«Immagino che questo sviluppo allungherà i tempi
dell'inchiesta».

«Sicuramente. Il punto focale del mio lavoro, come le ho
già detto, è mettere in chiaro se Pantano è stato ucciso per
ragioni collegate al servizio oppure no. Se si stabilisse,
per ipotesi, una complicità del Pantano o di sua moglie con
questo Rizzo, l'assicurazione eviterebbe ogni risarcimento».

L'avvocato l'interrogava con lo sguardo, era chiaro che
sapeva qualcosa, ma voleva che fosse lei a parlare per pri-

ma. Clara si limitò a scuotere il capo; parve irritato, subito dopo uscí.

«Stamani al bar ho assistito a una brutta scena, – riprese Lina quando furono sole, – che voleva quel tale?»

«Un piccolo malvivente di quartiere. Non gli darei troppa importanza».

Lina non capiva se Clara fosse davvero convinta di ciò che aveva detto. A lei il «piccolo malvivente» era sembrato molto minaccioso. Cambiò discorso.

«Deborah mi ha detto delle preoccupazioni che hai per tuo padre, tanto piú se dovessi trasferirti negli Stati Uniti. Volevo farti una proposta».

«Gli Stati Uniti mi sembrano svaniti ormai».

«Mi auguro di no, la mia proposta potrebbe interessarti in ogni caso».

Prese a raccontare di un'anziana attrice di teatro sua amica, Sara Termini, che si trovava in ristrettezze economiche. La sua speranza di trovare alloggio in una casa di riposo per artisti era naufragata. Al momento non c'era nemmeno un posto libero e la lista d'attesa era lunga. Aveva pensato che Clara avrebbe potuto prenderla in casa, c'era la stanza lasciata libera da Assuntina. Poteva fare compagnia a Luciano, badare che non si facesse male, leggergli qualche storia. Si trattava di una persona straordinaria, assicurò.

«Ebrea, come avrai capito, una di quelle ebree dalle infinite risorse, parla tre lingue, attrice finissima con una biografia che ti interesserà conoscere...»

Aggiunse un particolare sorprendente. Durante l'occupazione nazifascista, Sara era stata per piú di un anno ricoverata in manicomio. Però senza essere pazza.

Clara, tacitamente, aveva già accettato.

«Quando vi incontrerete chiedile di raccontarti la sua storia, – disse Lina, – t'assicuro che vale la pena d'ascoltarla. A te poi dovrebbe interessare in modo particolare».

29

Clara si avviò alla quarta seduta con Wanda divisa tra attrazione e disgusto. Temeva di dover udire il seguito di una storia umiliante, i ricordi di quella donna la sconvolgevano ogni volta di piú.

Si aspettava che questo incontro risultasse di particolare importanza, tale da metterla in condizione di valutare la situazione nel suo complesso. E di chiudere finalmente il caso.

«Qualche giorno dopo Franco venne al bar e mi chiese se volevamo vederci nel pomeriggio. Lo disse ridendo, come se fosse una cosa allegra. Risposi anch'io ridendo che al pomeriggio non potevo perché c'era Ignazio a casa. Allora disse: "Inventati una scusa, una qualunque". Fu cosí che dissi a Ignazio che dovevo uscire e lo lasciai davanti al televisore. Ignazio non mi chiese dove andavo, a che ora sarei tornata. Franco m'aspettava davanti al portone di una casa vecchia, in via del Vivaio: pochi piani, un po' malridotta, scale buie che sapevano d'umido e di gatti.

Quando entrammo in camera da letto, però, mi sentii di colpo gelare. Era la stessa stanza in cui Ignazio era stato fotografato con Rita. Si vedeva benissimo la macchia sulla parete che avevo notato nella foto prima di ridurla in mille pezzi. Non dissi niente anche perché Franco aveva subito tirato fuori un pacchetto dicendomi d'aprirlo. Visto che non mi decidevo, lo fece lui strappando la carta. Dentro c'era della biancheria bellissima, molto sexy, tessuti leggeri, velati. Mi disse di metterla. Andai dietro l'armadio a cambiarmi, mi seccava fargli tutto lo spettacolo davanti. Mi fece camminare avanti e indietro dalla porta alla parete opposta dove c'era un grande specchio. Intanto diceva: "Ma ti rendi conto di quanto sei bella? Guarda la curva dei fianchi, guarda l'insellatura delle reni, l'attaccatura del seno, le gambe, poche donne hanno delle gambe cosí". Poi mi veniva vicino mi abbracciava, ci abbracciavamo davanti allo specchio, guardandoci sorridenti, mi ripeteva quant'ero bella, diceva che eravamo una bella coppia, che lui m'amava da morire, che insieme saremmo stati felici e intanto mi copriva di baci. In quel momento sentii davvero di amarlo e che ero pronta a fare qualunque cosa. Sarei stata una moglie perfetta.

Andavo su e giú con addosso quegli straccetti di lusso inebriata dai complimenti, dalle promesse, dalle illusioni. Mi sembrava di vedermi per la prima volta. Sapevo di essere una donna non brutta ma quella biancheria, lo sguardo di Franco che mi entrava dentro, le sue parole, mi facevano scoprire a me stessa. "Quando imparerai a vestirti sopra e sotto, – disse, – sarai una delle donne piú ricercate". C'era un doppio senso in quelle parole, ma lo scoprii solo in seguito.

Dopo un po' finimmo sul letto. Io però non avevo molta voglia, volevo continuare ad ammirarmi. E poi non riuscivo a dimenticare la stanza in cui mi trovavo, Ignazio che in quel momento se ne stava tutto solo a guardare la televisione. Mentre Franco mi ansimava vicino all'orecchio, a me venne in mente un dettaglio che m'aveva colpito nella foto. Ricordandomi la posizione che avevano i due, capii che chi l'aveva scattata doveva stare non lontano dalla finestra, però non era possibile perché lí c'era solo un armadio e poi subito il letto.

Franco a quel punto mi bisbigliò un po' risentito: "Che ti prende, perché non vieni?" "Non ci riesco", gli risposi. "Non farai mica i capricci adesso?"

Allora lui si alzò, versò un bicchierino di liquore e me lo fece bere. Disse che ero troppo scossa, che mi avrebbe fatto bene. Poi uscí dalla stanza. Chissà che c'era in quel liquore, mi girava la testa e m'era venuta voglia di dormire. Ogni tanto c'erano come dei lampi che mi attraversavano il cervello. Mi sdraiai sul letto, non m'importava piú niente di ciò che succedeva fuori dalla stanza e nemmeno dei miei pensieri perché da un momento all'altro Franco sarebbe tornato e avremmo ricominciato. Quando rientrò era tutto affettuoso, mi chiamava "la donna piú bella", diceva che voleva passare la vita con me: grazie a quella vertigine cominciavo a sciogliermi, mi sembrava di essere fuori controllo, come se il tempo non ci fosse piú. A un certo punto mi accorsi che non c'erano solo le mani di Franco a toccarmi. Vedevo Franco seduto nudo quasi sul cuscino, mentre io ero sdraiata di traverso, però avvertivo una mano che mi frugava. Girai la testa all'indietro per quanto potei perché mi sentivo sfinita e vidi che c'era un altro uomo sdraiato dietro di me. Uno coi capelli bianchi, un po' di pancia. Guardai Franco che guardava me, senza dire niente. Intontita com'ero, pensavo: "Ma come fa a permettere una cosa del genere? Ma perché non gli mena e lo caccia via, questo porco?" Cominciai a dimenarmi perché quello si levasse di lí e forse gridavo anche un po', ma il vecchio non si levava per niente, anzi mi rivoltò sulla schiena e mi salí sopra. Io dissi: "Franco, Franco ma non lo vedi?" E Franco mi venne vicino, s'inginocchiò a tenermi la testa e cominciò a sussurrarmi all'orecchio in quel modo affettuoso che aveva con me: "Su, non t'agitare che sennò ti fa male". "Ma è questo che mi fa male, – rispondevo io. – Questo porco". "È un amico mio, fallo per me, –

diceva. – Tesoro, amore, fallo per me". Sembrava che
mi volesse cullare, e mentre mi ripeteva quelle paroline
dolci, mi carezzava il viso e mi dava dei bacetti sulla
fronte come a una bambina. E quello intanto era già
bell'e entrato e Franco mi teneva ferme le mani mentre continuava a baciarmi.
Non so quanto durò, credo parecchio.
Capii tutto quando alzai lo sguardo. L'armadio non era
per niente un armadio. Era una porta che conduceva
in un'altra stanza e adesso quella porta era spalancata
e da lí il porco era entrato mentre Franco e io stavamo
facendo l'amore. Mi tirai su poggiandomi sul gomito
perché volevo andare subito via e tornare a casa, però
riuscivo a muovermi piano, mi girava la testa. Il porco
era tornato nell'altra stanza. Franco richiuse la porta del
finto armadio. In mano aveva un bel mazzetto di soldi.
Senza parlare sfilò una banconota, una sola, e la mise
via, il resto lo appoggiò sul comodino dicendo: "Sono
per te, te li ha lasciati quel mio amico". Io domandai:
"Che ore sono?" Perché in quel momento non m'importava niente dei soldi, pensavo solo che dovevo tornare a casa sennò sarebbe successa chissà che tragedia.
Erano le sette, erano passate sí e no un paio d'ore da
quando ero uscita e questo mi tranquillizzò perché mi
sembrava d'essere rimasta in quella camera per giornate intere. Franco mi chiese come mi sentivo, m'aiutò
ad alzarmi, quando fui in piedi m'abbracciò e ripeteva:
"Sei stata brava, proprio una brava bambina che adesso
si deve riposare un po'".
Quando fui rivestita e pronta ad andarmene prese i soldi e me li infilò nella borsetta dicendo: "Dimentichi il
meglio". Nella stanza nel frattempo era comparsa Rita,
che mi guardava come se non gliene importasse niente di quello che era successo. Cambiò espressione solo
quando vide il copriletto tutto macchiato. Con un gesto lo strappò via dicendo: "Questo ormai è rovinato".

"Ma no, basta lavarlo", rispose Franco. "Stinge", tagliò
corto Rita, tutta incazzata.

Quando entrai a casa, Ignazio se ne stava sdraiato a
leggere il giornale. M'accolse a muso duro, tirandosi
su lentamente, facendomi pesare ogni gesto che faceva,
caricandolo di minacce come se volesse dirmi: adesso
vedi che ti succede. Mi venne vicino con un'aria come
se mi volesse menare, parlava a voce bassa, con l'accento siciliano che si sentiva molto: "Dove sei stata
fino a quest'ora?" "Con Olga", improvvisai. "Non è
vero, Olga dice che non t'ha visto". Che gli potevo dire? Non mi sentivo nemmeno tanto bene. L'unica cosa
che volevo era spogliarmi e mettermi a letto. Alzai le
spalle decisa a tutto: "Olga si sbaglia, – risposi sicura,
– t'ha detto una bugia. Non voleva che tu lo sapessi...
Sono andata a prenderla e l'ho riaccompagnata adesso,
cose di donne". Chissà se ci credette o fece finta, o rimase sorpreso dalla prontezza. Io ero andata in bagno
per darmi una rinfrescata, lui entrò dietro di me, m'afferrò per le braccia con tutta la forza e mi disse con la
bocca a dieci centimetri dalla faccia: "Non ci provare
mai più, capito?"

S'aspettava che tremassi, che chinassi la testa, invece
lo guardai diritto negli occhi e risposi: "Non sono la tua
schiava, se voglio uscire esco quando mi pare". Alzò la
mano per menarmi e la bloccai, allora tornò a stringer-
mi le braccia, e in quel bagno piccolissimo mi scuoteva
di qua e di là, tutto pallido perché non sapeva più che
fare. Riuscí a tirarmi fuori dal bagno. Avevamo capito entrambi che il manico del coltello era passato dalla
mia parte e che quella era tutta una commedia per mascherare il fatto d'essere stato sconfitto.

In corridoio seguitava a rimproverarmi senza crederci
più tanto nemmeno lui, e mentre mi sgridava mi tra-
scinava verso la camera da letto, poi mi venne sopra,
eccitato da chissà quali pensieri e sospetti, e facemmo

l'amore. Ancora una volta, dopo tutto quello che era
successo in quel pomeriggio, mi ritrovavo un uomo addosso e non so per quale stranezza fu una delle poche
volte che farlo con Ignazio mi piacque. La notte, mentre lui dormiva mormorando qualcosa che non capivo, andai a prendere i soldi nella borsetta e finalmente
potei contarli con calma. Erano parecchi, erano quasi
quanto lo stipendio che davano a Ignazio alla fine del
mese. Aprii piano il cassetto del comò e li aggiunsi a
quelli che erano rimasti. Avrei dovuto trovare un altro
nascondiglio, sotto la carta della fodera cominciavano
a vedersi un po' troppo.

Quella notte non chiusi occhio, a un certo punto vidi
la luce grigia dietro le persiane, mi accorsi che stava facendo giorno e che non avevo dormito nemmeno un minuto. In quelle ore avevo finalmente capito quello che
m'era successo. Franco non era né un rapinatore né il
mio amante: era semplicemente un ruffiano che prendeva le donne stupide come me, le conquistava, e poi
le vendeva agli uomini nascosti dietro il finto armadio,
trasformandole in puttane. Rita, quella che chiamava la
sua fidanzata, era la donna che mandava avanti la casa
insieme a lui. Con noi due dovevano essersi sbagliati,
forse ci avevano sopravvalutato: avevano messo in piedi un'operazione doppia seducendo sia Ignazio che me
per essere sicuri che non succedessero guai in famiglia.
O forse no, questo m'è venuto in mente dopo. Forse gli
interessava anche Ignazio che faceva servizio in quella
tesoreria dove non solo giravano i soldi ma c'era anche
il modo per farli.

Franco m'aveva adocchiato dalla prima volta che era
entrato nel bar. S'era detto: questa ha la faccia adatta,
non è brutta, è giovane, e senza una lira. Questa la faccio diventare una puttana. Mentre ero lí sul letto con
Ignazio che mi dormiva accanto, cercavo di ricordare
quanto tempo era trascorso dal giorno in cui m'aveva

fatto il primo regalino. Non mi ricordavo bene, forse un
tre settimane, diciamo un mese, forse un mese e mezzo.
Tanto c'era voluto per trasformare una donna sposata
con un impiegato della vigilanza in una puttana. Perché su questo non avevo nessun dubbio, tutte le stupidaggini che m'avevano accompagnato in quel periodo,
le illusioni, il pensiero ridicolo che Franco e io fossimo
diventati amanti e forse un giorno saremmo andati a
vivere insieme, se n'erano andate di colpo.

In poche ore avevo scopato con tre uomini diversi e
adesso, sdraiata a letto, avevo i nervi cosí tesi che non
riuscivo nemmeno a pensare di poter dormire. Avevo
provato piacere e dolore, ero stata drogata e con la testa in pappa, adesso mi sentivo lucida come un coltello
e pronta a tagliare. Perché in quel pomeriggio d'orrore la mia vita era cambiata e anzi mi sembrava di aver
cominciato veramente a vivere solo durante quelle ore
nella casa dello scortico, buttata su quel letto come uno
straccio che chiunque, passando dal finto armadio, poteva sdraiarcisi sopra senza nemmeno chiedere permesso. Era come se qualcuno m'avesse tolto le bende che
avevo davanti agli occhi, anzi piú che davanti agli occhi, proprio nel cervello.

Erano cambiati i rapporti con Ignazio, per sempre. Lui
non poteva dirmi proprio niente e lo sapevamo tutt'e
due. Le peggiori umiliazioni le avevo avute facendo la
moglie. Erano cambiati anche i rapporti con Franco,
perché se voleva che tornassi in quella casa avremmo
contrattato prima quanti soldi mi doveva dare e quanti se ne sarebbe presi lui. M'era venuta perfino l'idea
che Rita avesse fatto tutta la scena del copriletto macchiato per farmi capire che i danni li dovevo pagare io.
Restava l'ultima cosa, la piú grossa. Adesso che avevo
cominciato a fare la puttana, avevo voglia di continuare? Non ho aspettato nemmeno un attimo prima di rispondere di sí. Ne avevo voglia, con quella chiarezza un

po' allucinata che mi sentivo dentro la testa e che forse era sempre effetto delle porcherie che m'avevano dato. Mi pareva di capire che quel mestiere potevo farlo. Suonò la sveglia, avevo deciso che se Franco m'avesse chiesto di tornare in quella casa ci sarei andata, però prima bisognava contrattare. Al momento d'uscire per andare al lavoro, Ignazio aprí il cassetto del comò, infilò la mano sotto la fodera e prese un paio di biglietti. Saltai su dal letto come una molla: "Lascia quei soldi, – urlai, – sono miei". Mentre se li infilava in tasca sorrideva con quei suoi baffetti, e io pensavo tutto in una volta che aveva già scoperto il nascondiglio, che forse me ne aveva già rubati un po', che sapeva tutto, sapeva che sua moglie faceva la puttana e non gliene importava niente: anzi era contento perché cosí a casa arrivava qualche lira in piú. Tutto insieme, sempre in quel lunghissimo istante in cui questi pensieri mi attraversavano la testa, pensai anche un'altra cosa: se avessi continuato a guadagnare, Ignazio si sarebbe addirittura messo a casa senza lavorare e me lo sarei ritrovato sulle spalle. Se non gliene importava niente all'inizio, chissà dopo, quando i soldi sarebbero diventati parecchi.

Allora feci una cosa che mai e poi mai mi sarei sognata di fare. Gli andai vicino e gli detti uno schiaffone con tutta la forza, la rabbia e il dolore che avevo dentro, proprio cosí, uno schiaffo tale che rimase a guardarmi con gli occhi sbarrati. E mentre lui mi fissava cosí, io mi ripresi svelta i soldi dalla tasca della giacca. Ignazio sembrava che stesse per mettersi a piangere, invece non disse niente, indossò il cinturone con la pistola e andò alla porta per uscire. Mi sorprese il modo in cui camminava: sembrava che dentro le gambe non ci fossero piú le ossa. Gli sono corsa dietro che aveva già aperto la porta, presi un biglietto, il piú piccolo di quelli che avevo in mano, glielo rimisi in tasca e dissi: "Adesso te le puoi comprare da solo le sigarette".

Io avevo capito e anche lui aveva capito: delle mille cose che poteva fare non ne fece nemmeno una, si tenne quei pochi soldi e andò al lavoro».

Clara ascoltava la confessione annichilita dall'orrore. Nonostante tutti i testi che aveva letto, non aveva idea che un matrimonio potesse arrivare a un tale livello di degradazione reciproca. Nulla a che vedere con i casi clinici che aveva studiato: nessun medico d'ingegno a organizzarne il resoconto, nessun equivoco, nessun malinteso, pura spietatezza che aboliva qualsiasi mediazione. E allontanava purtroppo anche ogni possibile diagnosi che aprisse verso una soluzione. Wanda le aveva messo sotto gli occhi la storia di due creature sconfitte e, nella sconfitta, portate a torturarsi a vicenda. Quella vita le arrivava addosso direttamente, carica dei suoi umori e odori, con la sua oscena trinità: un ruffiano sperimentato, una donna in ogni senso povera, un marito pronto ad accettare denaro comunque procurato. Circostanze che rendevano verosimili anche gli sviluppi dell'inchiesta. Clara era agitata da questi pensieri mentre Wanda continuava, ormai inarrestabile, a parlare. Si accertò che il registratore stesse girando, che si conservasse almeno una memoria magnetica di quanto stava dicendo, perché nel suo turbamento lei si limitava a udire il suono delle parole quasi senza afferrarne il significato.

«Il vecchio Marco non era stato un "salto", se lo ricorda dottoressa? Gliene ho parlato. Marco era stato un piano inclinato lungo il quale ero salita lentamente, scalando la condizione d'ignoranza bestiale nella quale ero cresciuta. Non mi sono mai vergognata di quello che facevamo. Sdraiata accanto a quell'uomo anziano che m'accarezzava, ho imparato piú di quanto mi rendessi conto. Il conte aveva un modo di dire le cose che mi piaceva: non mi raccontava solo i libri che aveva letto, che magari mi sarei annoiata, mi diceva anche che do-

vevo parlare a bassa voce, non far rumore con la bocca quando masticavo, che i denti vanno lavati almeno
due volte al giorno. Mi sono accorta dopo, quante cose
quel vecchio m'aveva insegnato. Cose sepolte dentro,
addormentate come me, che di colpo, insieme a me, si
sono risvegliate.
Mio marito non è stato né un salto né un piano inclinato, con lui ho camminato, faticosamente, in pianura. Il
matrimonio per me è stata un'esperienza insignificante, molta noia, disprezzo. Una sola cosa m'ha insegnato, senza volere: la pazienza. Tutte le volte che ha voluto fare l'amore, non mi domandava se ero stanca, se
anch'io ne avevo voglia, e neppure io lo facevo: rimanevo sotto di lui sentendomi un pezzo di legno con un
buco in mezzo. Guardavo il gioco d'ombre sul soffitto,
pensando che da lí a qualche minuto tutto sarebbe finito e che avrei potuto dormire. Il salto piú alto è stato
quel pomeriggio nella casa di Franco, quello è stato il
giorno in cui sono davvero diventata donna. Ho cominciato a frequentare la casa di via del Vivaio. Non c'è
stato bisogno di molte parole, ormai c'eravamo capiti.
Rita mi veniva a prendere e mi dava le istruzioni mentre andavamo, come a una cameriera. Franco s'era lasciato scappare che gli piacevo, lei aveva paura che si
prendesse una cotta e le rubassi il posto di capo-ruffiana.
Dei soldi che il cliente pagava, potevo tenermi la metà,
il resto andava a lei per la stanza e l'organizzazione generale. Avevamo trovato un equilibrio, tutti erano contenti. Non avrei mai potuto fare la puttana, se non mi
fossero sembrati meglio gli incerti di questo mestiere a
quelli del mestiere di moglie.
Poi successe che anche Ignazio cominciò a maneggiare
un bel po' di soldi. Qualche volta uscivamo insieme e mi
chiedeva davanti a una vetrina: "Vuoi questo?" "Vuoi
quello?" E mi stringeva il braccio e strizzava l'occhio.
Io gli rispondevo come se fossimo una coppia norma-

le: "Ma non spendiamo soldi". E lui: "I soldi quando ci sono si spendono". Un giorno glielo chiesi: "Ma tutto questo denaro dove lo trovi?" Se l'aspettava la domanda, gonfiò quasi il petto: "M'hai sempre detto che dovevo darmi da fare per guadagnare un po' di piú, mi sto dando da fare, sei contenta? Pensavi che sarei vissuto alle tue spalle?" Lo disse con forza, voleva farmi capire che anche lui aveva il suo orgoglio, che non sarebbe campato facendo il magnaccia, che eravamo pari. Quello che stava combinando lo scoprii tempo dopo, anzi non lo scoprii, me lo disse Franco. Lí per lí non capii perché me l'avesse detto: ancora una volta quando l'ho capito era troppo tardi. Sono sempre arrivata tardi, dottoressa.

Adesso che le ho raccontato queste cose le sembrerà piú chiaro perché sono tornati da me, perché m'hanno costretta a girare un film porno riempiendomi di droga e di botte. Mi vogliono avere in mano, essere sicuri che non parlo di quello di cui non si deve parlare. Però adesso mi fermo, sono stanca morta, ho di nuovo paura, mi viene da vomitare».

Nel diario delle sedute Clara annotò:

«La situazione comincia a essere molto chiara. La vicenda di Wanda disegna il caso, spaventoso, di una donna precipitata in una situazione che s'illude di controllare. Tra i numerosi elementi che hanno favorito i fatti, ne isolo uno che finora avevo sottovalutato. Lo riassumo nella formula "sindrome del troppo amore" che impiego nel senso datogli recentemente da Robin Norwood. Che cosa vuol dire "amare troppo"? Quando essere innamorate significa soffrire, stiamo amando troppo… quando giustifichiamo tutti i malumori, il cattivo carattere, l'indifferenza, i tradimenti, stiamo amando troppo… Quando siamo offesi dal suo comportamento ma pensiamo che sia colpa nostra stiamo amando troppo.

Scrive la Norwood che se si ama troppo non si ama affatto, in realtà queste donne sono dominate dalla paura: di restare sole, di non essere degne d'amore, di essere ignorate o abbandonate, di precipitare di nuovo in una situazione dalla quale vogliono fuggire. È il caso di Wanda. Amare con paura può trasformarsi in un morboso attaccamento a qualcuno che si ritiene indispensabile per la propria esistenza, che sarà comunque migliore di quella da cui si vuole fuggire.

Due fattori intervengono su questa sindrome, spesso sommandosi. Il primo è di carattere storico. Le donne, da secoli, sono portate a "pensar male di sé". È stato insegnato loro che sono deboli, dipendenti per natura, paurose, fragili, bisognose di protezione e di guida. Alcuni di questi insegnamenti, ripetuti per generazioni, sono entrati a far parte dell'inconscio femminile. A questo vanno poi aggiunti i connotati di ogni individuo, circostanze e caratteristiche racchiuse nell'arco di una singola esistenza.

Di Wanda, a voler rispettare i canoni, dovrei approfondire i primi anni di vita, soprattutto i rapporti con il padre. Si è lasciata coinvolgere in un distruttivo processo di degradazione, ha offerto la sua disponibilità fisica e psicologica con la speranza assurda che l'uomo che l'aveva in ogni senso stuprata l'avrebbe protetta dalle sue paure, liberata dalle sue frustrazioni. *Mettiamo i soldi da parte, Potrai divorziare, Fuggiremo insieme, Sei la donna della mia vita, Sei la più bella, Non ho mai amato nessuno come te...* Allettamenti facili e rozzi che, in condizioni ambientali o mentali diverse, non avrebbero ingannato nessuno. Franco aveva individuato in Wanda un soggetto disturbato e fragile che aveva subito sofferenze, stress e umiliazioni in misura superiore alle capacità di resistenza. Dunque, pronta a cedere.

Le donne in queste condizioni si sentono attratte in modo particolare da uomini per qualche ragione non

emotivamente disponibili. La sostanziale freddezza di
lui sotto le stucchevoli espressioni amorose, il comportamento abietto, le violenze, non hanno attenuato il
rapporto, al contrario hanno rafforzato la dipendenza
di Wanda. Piú la sua condizione si degradava, piú sentiva il bisogno di quel rapporto; piú si illudeva di avere
il controllo della situazione, piú vi era soggetta. Anche
perché non bisogna dimenticare il grido sfuggitole a un
certo punto: "Le peggiori umiliazioni le avevo avute
facendo la moglie".

La promessa di una futura vita in comune ha certo avuto
importanza, ma è verosimile che ne abbia avuta ancora
di piú la fiducia di Wanda di poter redimere Franco.
Non si rendeva conto che, mentre si diceva innamorato
di lei, Franco era in realtà il suo aguzzino. Si era convinta di amarlo davvero ed era pronta a fare qualunque
cosa perché anche lui la amasse.

Secondo la Norwood una relazione di questo tipo rag-
giunge fin dall'inizio il suo culmine, infonde nel soggetto un senso di euforia e di eccitamento, la fiducia
che finalmente i piú profondi bisogni di attenzione e di
amore saranno soddisfatti. Il coinvolgimento può raggiungere una tale intensità da trasformare la vittima in
una schiava.

Nell'ordinamento italiano è stato abolito qualche anno
fa (sentenza Corte Costituzionale, 8 giugno 1981) l'articolo 603 del codice penale che stabiliva: "Chiunque
sottopone una persona al proprio potere, in modo da
ridurla in totale stato di soggezione, è punito con la re-
clusione da cinque a quindici anni". Era il reato di plagio, difficile da individuare in giudizio perché bisogna
distinguere "l'attività psichica di persuasione da quella
anch'essa psichica di suggestione. È arduo trovare cri-
teri sicuri per accertare l'esatto confine fra queste due
attività". Scrupoli ragionevoli sul piano giudiziario. Ci
sono però anche casi in cui il plagio – a livello psicolo-

gico – appare evidente. Nessun dubbio che Wanda sia stata ridotta per un certo periodo in una condizione di totale dipendenza mentale.

La variante è che, toccato il fondo dopo il pomeriggio da lei definito "di orrore", c'è stato come un risveglio, uno scatto di consapevolezza. Scoperto l'inganno nel quale era caduta, ha trovato la forza di riequilibrare le posizioni, nel tentativo di ricavarne alcuni benefici pratici. Il fatto che non abbia rifiutato e anzi abbia accettato volentieri la nuova condizione di prostituta, va addebitato ai patimenti sofferti in precedenza, al timore di doverli di nuovo affrontare, forse a una propensione ai rapporti promiscui la cui origine andrebbe indagata a parte. Quando si è resa conto del giro perverso nel quale era finita, era troppo tardi per tornare indietro. Ha creduto di avere scelto lei di proseguire, liberamente, mentre in realtà era già prigioniera delle circostanze. Resta da vedere quali conseguenze questo cambiamento abbia avuto nei rapporti con i due uomini.

Con Franco, cessata l'illusione (patetica) di una storia che potesse addirittura portare a una vera unione, è rimasto un profondo risentimento che potremmo forse definire odio. Un rapporto ad alta conflittualità che potrebbe aver influito sul suo comportamento in occasione dell'assassinio del marito.

Con Ignazio il sentimento piú visibile è il disprezzo unito alla pietà. Il gesto di mettergli in tasca un po' di soldi per le sigarette, dopo aver affermato la sua supremazia schiaffeggiandolo, equivale a un'elemosina. Disprezzo e pietà, sentimenti miti, non si conciliano né con l'amore né con l'odio, che sono al contrario sentimenti forti.

Potrei aggiungere che, umiliandolo in quel modo, forse è stata lei a spingerlo sulla strada dell'illegalità che l'inchiesta in corso pare stia portando alla luce. Nella confessione di Wanda si possono isolare le parole di Ignazio: "Mi sto dando da fare, sei contenta?" che paiono alludere proprio al suo desiderio di compiacerla a costo di svolgere quelle attività illecite di cui mi ha parlato l'avvocato Serafino. Qui però rischierei di dare giudizi sulla psicologia di un uomo di cui ho solo intravisto alcuni tratti superficiali, per di piú attraverso lo specchio probabilmente deformato delle parole di sua moglie».

30

Qualche giorno dopo la sua ultima visita, Romolo si rifece vivo al bar. S'affacciò sorridendo, indugiò indolente sulla porta prima di dirigersi al tavolino abitualmente riservato alla signora Lina. Quando Deborah s'avvicinò per ricordarglielo si limitò a un vago cenno di fastidio.

«Bella, come stai? Te li ricordi i bei tempi? Va', va', di' a Luigi che gli devo parlare. È urgente».

Deborah capiva il linguaggio: se era cosí brusco, doveva esserci una ragione.

«Romolo, questo tavolino...» cominciò Luigi.

«Lo so, è di quell'impicciona che non si fa mai i cazzi suoi. Adesso però ci sto io. Mettiti a sedere, ti devo dire una cosa importante».

Luigi sedette facendo segno a Deborah d'occuparsi dei clienti.

«C'è un amico mio, – attaccò Romolo, – si chiama Ciro Jovine... Una persona seria, gli piace questo posto e vorrebbe comprarlo».

«Comprarlo in che senso, noi siamo in affitto e non mi pare che sia in vendita».

«Lui dice che gli serve la licenza, tu gliela dai, lui la gira a nome di un'amica sua, poi si compra pure i muri. Tu sei in affitto, lui compra tutto».

Luigi prese un lungo respiro prima di ribattere: «Gli puoi dire che non si può fare. A questo posto ci tengo, ci teniamo tutti, era un buco e guarda che l'ho fatto diventare».

«Non ti scaldare, non t'ho detto tutto... Tu devi ridare i soldi alla banca, ogni mese un sacco di rotture di coglioni. Invece se i soldi ce li mette Ciro tu non hai piú una lira di debito, ti compra la licenza a peso d'oro. Luigi, guardami bene in faccia: hai svoltato. Capito che ho detto? Svoltato! – quasi gridò. – Non devi chiedere piú niente nemmeno a quell'amica tua e ti senti piú libero».

Romolo lo fissava con aria sorniona e complice; voleva che quelle parole sembrassero una confidenza tra maschi, non una minaccia. Luigi però cominciava a capire la dimensione dell'imbroglio. Negli ultimi tempi aveva sempre trovato la roba con facilità e a prezzi molto convenienti; bastava che chiedesse un po' in giro, venivano a portargliela persino in negozio, consegna a domicilio. Ottima merce, ottimi prezzi. Aveva pensato che quella fosse una fase del mercato: era stato un fesso, adesso sapeva che cosí avevano cominciato a prenderlo nella rete.

«Ciro ti vuole bene», aggiunse Romolo esagerando.

«Non dire stronzate, chi lo conosce».

«No, dico sul serio... Gli piace quello che hai fatto con questo posto, ha detto che sei bravo, lui ti riempie di soldi cosí tu puoi cominciare da un'altra parte... Ti viene dietro, capisci il giro? Gli amici lo chiamano Ciro 'a purpetta. Gli piacciono le polpette col sugo, le mangia tutti i giorni, ha pure inventato una pizza alle polpette. Due locali già le fanno, c'è la fila fuori, vanno a ruba».

Lanciato l'amo, Romolo parlava e parlava. Luigi non lo stava nemmeno piú a sentire, tentava di pensare se c'era un modo di liberarsi di quel cappio che gli stavano stringendo alla gola; non era possibile che finisse con quelli che si prendevano tutto, rubandogli il bar, rubandogli il progetto, un pezzo di vita. Due giorni prima, dopo la chiusura serale, aveva parlato con gli altri. Le cose vanno bene, aveva detto, ce la stiamo facendo, siete, siamo, tutti molto bravi e se qualcuno pensa di cambiare mestiere ci ripensi perché questo è il momento per restare qui. Se le cose continueranno allo stesso ritmo, possiamo puntare in alto.

In quarantott'ore la situazione s'era capovolta.

«Non se ne parla», disse Luigi con forza. Poi, per far capire che manteneva il controllo della situazione, gli chiese se voleva un altro caffè. L'altro fece un gesto come per scacciare una mosca, equivaleva a un'ingiuria.

«Eh, vabbè, non se ne parla... Luigi, è un'offerta buona, come fai a dire di no?»

«Il padrone qui dentro sono io, siamo noi. Quando vogliamo smettere lo diciamo noi, non so se è chiaro».

«Belle parole, certo... Ma quando arriva un'offerta che non puoi rifiutare che fai?»

Luigi doveva sapere dall'inizio che si sarebbe arrivati a quel punto. Romolo gli poggiò amichevolmente una mano sul braccio, arrivò a sorridere mentre rendeva ancora piú esplicito il concetto. Gli stava facendo capire che non c'erano obiezioni, era una di quelle proposte cui bisogna dire per forza di sí.

«Guarda che io non mi limito alle chiacchiere. Ti ricordi il giorno dell'inaugurazione quando c'erano quegli stronzetti che ti volevano rovinare la serata?»

«La serata veramente me l'hai rovinata tu».

Romolo trattenne a stento una risata: «Perché ho spaccato la faccia a quel figlio di troia? Avevano cominciato che volevano fare gli spiritosi, ancora un po' e ti distruggevano il locale. Invece, due colpi ed è finita lí. Li hai piú visti girare qua intorno? Hanno capito che siete protetti, sono andati a rompere il cazzo da un'altra parte. Io parlo, Luigi, ma faccio pure. Mi chiamano "Mano di ferro", quando picchio divento una macchina, pam pam pam, non mi fermo neanche se quello mi prega strisciando. Vado avanti, me ne frego. Io metto paura, è questo il segreto».

Chiaro, tutto molto chiaro, vie di fuga non riusciva a vederle.

«Dammi un po' di tempo per riflettere».

«Ciro ha detto che c'ha fretta; devi decidere subito».

Luigi non sapeva cosa rispondere, perdeva terreno. Gli sfuggí una richiesta che era già una resa.

«Mustafà lo lasciate».

«Ciro c'ha i pizzaioli suoi».

«Ma Mustafà è bravissimo».

«Quelli sono piú bravi, vengono da Casal di Principe, mica come quel negro».

«È egiziano».

«Insomma, un mezzo negro. Quelli a Casal di Principe con la pizza ci nascono, ce l'hanno nel sangue... A Mustafà gli facciamo fare il cameriere».

«Non lo farà mai».

«E allora s'attacca».

Romolo parlava con la scioltezza di chi ha il coltello dalla parte del manico, e sa come usarlo. Deborah aveva portato di sua iniziativa un paio di caffè, lui aveva riempito di zucchero il suo e lo stava bevendo. Sorrideva sorseggiandolo, mentre pregustava le prossime parole.

«È carina Deborah, si muove bene tra i tavoli con quel bel culetto. Lei può rimanere, è pure vedova». Rise apertamente della sua battuta.

«Chi l'ha ucciso Omar?»

«Omar s'è praticamente ammazzato da solo. Tu hai fatto il militare?»

Luigi rispose con un cenno di diniego.

«Io l'ho fatto, genio pontieri, 32° reggimento, eravamo i meglio. Una volta abbiamo mont...to un ponte sul Tevere in diciotto ore. Nessuno ci voleva credere, invece l'abbiamo fatto. C'erano i tedeschi e i francesi, c'avevano gli occhi fuori dalla testa, sono belle soddisfazioni. Sai che s'impara sotto le armi? Obbedienza cieca, pronta e assoluta. Se obbedisci fai squadra e dieci uomini sembrano cento. Se non obbedisci fai solo casino e rischi di brutto. Mi capisci?»

Cosí dunque era morto Omar. Romolo invece sapeva come ci si deve muovere, infatti era lí, tutto elegante, con al polso un bell'orologio grosso come una cipolla a bere il caffè mentre guardava il culo di Deborah e forse faceva un progetto anche su di lei.

«Affare fatto? Lo posso dire a Ciro? A lui gli piacciono i giovanotti svegli che capiscono al volo le situazioni... Ah, non t'ho detto il meglio! I soldi ti arrivano in un bel pacco, nessuna rottura di coglioni con le banche. Te li metti dove sai tu e ti trovi un altro locale –. Sorrise come un bambino. – Oggi hai fatto filotto, Luigi. Chissà che non facciamo altri affari insieme noi due».

Sara Termini, l'amica della signora Lina, si presentò puntuale con un breve squillo del campanello. Una donna magra, di quelle che sembrano avere sempre quarant'anni. Doveva essere stata una bellezza: i capelli, quasi interamente bianchi, li portava tagliati nella foggia che all'inizio del Novecento si chiamava «alla maschietta». Nelle grandi metropoli, avevano alimentato molti sogni.

Sara fece subito sparire ogni possibile imbarazzo con un sorriso che ispirava simpatia, dava l'idea che in lei non ci fosse nulla di forzato.

«Buongiorno, posso?»

«Benvenuta Sara, s'accomodi».

Clara aveva già pronto un piccolo rinfresco, si trattava solo di mettere la macchinetta del caffè sul fuoco.

«Non so se Lina le ha detto...»

«So tutto. Sicché lei era un'attrice di teatro».

«In anni lontani, sí. Lei non era ancora venuta al mondo».

«Aveva un repertorio particolare?»

«Quello che la sorte e i capocomici mi hanno proposto... Ho cominciato a sedici anni facendo Giulietta, ho finito molti anni dopo facendo Gertrude in *Amleto*. In mezzo c'è stato di tutto».

«Sono anch'io appassionata di teatro, trovo che recitare, la finzione del personaggio... Mi scusi, ho dimenti-

cato il caffè... – Corse in cucina, tornò con la caffettiera.
– Diceva che tra Giulietta e Gertrude c'è stato di tutto»,
disse sorridendo dopo aver versato il caffè nelle tazzine.

«I tempi erano quelli che erano, il famoso secolo breve
che invece secondo me non finisce mai».

Sara disse che si trattava di eventi cosí terribili che molti
anni prima aveva cercato con tutte le forze di cancellarne
perfino il ricordo.

«Nei ricordi prevale sempre il dolore, – osservò Clara.
– È come se fosse scritto con un inchiostro piú resistente».

Sara spiegò che alla fine qualche risultato l'aveva rag-
giunto. Aveva stabilito che ciò di cui non ci si rammenta è
come se non fosse mai accaduto, dunque bastava cacciare
i ricordi molto in fondo. Era uscita viva da anni che non
si sarebbero ripetuti mai piú. Anche perché non era possibile provare una seconda volta un terrore cosí totale.

«So che è stata in una casa di cura, questo m'interessa,
sono psicologa».

«Lo so, Lina me l'aveva detto. Però non ero ricoverata, ero nascosta».

Quel periodo della vita di Sara, ascoltato in tempi di
pace, suonava inverosimile, una favola nera di un'epoca
che poteva a stento essere immaginata.

Dopo l'8 settembre 1943 erano cominciate le grandi re-
tate degli ebrei. Mussolini, diventato capo della Repubblica
Sociale Italiana, aveva fatto proclamare con il manifesto di
Verona che gli ebrei sarebbero stati trattati come «sudditi
di uno Stato nemico». Era peggio delle leggi razziali pro-
mulgate nel 1938, era il suggello che apriva la caccia indi-
scriminata. Sara era riuscita a raggiungere fortunosamente
San Maurizio nel Canavese, non distante da Torino. Lí il
professor Carlo Angela, padre del popolare autore televi-
sivo, dirigeva una casa di cura per malattie mentali: Vil-
la Turina Amione. Il professor Angela, illustre psichiatra,
l'aveva trasformata in un luogo dove antifascisti ed ebrei
potevano trovare rifugio. Lo faceva a rischio della vita.

Come Oskar Schindler e Giorgio Perlasca, anche il professore falsificava documenti. Nel suo caso erano cartelle cliniche che trasformavano i sani in malati di mente, gli ebrei in ariani. Sara Termini era diventata Lucia Panunzi, affetta da sindrome schizofrenica cronica grave di tipo ebefrenico, caratterizzata da comportamenti confusionali e incoerenti a prevalente carattere infantile.

«Era una diagnosi impegnativa, dovetti imparare a fare la pazza bambina cercando di imparare dai malati veri. Uno in particolare, un certo Giuseppe... Ho sempre pensato che intuisse quello che stavo facendo. Nelle pause di lucidità mi guardava con simpatia, come se mi dicesse: Dài, salvati la pelle, guarda come si fa».

Sara raccontava quelle vicende orribili con voce pacata, dando però le giuste inflessioni alle frasi sicché i ricordi balzavano vivi dalle sue parole.

«Giuseppe poteva avere trent'anni, certi occhi grandi, però spenti, come quelli di un cieco, era difficile credere che li usasse per vedere; un viso lungo che aveva un che di spettrale. Era magrissimo, di una magrezza speciale che era già un sintomo. Quando tutto è finito sono tornata a cercarlo, volevo aiutarlo, ma nessuno sapeva piú nulla di lui».

Sara disse che la tortura peggiore era stata la continua paura di essere scoperti. Il professor Angela visitava i reparti con il suo camice bianco che lo faceva sembrare un santo, aveva un sorriso per tutti ma non sempre bastava davvero a rassicurare.

«Un giorno udii qualcosa, mi misi in allarme prima ancora di capire cos'era. Qualcuno stava salendo le scale, potevo riconoscere distintamente uno scalpiccio leggero. Si fermò dietro la porta, sentii il suo respiro attraverso il legno, le gambe mi erano diventate di piombo, aspettavo che qualcuno sfondasse la porta con un calcio. Una voce gridò giú in cortile, ero abituata agli urli improvvisi, ce n'erano sempre, anche di notte, quell'urlo però risuonò come un segnale d'allarme: mi stavano avvertendo che l'ora era arri-

vata... Non so quanto durò l'attesa, forse svenni. Quando
ho ripreso coscienza, sono andata in punta di piedi fino alla
porta, scalza, ho poggiato l'orecchio, il respiro affannoso
non si sentiva piú. Allora ho aperto lentamente, temendo di prendermi in faccia il calcio del moschetto, invece
fuori non c'era nessuno, il pianerottolo era vuoto e buio».

«Quanto è durato quel periodo?» domandò Clara, av-
vinta totalmente dal racconto.

«Diciotto mesi in tutto. I peggiori sono stati gli ultimi,
quando abbiamo capito che nemmeno il professore era al
sicuro nella sua clinica. Qualcuno ne è rimasto segnato
per sempre... Io credo di essermi ripresa». Si fermò, sorrise prima d'aggiungere: «Penso fosse perché ero abituata
a fingere, ero un'attrice. Certo che quando poi ho visto i
miei colleghi simulare in scena la follia d'Amleto, ho avuto spesso la tentazione di dirgli: ragazzi miei lasciate perdere, non è cosí che si deve fare».

Risero tutt'e due, con una spontaneità che le faceva
già amiche.

Clara le mostrò la casa dove non c'era poi molto da vedere. La stanza di Assuntina dove avrebbe potuto installarsi,
svuotata delle immagini sacre e tinteggiata, aveva ripreso
vita. Mentre ne stavano uscendo, incrociarono Luciano
che avanzava lungo il corridoio. Fissò Sara per un istante,
perplesso. Poi il suo sguardo si illuminò.

«Mamma, – disse con vivacità, – dove t'eri cacciata?
È tardi, dobbiamo uscire a fare la spesa».

31

«La seduta precedente si è chiusa in un'atmosfera di enorme disagio. Wanda appariva disfatta, io stessa mi sentivo esausta, con forti sentimenti di partecipazione e di pietà. Ho preso nota di alcune parole di Wanda che ora credo di poter decifrare. Trascrivo dagli appunti: "Mi vogliono avere in mano, essere sicuri che non parlo di quello di cui non si deve parlare". Alla luce di ciò che Wanda mi ha confidato fino a questo momento non è facile dare alle sue parole un senso che spieghi l'orribile violenza da lei subita. Di quale cosa non avrebbe dovuto parlare? Della sua condizione di prostituta? Dello sfruttamento cui Franco l'ha sottoposta?

È possibile credere che la risposta stia invece nelle rivelazioni che l'avvocato ha lasciato trapelare, i loschi rapporti tra Ignazio e Franco. L'inchiesta della procura potrebbe riuscire a chiarirli. Per ciò che riguarda il mio approccio con la paziente, credo che dovrò cominciare a incalzarla con qualche domanda. Quella d'apertura potrebbe essere la seguente: "Vengo a sapere che suo marito Ignazio e Franco avevano stretto un rapporto d'affari. Lei ne era al corrente?"»

«Lo sapevo e non lo sapevo, dottoressa, diciamo che lo sospettavo. Successe che un giorno, mentre stavo con un cliente, mi parve di sentire nell'altra stanza la voce di Ignazio. Dissi a quello di stare un po' buono e nel silenzio mi resi conto che era proprio lui. Siccome sono

stupida, ho pensato che fosse venuto lí a fare una scenata, che da un momento all'altro la porta si sarebbe
spalancata e che Ignazio o tutti e due sarebbero entrati picchiandosi…»

«È almeno la terza volta che Wanda ripete di aver atte-
so, sperato, una "scenata" da parte di suo marito, una
reazione "virile" secondo i canoni tradizionali, la prova
della sua gelosia, la conferma che l'amava. È una delle
sue confessioni piú patetiche».

«Invece non successe niente, dopo un po' quel chiac-
chiericcio s'allontanò. Avevo sentito le voci ma non avevo capito una parola. Quando il mio cliente se ne andò,
uscii per dare a Franco la sua parte di soldi. Lo guardai
con intenzione ma non disse niente, allora parlai io, gli
dissi che mi pareva d'aver sentito la voce d'Ignazio.
Franco si mise a ridere: "Ma sí, – disse, – è passato a
salutarmi, ci siamo fatti un caffè". Siccome continuavo
a guardarlo, aggiunse che dovevo stare tranquilla, nessuno sapeva che stavo lí a lavorare, Rita sceglieva i clienti
facendo attenzione a non compromettermi. Gli chiesi
se gli sembrava normale che Ignazio andasse a bere il
caffè proprio da lui. Rispose: "E perché no, scusa che
c'è di male, ci siamo conosciuti, siamo anche stati intimi". E lí si fece una di quelle risatine da delinquente.
Ignazio ormai è morto e non c'è niente che può danneg-
giarlo. Le ho già raccontato che m'era sembrato strano
che quasi di colpo avesse cominciato a guadagnare di
piú. Quando mi disse che si stava dando da fare, lí per
lí pensai che gli avevano dato un aumento di stipendio,
un lavoro pagato meglio. Invece, una o due volte che
sono passata per il Comune, ho visto che stava sempre
lí impalato davanti alla porta della tesoreria con il cinturone, le cartucce intorno alla vita e l'aria di annoiarsi,
che se fosse arrivato davvero qualcuno deciso a rubare

lo avrebbe steso in un attimo. Mi faceva pena, dottoressa, questo lo posso dire. In certi periodi ne ho avuto
paura, l'ho odiato, poi mi è diventato indifferente. Da
quando ho cominciato a guadagnare molto più di lui,
la paura non c'è più stata, mi sono sentita addirittura
superiore. Ero indipendente, e se per esserlo dovevo
fare la puttana, avrei fatto la puttana. Tutto pur di non
ridiventare quella che deve chiedere i soldi per fare la
spesa, fa da mangiare e aspetta. Vederlo lí fermo, immobile, con l'aria di chi avrebbe voluto andare a farsi
un sonno, ogni tanto si scuoteva, faceva qualche passo
di qua e di là tanto per muoversi un po'... Pensai che se
gli avessi voluto bene gli avrei detto di tornare a casa,
che ci pensavo io a dargli da mangiare.
Questo pensavo, ma subito dopo mi facevo schifo da
sola per quei pensieri. Un uomo cosí non lo avrei sop-
portato nemmeno due giorni. E poi bene non gliene volevo, erano idee che mi facevo venire per farmi male.
Pensavo quelle cose per ricordarmi quanto tempo c'era
voluto a smettere di sentirmi una nullità davanti a lui e
cominciare a credere che era lui la nullità.
Stavamo parlando delle indagini, di quello dobbiamo
parlare, lo so, ma è tutto cosí intrecciato... Nella casa di
via del Vivaio Franco riceveva spesso delle persone. Alcuni erano dei poveracci come noi, altri arrivavano con
grandi macchine, certe volte con l'autista, borse piene di
carte. Si chiudevano nella stanza che era un po' l'ufficio
di Franco e se ne stavano lí a parlottare anche per mezzo
pomeriggio. Però un giorno m'è capitato di vedere che
sul tavolo erano rimaste delle mappe con dei disegni da
ingegneri, colorate di verde e di rosa, con delle scritte.
Poi, un po' di tempo dopo, ho visto le stesse carte, oppure sembravano uguali, nella borsa di Ignazio. Allora
ho capito, lo so che ci ho messo molto tempo ma i miei
pensieri giravano sempre intorno a quello che avevo cominciato a fare, mi sembrava l'unica cosa importante

e pensavo che tutti dovessero occuparsi solo di quella. E invece a nessuno importava niente di ciò che facevo, nemmeno a mio marito, il mondo continuava a girare come quando non avevo una lira e stavo a casa a rifare il letto e a spazzare. Nel mondo che girava c'erano anche Ignazio e Franco che facevano gli affari loro con quelle mappe di case e di interi quartieri mentre io stavo lí a farmi scopare dal primo che entrava...»

«A questo punto la seduta è stata sospesa per l'evidente stato di agitazione di Wanda che ha cominciato ad ansimare e ha avuto qualche conato di vomito. Alla mia domanda se voleva interrompere, la paziente ha risposto che intendeva continuare, che voleva dire tutto e dire anche come la storia si era conclusa. Dopo circa mezz'ora di sospensione la seduta è ripresa».

«Anche se non ero pratica, ho capito che quei due trafficavano con i piani delle case e delle strade, le licenze edilizie che valgono un sacco di soldi. Franco procurava i clienti, Ignazio aveva qualche conoscenza e facevano affari insieme. Non era stato promosso, stava sempre lí impalato alla tesoreria, ma quando aveva finito entrava negli uffici giusti e combinava quello che doveva combinare. Franco dava a me e a lui la percentuale per i servizi che gli facevamo. Rita ogni tanto mi guardava e faceva una smorfia come per farmi capire che se avesse voluto poteva distruggermi. Poi però quei due hanno cominciato a litigare, li ho sentiti gridare al telefono, Rita mi trattava peggio del solito. Fino a quando è successo quello che è successo e Ignazio è stato ammazzato».

«Ho interrotto la seduta a questo punto per il preoccupante stato d'agitazione di Wanda; portava di continuo le mani al volto scuotendo il capo in una serie di rapidi movimenti. Oppure s'immobilizzava sorridendo ma senza allegria, come il sorriso fisso di un ritratto. Poi, abbandonata ogni prudenza, mi ha chiesto di uscire insieme. Una volta in strada volevo provare a farle bere un caffè, un cordiale. Invece è stata lei a prendere l'iniziativa. Mi ha chiesto dove avevo parcheggiato l'auto, aggiungendo con decisione che voleva farmi vedere qualcosa: se le fosse capitato un incidente avrei saputo com'erano davvero andate le cose. Mi avrebbe mostrato il luogo dove Ignazio era stato ucciso, in modo che potessi farmi anch'io un'idea precisa della situazione, mi avrebbe rivelato un dettaglio che solo lei aveva notato».

Il poligono di tiro sorgeva in una zona piuttosto isolata della periferia, un complesso formato da tre edifici costruiti in un insolito stile di tipo moresco e disposti in modo da lasciare un ampio spazio al centro. Lo spazio si prolungava nel vero e proprio campo di tiro recintato da alti muri e concluso da sagome umane a grandezza naturale montate su carrelli semoventi. Davanti all'ingresso principale c'era un viale molto ampio fiancheggiato da pini di dimensioni notevoli, che arrivavano a coprire coi loro alti ombrelli parte dell'edificio principale. Quando si avvicinarono, anche se attutiti dalle recinzioni, Clara udí gli schiocchi secchi delle armi da fuoco.

«Dopo che il sole è calato, – disse Wanda, – qui diventa un deserto. Non passa nessuno. Quando fa buio chiudono il portone. Quelli che hanno finito di sparare escono da quella porticina di lato».

Sempre restando dentro l'auto, il volto seminascosto da un paio di grandi occhiali da sole, Wanda indicò il punto in cui Ignazio era caduto, a metà tra l'asfalto della carreggiata e una larga striscia di terreno lasciato brullo, coperto di un'erbetta stenta, disseminato di ghiaia e di aghi di pino.

«Stava lí, girato sulla schiena, i piedi in direzione della strada, la pistola era finita sotto il corpo. L'hanno vista solo quando l'hanno sollevato. Ma c'è una cosa che nessuno ha visto, che ho notato solo io».

Wanda indicò un pino lí di fronte, chiese a Clara di avvicinarvisi.

«Vada lí, metta la mano sul tronco, piú o meno all'altezza della sua testa, passi un dito tra le scaglie, sentirà due buchetti nel legno, uno sopra l'altro».

Clara scese dall'auto ed eseguí i movimenti che Wanda le aveva suggerito. La corteccia del pino era scabra, disseminata da solchi che le scaglie sovrapposte in piú strati avevano reso profondi: era quasi impossibile vedere o sentire alcunché al tatto, a parte la naturale ruvidezza del legno. A Wanda, che l'osservava da dietro il finestrino, fece cenno che non riusciva a trovare nulla.

L'altra allora aprí d'impeto la portiera, gettò sul sedile gli occhiali, si diresse verso Clara, le afferrò la mano, la sollevò guidandola, spinse l'indice sotto una scaglia di particolare consistenza.

«Lo sente il buco qui? Se guarda bene lo vede. Ce n'è un altro, un palmo piú su».

Ora che sapeva dove guardare, Clara scorse finalmente il foro, un centimetro circa di diametro; d'improvviso anche l'altro buco piú in alto era diventato visibile. Wanda, bianca in volto, la fissava con uno sguardo pieno d'ansia.

«Capisce? – chiedeva. – Capisce ora quello che è successo?»

Clara guardava smarrita, la bocca leggermente socchiusa. Wanda allora l'afferrò per un braccio parlandole con tono concitato a pochi centimetri di distanza, guardandosi ansiosamente intorno. Disse che adesso potevano anche andarsene, quello che bisognava vedere l'avevano visto.

Tornando verso l'appartamento protetto, le spiegò il senso del sopralluogo. I due buchi si trovavano nel punto esatto in cui era appostato l'assassino di Ignazio. Forse si trattava di Franco, forse di uno dei sicari che usava per questi servi-

zi, come quegli schifosi che aveva mandato per farla violentare. Ignazio era uscito dal poligono con la pistola infilata
nella cintura, dove la metteva sempre quando non aveva la
fondina. Aveva notato l'uomo appostato accanto al pino e
capito che stava lí per lui. Doveva aver subito aperto il fuoco. L'idea di Wanda era che il primo colpo fosse finito troppo in alto, il secondo quasi all'altezza della testa. Se avesse
avuto il tempo di sparare una terza volta l'avrebbe probabilmente colpito. Quel tempo però non c'era stato perché
il sicario, che aveva l'arma pronta al tiro, aveva cominciato
anche lui a sparare, un colpo dopo l'altro. Alcuni testimoni
infatti avevano riferito d'aver udito una veloce successione
di colpi, l'impressione d'una raffica. Dopo averlo visto cadere, per fingere una rapina l'assassino aveva frugato nelle
tasche, preso il portafoglio, sparso a terra i documenti mentre fuggiva, afferrato il denaro, gettato il portafoglio tra i
cespugli dove poi i carabinieri l'avevano ritrovato.

«Chi poteva aver voglia di derubare un disgraziato come lui? – concluse Wanda. – Se ne sono accorti subito che
non era possibile».

La donna adesso era presa dal racconto, le brillavano
gli occhi, era riapparso il colorito, convinta dalla sua ricostruzione dei fatti. Fissava Clara quasi aspettandosi da lei
un definitivo cenno d'assenso.

Avrebbe potuto dire che le sue intuizioni completavano il quadro che cominciava a emergere, che i due s'erano messi insieme per trafficare con le licenze edilizie, che
qualche disaccordo aveva guastato l'iniziale alleanza. Facile
pensare a un contrasto sulla ripartizione degli utili o sulla
suddivisione delle zone o uffici nei quali agire. Quale che
fosse la natura del patto, lei comunque non ne faceva parte, era stata confinata nel ruolo che le avevano imposto e
per il resto non contava nulla.

«Lei dovrebbe riferire ai magistrati ciò che sa». Era poco, Clara avrebbe potuto dire ben altro, però ancora una
volta le mancò il coraggio.

«Dire a chi, – chiese Wanda alterata, – dire che cosa...
Lei capisce dottoressa che io adesso ho in mano la vita di
Franco? M'ha fatto quello che m'ha fatto, ma adesso sono
io ad avere l'asso, dipende da come lo getto sul tavolo».

Poiché Clara sembrava non capire fino in fondo, spiegò lentamente le due, forse tre, possibilità che la situazione le offriva. Non aveva pensato ad altro, probabilmente se l'era lentamente costruite giorno dopo giorno forte
del segreto che solo lei conosceva, assaporandole una per
una. Clara la fissava stupita; una donna che s'era piú volte definita stupida dimostrava una capacità d'analisi della
situazione di cui lei non sarebbe stata capace. Ancora una
volta assisteva alla riprova di come l'odio possa diventare
un formidabile strumento d'azione.

E adesso chiedeva a lei che cosa avrebbe dovuto fare.

Clara si sentí di colpo investita da una responsabilità
che non riusciva a sopportare.

«Devo dire tutto, dottoressa? Devo salvare Franco? Dire che il primo a sparare probabilmente è stato Ignazio...
Oppure sto zitta, e che Franco se ne vada all'inferno? Dica la verità, lei al posto mio che farebbe?»

32

Sara e Luciano uscivano spesso a fare la spesa. Luciano aveva quasi ritrovato il passo d'un tempo, appoggiandosi al bastone riusciva ad arrivare fino al supermercato a tre isolati di distanza. Chiedeva di portare lui il sacchetto, parlava con Sara come aveva fatto con Assuntina, capace di trovare sempre piú spesso qualche pretesto di contesa che, abilmente, Sara assecondava. In quegli alterchi sconclusionati, per paradosso, si poteva scorgere un certo ritrovato equilibrio mentale; Sara era perfino arrivata ad alimentare la discussione inventando dettagli presi dalla propria vita o da quella della sua famiglia, variandoli per vedere fino a che punto potesse spingersi la finzione.

«Finora non ho trovato ostacoli, mi pare che Luciano risponda bene, – aveva confidato a Clara. – Mi segue nella conversazione, risponde anche quando discutiamo di episodi che in realtà appartengono non alla sua vita, ma ai miei ricordi o a qualche libro».

Clara del resto aveva avuto una diagnosi analoga dal neurologo che dopo una visita accuratissima aveva a sua volta constatato alcuni miglioramenti.

«I riflessi sono piú pronti, – osservò Clara, – lo stato di coscienza appena al di sotto della soglia fisiologica a quell'età. Soprattutto è migliorata la funzionalità motoria, come si vede anche a occhio nudo, adesso è meno complicato fargli fare quel po' di esercizio fisico di cui ha bisogno... Cosí m'ha detto e lo dobbiamo a te, Sara».

L'aveva abbracciata come una sorella, Luciano le ave-

va sorprese strette l'una all'altra, era intervenuto con irritazione.

«Assuntina, insomma, devi sempre perdere tempo con
tua nipote? È tardi, che facciamo per pranzo?»

C'era stato un solo accenno di screzio, quando Clara
aveva riferito a Luigi ragguagli sulla situazione.

«Sei contenta perché adesso sei più libera», aveva com-
mentato il fratello.

«Se la prendi così, Luigi, potresti dire che "siamo" più
liberi. È anche tuo padre, se l'avessi dimenticato».

«Non ti nascondere dietro un dito, io resto qua, sei tu
che te ne vuoi andare chissà dove, a fare chissà che».

Così Clara aveva scoperto che Luigi dissimulava sotto i
modi ruvidi un'ombra di scontento, forse di gelosia. Sembrava quasi dispiacergli la possibilità, peraltro remota, che
lei stesse lontana per alcuni mesi o anni, anche se di certo avrebbe negato di soffrire per la sua assenza. Non era
nemmeno facile capire se si trattasse di pudore, sconforto
o di una specie di rivalsa emotiva dopo le prove che aveva dovuto affrontare, dopo lo choc per il passaggio repentino dall'orgoglio per l'impresa della pizzeria allo smacco
di doverla perdere per una violenza contro la quale nulla
aveva potuto. Così erano andate le cose, e lui aveva reagito
con coraggio. Non aveva imprecato, né dato la colpa alla cattiva sorte, aveva assorbito il colpo, adottato l'unica
soluzione che i fatti consentivano: riorganizzarsi. Clara
doveva ammettere che c'era in suo fratello una capacità di
reazione, una tenuta, che a lei mancavano.

Lei invece da giorni continuava a ripetersi l'interroga-
tivo che Wanda le aveva lanciato, sapeva che i fatti incal-
zavano, che una sua opinione sarebbe stata determinante
sul comportamento della donna; era stata informata che
presto il procuratore l'avrebbe nuovamente interrogata.
Lina le aveva telefonato per rivelarle in maniera confidenziale che, poiché a carico di quel Franco Rizzo erano state
trovate nuove prove, il giudice ne aveva ordinato l'arre-

sto. Non solo. L'esame balistico provava che le pallottole
che avevano ucciso Ignazio provenivano da quell'arma.

Com'era possibile, dopo tutto quello che le avevano fatto, che Wanda si chiedesse se doveva o no aiutare Franco?
L'uomo che l'aveva torturata. Il solo affacciarsi di quel dubbio significava che il rapporto con l'aguzzino era ancora
piú complicato di quanto lei avesse immaginato.

Luigi, il ragazzo che aveva tante volte biasimato, avrebbe saputo che cosa fare. Lei continuava a porsi la domanda
di Wanda incapace di trovare una risposta.

Pochi giorni prima Luigi aveva invitato tutti a fermarsi
nel bar dopo la chiusura, una specie di assemblea. Aveva
descritto la situazione secondo una prospettiva di conve-
nienza che rispecchiava solo in parte la realtà, tacendone
comunque le cause. Aveva detto d'aver trovato un ottimo
affare, d'aver ceduto la gestione del bar a un prezzo cosí
conveniente che non solo Roberto, insieme a lui il socio
fondatore, ma ognuno di loro avrebbe ricevuto un bonus,
corrisposto appena si fosse incassato il denaro. Lui e Mustafà, che gli restava legato, avrebbero probabilmente aperto
un altro locale ancora piú specializzato: solo pizze e gelati,
aveva già in testa il nome «Il fuoco e il gelo». Non nella
stessa città, si sarebbe visto dove, comunque lontano. Era
una rappresentazione addolcita degli eventi, tutti sapevano che Luigi era stato ricattato, minacciato. Nessuno però
ne aveva mai parlato apertamente, tanto meno in quella
seduta che era in pratica un addio.

Luigi aveva parlato con fermezza, stupendo Clara che
per la prima volta aveva visto in lui non il fratello minore
incerto e sbandato, ma un uomo sicuro di sé o almeno cosí
abile da dissimulare la sua insicurezza, che era poi lo stesso. Era come se lo scontro con i criminali che gli avevano
strappato il frutto della sua iniziativa lo avesse di colpo
reso consapevole di come si giocano certe partite, e che di

fronte a un passaggio stretto bisogna imparare a trovare il centro perché gli stipiti sono duri. Forse un po' di quel merito andava anche a Melania, che cosí com'era comparsa all'improvviso era anche svanita.

Roberto aveva preso la parola per annunciare d'aver trovato un contratto in un rinomato studio d'architettura.

«Per il momento, – aveva poi rivelato a Clara, – si tratta di disegnare i dettagli esecutivi dei progetti. Comunque è la sola opportunità che ho trovato dopo il canile, ed è un modo per cominciare. Basta cappuccini».

Il tono di Roberto era disteso, confidenziale. Dopo aver esitato, Clara gli aveva rivolto la parola per domandargli ciò che in condizioni diverse non avrebbe mai fatto.

«Deborah non viene con me, se è questo che vuoi chiedermi. Lei resta qua, ha parlato con quelli nuovi, le hanno proposto di fare la cassiera, sarà piú o meno come avere la direzione del locale».

Nei giorni successivi Clara si comportò con Deborah come se non ci fosse nulla di inaspettato nella sua decisione. Sperava solo che fosse una vera scelta. C'era qualcosa che non andava nel proposito di continuare a lavorare per il gruppo dei nuovi arrivati. Restare al bar dopo la drammatica estromissione che Luigi aveva dovuto subire contraddiceva tutto ciò che Deborah aveva fatto e detto dal giorno in cui s'era presentata come un gattino caduto nell'acqua, con occhi che sembravano aver versato in una sola volta le loro lacrime.

Giorno dopo giorno, aveva dimostrato di saper ricostruire se stessa. Adesso invece arrivava una scelta che Clara interpretava come una cattiva notizia, una decisione inspiegabile.

Ne aveva accennato a Corrado. Di decisioni come questa è piena la vita di ognuno, aveva risposto. È inutile stare a farsi troppe domande.

«Da qualche parte, chissà dove, – aveva aggiunto lui, – c'è una forza in grado di capire ogni complicazione del corpo e dello spirito... C'è chi la chiama Dio».

«Parli per sentenze. Senso umano: zero. Io invece cerco di capire. È cosí faticoso avere un'opinione su ogni cosa, anche perché la possibilità di prendere cantonate è enorme».

«La verità è che hai troppa paura di sbagliare giudizio», osservò Corrado.

«Sei tu a sbagliare. Perché se io da donna a donna chiedessi a Deborah di confidarmi la ragione profonda della scelta, se le chiedessi di dirmi la verità come se parlasse a se stessa, nemmeno lei sarebbe capace di rispondere».

«La natura della nostra mente è debole, ci si può fidare solo del cuore».

«Ecco un'altra sentenza del cavolo, guarda che non stai parlando ex cathedra».

Poi arrivò il giorno in cui Corrado doveva partire per la Germania, nessuno dei due aveva voluto dare solennità all'evento anche se una corrente fredda e dolorosa s'era insinuata tra loro al momento del distacco. Alla vigilia, le aveva chiesto se voleva andare a dormire da lui, Clara però aveva rifiutato per un aggrovigliato insieme di motivi. Fare l'amore al momento di ritrovarsi andava bene: la fine della separazione, l'ansia di scorgere i segni eventuali del cambiamento sul volto dell'altro, la speranza di rivedere la stessa luce nello sguardo, addirittura di immaginare un futuro. L'amore del distacco invece, sovraccarico di tenerezza e di pathos, le pareva malsano. Corrado l'aveva invitata con la sua consueta allegria perché ragionava da uomo e gli uomini non vanno tanto per il sottile.

Aveva però voluto accompagnarlo. S'erano dati appuntamento al binario di partenza, s'erano salutati. La luce inerte del primo mattino cadeva obliqua sulle verghe dei binari, era il solo elemento a brillare nel grigio uniforme dell'ambiente. C'erano i binari e c'erano le unghie di Clara ravvivate da uno smalto d'un rosso insolitamente squillante.

Era la prima volta che Corrado notava in lei un dettaglio di cosí ostentata femminilità. Portò le dita alle labbra baciandole, Clara constatò con rammarico che la sua mano si abbandonava in quella di lui. Aveva probabilmente sbagliato a rifiutare l'invito. Il gesto serví in ogni caso a sciogliere l'imbarazzo, si portò dietro un po' di tenerezza.

«Mi dispiace solo che quando partirai per gli Stati Uniti non potrò essere lí a salutarti», disse Corrado.

«Torni spesso su questo argomento, è come se volessi mettere in paro i nostri conti... Al momento, la sola cosa certa è che sei tu ad andartene, io chissà».

«Non mi vuoi far partire cosí, vero? Faccio lo stupido, faccio di tutto per irritarti un po' con le mie "sentenze", ma ti giuro che sotto quel teatrino batte un cuore. Senti».

Le prese la mano e la infilò sotto la giacca.

«Effettivamente un cuore c'è, – constatò Clara, – però non mi dice per chi sta battendo».

Corrado l'afferrò per le spalle e la baciò come non aveva mai fatto in pubblico, e raramente anche in privato. Un bacio lungo da togliere il respiro. Poi si staccò da lei e l'allontanò con le braccia come per meglio fissarla.

«Hai capito che volevo dire?»

«Credo di sí. Ma adesso piantala, sennò mi metto a piangere».

«Quando partirai io non sarò lí ad abbracciarti. Volerai libera verso una nuova vita», fece Corrado, con tenerezza e ironia.

33

Al termine della veloce rincorsa, il pesante quadrimotore si staccò dal suolo con un impressionante angolo d'impennata. Clara sedeva accanto a un finestrino di destra. Quando il velivolo cominciò a virare in direzione nord-nord-ovest per mettersi in rotta, vide la costa allontanarsi rapidamente al di là d'una striscia brunastra di mare, l'intero paesaggio assumere una dimensione da carta topografica, ridotti a punti insignificanti gli esseri animati, le strade, le auto, le case. Prima di giungere alla quota di crociera, l'aereo superò la spessa coltre di nuvole. Anche se volare non era una novità per lei, Clara continuava a emozionarsi nel vedere il lato nascosto delle nubi, un privilegio che il genere umano aveva potuto conquistare da non moltissimo tempo, una sensazione di levità, di sospensione nel ronzio ovattato della cabina. Il lato nascosto delle nubi come il lato nascosto, oscuro, del cuore. Si capiva perché tutte le religioni, dai tempi piú remoti, avessero immaginato le nubi come dimora delle divinità con i loro misteri, le passioni, i sentimenti inaccessibili alla ragione. Come diceva Kant – pensava Clara –, oltrepassano i suoi limiti, inutile interrogarsi sull'irrazionale.

Le città lontane, le montagne dalle cime in parte innevate, poi le grandi pianure francesi solcate dal corso tortuoso e lucente dei fiumi, tutto scorreva lentamente sotto il ventre dell'aereo, novemila metri piú in basso. La lontananza e il distacco riguardavano lo spazio, ma investivano anche lo stato d'animo, il senso di appartenenza, le responsabilità, le memorie, gli ultimi avvenimenti, tutto sbiadiva nell'azzurro luminoso.

L'aereo virò a sinistra puntando netto verso Occidente, l'ultimo lembo d'Europa. Oltrepassata la Bretagna, si aprí la sterminata distesa dell'oceano. Il blu profondo appariva screziato da improvvise mutevoli rifrazioni di luce. Clara guardava rapita, un po' sorpresa dal fatto che i suoi compagni di viaggio potessero continuare a leggere o a conversare indifferenti a tanta meraviglia. Passavano le ore nel ronzio uniforme dei motori, di tanto in tanto una hostess offriva qualcosa da bere o da mangiare, fuori però la luce restava immobile, alta nel cielo come se il sole si fosse fermato. A Clara venne in mente il grido di Giosuè: «"Fermati sole, su Gabaon". Il sole si fermò, la luna restò immobile, un popolo si vendicò dei suoi nemici. Un giorno come quello non c'è mai stato né prima né dopo di allora, quando il Signore obbedí a un essere umano».

Aveva saputo di essere stata accettata quando ormai non lo credeva piú possibile. C'era anche stata una cortese spiegazione del ritardo.

Pochi giorni prima Lina le aveva telefonato per dirle che a carico di quel Franco Rizzo c'erano altre prove.

«Serafino mi ha anche detto che a questo punto il profilo psicologico di Wanda non ha piú molta importanza. Basta l'alibi che ha per la sera del delitto. Praticamente è già uscita dall'inchiesta anche se l'assicurazione non le darà una lira. Serafino ti voleva incontrare per ringraziarti e darti anche il dovuto per il lavoro. Quando gli ho detto che partivi mi ha chiesto i tuoi dati bancari. Fammeli avere».

Clara aveva pensato che avrebbe provveduto dagli Stati Uniti. Forse. Si era chiesta se i colloqui che aveva avuto con Wanda potessero davvero considerarsi un lavoro. I lavori si concludono, un lavoro non concluso è una prova fallita. Lasciando inevasa la domanda finale di Wanda, lei non aveva concluso. Ma Lina le aveva anche detto che Wanda non avrebbe visto un soldo. Forse, Clara si disse, poteva devolverle il compenso stabilito dall'avvocato.

Come avrebbero influenzato il comportamento della donna le novità di cui Lina aveva parlato? L'arresto di Franco avrebbe spinto Wanda a rivelare ciò che aveva scoperto? Continuava a pensare alle parole che le aveva detto nel momento in cui s'erano salutate.

«Le ho raccontato la mia vita, le pene che ho affrontato, la stupidità nella quale sono stata prigioniera per anni. Adesso posso fare una mossa decisiva e non voglio sbagliare. Non l'ho preparata io, è arrivata da sola, ho solo avuto la fortuna di scoprire, non so nemmeno come, quei due fori. Dentro quei buchi ci sono le pallottole sparate dalla pistola di Ignazio e io sono la sola a saperlo».

Quei due spari cambiavano non solo la dinamica dei fatti ma la natura stessa dell'omicidio, quindi le responsabilità di Franco. L'uomo che aveva ordinato il suo stupro per avvertirla che era meglio tacere, adesso avrebbe avuto tutto l'interesse a che lei parlasse.

Se avessero saputo che avevano sparato in due, i giudici avrebbero dovuto cercare innanzitutto di stabilire chi aveva puntato l'arma per primo; chi per primo aveva fatto fuoco, chi aveva risposto con un gesto che a quel punto diventava difensivo. La piú banale perizia avrebbe provato che le pallottole nel tronco erano state esplose dalla pistola di Ignazio. Su quella prova, gli avvocati di Franco Rizzo avrebbero potuto costruire la tesi della legittima difesa. In ogni caso la posizione di Franco sarebbe diventata piú leggera.

«Dica la verità, – le aveva chiesto Wanda, – lei al posto mio che farebbe?»

Da quale parte avrebbe dovuto far pendere la bilancia? Toccava davvero a lei? C'era l'uomo che Wanda aveva sposato senza conoscerlo, un marito cosí inadeguato da essere addirittura diventato complice del suo corruttore, e c'era l'altro, quello che l'aveva sedotta solo per usarla. «Segua il suo odio», avrebbe dovuto dire a Wanda. Quale dei due uomini meritava maggiormente il suo odio? Su chi dei due era preferibile che esercitasse il suo diritto a un risarcimento?

La risposta apparteneva alla donna, non alla psicologa, la solidarietà che sentiva nei confronti di Wanda non entrava nel gioco, non spettava a lei aiutarla a gettare il peso su uno dei due uomini che avevano contribuito a distruggerle la vita.

Una grande nave solcava l'oceano seguita da una scia spumeggiante; dall'aereo si distingueva a malapena la sagoma sfumata dalla distanza, restava, effimera, la lunga coda turbolenta delle acque agitate dalle eliche.

L'America l'aspettava. Fu allora che le tornò in mente quella vecchia storia di famiglia, il destino di Giuliana, una delle due sorelle di Assuntina. Era la piú bella delle tre.

Aveva sposato un soldato americano che l'aveva conquistata tirando fuori dal portafoglio con un sorriso irresistibile la foto di un'automobile grandissima con lui al volante. Quando aveva annunciato che voleva sposarla, e non solo andarci un po' a letto (come tutti s'erano rassegnati a pensare), in famiglia s'era fatta festa e le nozze erano state preparate con cura. Per zia Giuliana s'era cucito un abito da sposa comprando alla borsa nera un mezzo paracadute, quindici metri quadrati di un tessuto di seta, dal quale s'era potuto ricavare perfino una specie di strascico. John non arrivava mai a mani vuote, ed erano scatolette di carne, fagioli, würstel, stecche di sigarette, una volta una bottiglia di whisky. Sapori nuovi, squisiti. A guerra finita, lui era tornato negli Stati Uniti e dopo qualche settimana erano arrivate le carte con i visti. Giuliana l'avevano accompagnata a Napoli, e c'erano stati gli addii sotto la fiancata nera della nave, con lo zio Giancarlo che davanti ai fazzoletti bagnati di lacrime cercava di fare lo spiritoso ripetendo a tutti: «E che sarà mai, non parte mica per l'America».

Invece andava proprio in America, anzi nel cuore dell'America, in una cittadina di cui nessuno sapeva pronunciare il nome perché era quello di una tribú indiana. «Mi sa tanto che è indiano anche il marito», ripeteva Giancarlo che coglieva al volo ogni possibile occasione per scherzare. Tutti s'affrettavano a smentirlo: «Ma non vedi che pelle bianca che ha, quelli sono pellerossa, stupido!»

Per molto tempo di Giuliana non s'era piú saputo niente, giusto una cartolina a Natale. Di colpo era arrivata la notizia che era morta. Non in quel paese sperduto chissà dove, ma proprio a New York. Morta? Di che? E suo marito? Non si sapeva nemmeno se c'erano figli.

Clara certe volte si chiedeva com'era possibile che fossero quelle le condizioni di totale inconsapevolezza nelle quali la sua famiglia era vissuta. Non erano nemmeno passati troppi anni, dopo tutto. Non essere capaci d'interpellare il consolato americano o l'ambasciata italiana, una telefonata, un telegramma. Lo zio Giancarlo, che tutti prendevano per uno stordito, era stato l'unico a darsi un po' da fare e qualche cosa aveva saputo perché i giornali la notizia in poche righe l'avevano data. Giuliana era morta cadendo dalla finestra di un albergo. A mezze parole, compreso dell'importanza di essere l'unico ad aver saputo, Giancarlo faceva capire che forse la povera Giuliana s'era messa a fare brutte cose, che suo marito era rimasto laggiú al paese e lei chissà chi frequentava a New York e come si guadagnava da vivere. «Era troppo bella, – diceva. – La bellezza a volte fa male», scuoteva il capo compreso.

La nave che Clara stava osservando ci avrebbe impiegato giorni, forse piú o meno gli stessi di Giuliana, quarant'anni prima. Lei invece, tempo poche ore, avrebbe messo piede nel nuovo continente. Giuliana era partita come una sposa di guerra, lei si avviava a un buon PhD. Pochi anni e tutto era cambiato.

Corrado in Germania, lei negli Stati Uniti, si sarebbero ritrovati? Una delle piú belle canzoni del Novecento diceva, nei versi di Jacques Prévert: *Et la vie sépare ceux qui s'aiment,* | *Tout doucement, sans faire de bruit.*

Era successo anche a loro di essere separati dalla vita senza troppo chiasso. E adesso? Quando alla stazione aveva chiesto a Corrado perché aveva scelto di partire in treno, aveva risposto che voleva assaporare il distacco. L'aereo è un mezzo brutale, il treno invece ti mette sotto gli occhi il cambiamento.

Probabilmente la distanza, gli interessi, le ambizioni, le opportunità avrebbero fatto il resto, com'è giusto che sia. O forse avrebbe prevalso quella che Clara chiamava l'intimità. Non è solo questione di dormire nello stesso letto, significa mangiare insieme, parlare, conoscere lo stato di salute dell'altro, le sue pene, i desideri, condividerne il sorriso, coinvolgere i sentimenti, la memoria, l'ironia, arrivare alla forma suprema di conoscenza cui possono aspirare gli esseri umani: la complicità.

Intanto avrebbe ripreso gli studi interrotti in modo cosí maldestro, la ricerca sugli anni in cui dalla mente era stato snidato l'inconscio. Aveva visto nei dépliant la biblioteca luminosa della facoltà, i grandi tavoli di lettura, l'ampia vetrata che apriva sul verde del campus, anelava di tornare alla metodica quiete della ricerca. S'era misurata con la vita reale e per due volte era stata delusa da se stessa, sconfitta con Deborah e con Wanda.

Adesso il lungo balzo per arrivare in un posto cosí remoto, cosí diverso, poteva sembrare una fuga. Preferí pensare che avrebbe rappresentato un nuovo inizio.

Avrebbe ricominciato da Lou Andreas-Salomé. Tra tante donne sconfitte, compresa lei stessa, sarebbe ripartita con la storia di una vincitrice. Psicoanalista anche Lou, capace di spingere Nietzsche alle lacrime. Nietzsche che le aveva proposto di costruire insieme a lui e al comune amico Paul Rée una «trinità» filosofica. Lei che di quella trinità voleva essere il vertice.

La nave era scomparsa, inghiottita dalla velocità dell'aereo. Premendo la fronte contro il finestrino le parve d'intravedere, ancora indistinto nella bruma, il basso profilo oscuro d'un lembo di terra.

Nota dell'autore.

Questo racconto è opera di fantasia, anche se non mancano i riferimenti alla realtà storica e ad alcuni casi di cronaca nera che, in passato, fecero scalpore; sembrava un segno del cambiamento, in peggio, dei tempi. Poi, come sappiamo, a certe cose ci si abitua – in fretta.

Nel libro si noterà qualche frizione cronologica tra gli eventi narrati e l'ambientazione complessiva. È il carattere romanzesco della narrazione a giustificarle.

Sono contento di essere tornato in casa Einaudi dove la mia vita di scrittore era cominciata in anni ormai remoti. Devo una particolare gratitudine a Ernesto Franco che mi ha convinto, a Paola Gallo attentissima e lucida nella revisione editoriale.

Importanti contributi sono venuti dalla lettura di opere specialistiche o divulgative qui elencate in ordine di consultazione. Tra queste:

La Psicoanalisi, di Pierre Janet, ed. italiana a cura di Maurilio Orbecchi, Bollati Boringhieri, Torino 2014.

Le lacrime di Nietzsche, di Irvin D. Yalom, Neri Pozza, Vicenza 2006.

L'operetta italiana, di Waldimaro Fiorentino, Catinaccio, Bolzano 2006.

L'età dell'inconscio, di Eric R. Kandel, Cortina, Milano 2012.

Diario di una segreta simmetria, di Aldo Carotenuto, Astrolabio, Roma 1999.

Donne che amano troppo, di Robin Norwood, Feltrinelli, Milano 1989.

L'uomo che scambiò sua moglie per un cappello, di Oliver Sacks, Adelphi, Milano 2012.

Cesare Lombroso e le neuroscienze, di Emilia Musumeci, Franco Angeli, Milano 2012.

Psychopathia Sexualis, di Richard von Krafft-Ebing, Carlo Manfredi, Milano 1957.

Storia della psichiatria, di Edward Shorter, ed. italiana a cura di Claudio Mencacci, Masson, Milano 2000.

Una storia che non possiamo raccontare, di Stephen Grosz, Mondadori, Milano 2013.

Il viaggio di Artemidoro, di Luciano Canfora (*Vita e avventure di un grande esploratore dell'antichità*), Rizzoli, Milano 2010.

La traduzione di *Aline e Valcour* del Marchese de Sade è di Aurelio Valdesi, Sugar, Milano 1968.

La traduzione de *La signorina Else* è di Giuseppe Farese, curatore delle *Opere* di Arthur Schnitzler, Mondadori, Milano 1988.

La traduzione del monologo di Molly Bloom dall'*Ulisse* di James Joyce è di Gianni Celati, Einaudi, Torino 2013.

Le citazioni da Sigmund Freud sono tratte da *Opere*, ed. italiana a cura di Cesare Musatti, Bollati Boringhieri, Torino 1976-80.

La traduzione del diario di Sabina Spielrein è di Anna Korda Crean (il brano citato è riportato nel volume di Aldo Carotenuto).

Mi sono avvantaggiato delle acute riflessioni di Franco Fabbro, Maurizio Ferraris, Umberto Galimberti, Carlo Federico Grosso, Massimo Recalcati, Silvia Vegetti Finzi.

Di eventuali imprecisioni sono responsabile.

Stampato per conto della Casa editrice Einaudi
presso ELCOGRAF S.p.A. - Stabilimento di Cles (Tn)
nel mese di settembre 2015
C.L. 22729

Edizione   Anno

1   2   3   4   5   6   7   2015   2016   2017   2018